Le maître
de mon cœur

Karin TABKE

MAÎTRES ET SEIGNEURS – 1

Le maître de mon cœur

Traduit de l'anglais (États-Unis)
par Paul Benita

AVENTURES & PASSIONS

Vous souhaitez être informé en avant-première
de nos programmes, nos coups de cœur ou encore
de l'actualité de notre site *J'ai lu pour elle* ?

Abonnez-vous à notre *Newsletter* en vous connectant
sur **www.jailu.com**

Retrouvez-nous également sur Facebook
pour avoir des informations exclusives :
www.facebook/pages/aventures-et-passions
et sur le profil *J'ai lu pour elle*.

Titre original
MASTER OF SURRENDER

Éditeur original
Pocket Books, a division of Simon & Schuster, Inc.

© Karin Tabke, 2008

Pour la traduction française
© Éditions J'ai lu, 2013

À Lauren.
Merci d'avoir cru en moi
et de m'avoir poussée à écrire un meilleur livre.

Prologue

1059, prison de Jubb, Viseu, Al-Andalous

L'âcre odeur d'urine et celle cuivrée du sang se mêlaient aux gémissements et aux hurlements étouffés de la multitude implorant une fin rapide. La puanteur de la mort se répandait partout.

Mais elle restait encore à la porte de la cellule où Rohan était enchaîné, pendu à ses fers rivés dans la pierre humide du mur. Non, il n'était pas question de mourir. Le besoin de vengeance brûlait trop fort dans son cœur. Et il brûlait de façon tout aussi intense en chacun des hommes enfermés avec lui. Tous étaient de fiers guerriers qui cracheraient au visage d'Atropos, la déesse implacable, le jour où elle couperait le dernier fil les reliant à cette existence.

Un sourd grondement naquit dans sa gorge. Ignorant la douleur que lui coûtait ce geste, Rohan tira sur ses fers. Emprisonné. Condamné à mort.

Jubb, le trou où crèvent tous ceux qu'on y jette. Qui n'était en fait qu'un donjon infesté de chauves-souris. Il entendait les créatures quand il était éveillé. Il les entendait quand il sombrait dans un sommeil sporadique. La cacophonie grinçante de ces milliers d'ailes, les cris des victimes qui se faisaient dévorer vivantes. La nausée le saisit à nouveau. Mourir ainsi était indigne.

Il reposa la tête contre le mur humide. Ses longs cheveux crasseux et infestés de poux tombaient sur ses épaules. Depuis quand étaient-ils enfermés dans cette antichambre de l'enfer ? Il l'ignorait. Il était rare que la lumière du soleil parvienne à s'infiltrer à travers les meurtrières percées tout là-haut près du plafond. Cela faisait longtemps qu'il ne tenait plus le compte des repas qu'on leur accordait une fois par jour : un pain noir et moisi noyé dans un brouet infâme.

Il ferma les yeux, et cela aussi exigea un effort tant ses paupières étaient sèches et craquelées. En équilibre sur son bon pied, le gauche, il testa l'autre, essayant de le tendre et de le plier. Le talon avait enfin guéri de la blessure infligée par Ocba, leur tortionnaire. Il aurait pu perdre l'usage de sa jambe. Ne plus être capable de marcher. Chose qu'il ne ferait peut-être plus jamais. S'évader d'ici n'était qu'un rêve.

Il lança un coup d'œil vers Ioan. Le grand Irlandais, méconnaissable sous l'immonde toison qu'étaient devenues sa chevelure et sa barbe mêlées, avait perdu davantage de poids que n'importe lequel d'entre eux. Ioan était pourtant une force de la nature. Un bon lieutenant au combat. Brisée par un étau de bois, sa cuisse droite était toujours gonflée. Là aussi pour le bon plaisir d'Ocba. Rohan entendait encore les hurlements d'Ioan. Si par quelque miracle ils parvenaient à s'enfuir, pourrait-il seulement tenir sur une selle ?

— Rohan.

La voix était sourde, cassée. Il tourna la tête, la douleur provoquée par le collier de fer qui lui enserrait le cou se propageant jusqu'au bas du dos, puis dans les jambes. Il se mordit les joues pour ne pas crier et regarda à sa droite. S'il l'avait pu, il aurait souri. Thorin. Même dans cette pénombre, il parvenait à lui compter les côtes.

— Oui, Thorin. Je t'entends.

— Nous sommes les prochains, mon frère.

Rohan acquiesça. Chaque jour, se rapprochait le bruit des cellules voisines qu'on débarrassait de leurs occupants. La rage le saisit à nouveau. Ils avaient été trahis. Piégés et sacrifiés comme de vulgaires pions.

— Je te le jure, Thorin : j'emmènerai au moins une douzaine de ces Crétois avec moi avant que les chauves-souris ne me dévorent.

— Oui, et moi aussi.

Ils étaient pitoyables, Rohan le savait. Ils avaient à peine la force de soulever les paupières, alors où trouver celle de se battre ? Il contempla ses compagnons, des chevaliers mercenaires comme lui, tous capturés dans une embuscade au cours d'un raid sur un village endormi dans les montagnes dominant la ville sarrasine de Viseu. La haine qui brillait dans leurs yeux était aussi féroce que celle qui lui mordait le cœur. Vêtus d'un simple linge autour de la taille, ils étaient tous enchaînés par les poignets, se tenant sur la pointe des pieds pour éviter que leurs épaules ne se disloquent.

Il contempla les visages de ceux qu'il connaissait depuis si longtemps, venus comme lui de Normandie : Warner, un orphelin, désormais de la maison de son père adoptif ; Stefan, fils aîné du comte de Valrey ; et son plus vieil ami et compagnon de toujours, Thorin le Viking. Les autres – Wulfson, Ioan,

Rhys et l'Écossais, Rorick – il les avait rencontrés ici, en se battant sur la terre des Sarrasins, et eux aussi étaient devenus ses amis... au point de l'accompagner dans ce puits de mort.

Ils partageaient un point commun. Pour assurer leur subsistance, ils devaient manier l'épée. Oui, tous étaient des chevaliers mercenaires qui avaient prêté allégeance à Ferdinand de Castille-León. Moyennant finance. Et tous, il le semblait bien, allaient connaître une mort sordide dans ce pays étranger. Ainsi vivaient les hommes de leur espèce.

— On peut les vaincre, dit soudain une voix au fort accent étranger.

Rohan tourna la tête vers l'inconnu dont la peau était semblable aux plus noires des nuits sans lune. Enchaîné à sa gauche, il partageait cet infime espace avec lui depuis des jours. Pendant tout ce temps, l'homme n'avait jamais proféré le moindre mot. Pourquoi maintenant ? Comprenait-il, lui aussi, que leur heure allait bientôt sonner ?

— Pourquoi nous dire cela, Sarrasin ? demanda Rohan.

— Je suis Manhku. Et comme vous, je ne souhaite pas mourir.

— Dis-nous, Sarrasin. Dis-nous comment nous débarrasser de cette vermine ! exigea Wulfson.

Comme convoqué par cette conversation, un tintement de clés retentit derrière la lourde porte en bois. Puis ce furent les bruits de la serrure et les couinements des gonds.

L'homme qui apparut, torche allumée à la main, n'était pas Ocba, leur tortionnaire habituel. Celui-ci était mieux habillé, vêtu de robes taillées dans une soie luxuriante. Il s'avança avec précaution sur le sol souillé, comme en se dandinant, une écharpe cramoisie pressée sur le nez. Rohan ricana quand le nouveau venu eut un haut-le-cœur.

— Il faut du courage pour entrer ici, Sarrasin, se moqua-t-il.

Manhku marmonna un juron étouffé. Les autres gardèrent le silence.

Comme s'il n'avait pas entendu la moquerie, le nouveau venu se tamponna les coins de la bouche. Après avoir inséré sa torche dans un anneau scellé au mur, il claqua des doigts. Un étrange raclement retentit à l'extérieur. Puis Ocba et un garde apparurent, poussant une sorte de chariot métallique rempli de braises ardentes. Les muscles de Rohan se nouèrent. Huit épées étaient plantées dans les braises. Dont la sienne.

L'homme vêtu de soie baissa son turban et planta des yeux couleur d'ébène dans ceux de Rohan.

— Je suis Tariq ibn-Ziyad, second fils d'Aleyed, émir de Viseu. Je suis ici à sa demande, car il semble que vous autres, chevaliers chrétiens qui vous vendez au plus offrant, désirez connaître le Jahannam.

Il scruta chacun des hommes enchaînés et ses lèvres pourpres s'étirèrent, révélant des dents d'un blanc éclatant.

— Et maintenant, tu comptes nous torturer un peu plus pour nous donner un avant-goût de ton enfer sarrasin ? répliqua Thorin.

Tariq enfila d'épais gants de cuir avant de sourire de plus belle.

— Tu as vu juste, Viking. Comme vous refusez de vous incliner devant Allah, le seul vrai dieu, préparez-vous à porter la marque de celui qui vit et meurt par l'épée.

Il sortit la lame de Rohan des braises. Proche de la fusion, celle-ci brillait d'une couleur orangée. Toujours souriant, il s'en servit pour fendre l'air.

— Une arme fidèle, on dirait, *kafir* ? lança-t-il, planté devant Rohan.

Ocba et l'autre garde vinrent lui saisir les jambes tout en le plaquant au mur. Ayant deviné les intentions du Sarrasin, Rohan se prépara.

Tariq amena la pointe juste sous son nez. La chaleur lui brûla la peau.

— Eh bien, garde-la pour l'éternité !

Tariq pressa l'épée, pointe vers le bas, sur son torse.

— Au nom d'Allah ! s'écria-t-il. Je te marque tel le mercenaire que tu es. Porte le signe de la lame rouge jusqu'en enfer !

Rohan rugit son cri de guerre, la douleur insondable et l'immonde odeur de chairs grillées le poussant au bord de la folie. Dans son agonie, il se tordit si violemment qu'il parvint à libérer ses jambes. La lame tomba. Malgré les ténèbres qui tombaient devant ses yeux, il eut la maigre satisfaction de voir Tariq basculer en arrière. Ses fesses couvertes de soie s'écrasèrent dans les déjections.

Son triomphe fut très bref. Après un dernier spasme de douleur, son corps devint inerte. Il ferma les yeux et accueillit avec joie la paix que la mort allait lui apporter.

Juste avant de sombrer, il sentit plus qu'il ne les entendit les cris rauques de Thorin à son côté. Enfin, ce fut le noir.

Il devait être en train de rêver. Un doux parfum exotique lui emplissait les narines. Des mains fraîches et apaisantes soignaient ses brûlures. Un ange ? Descendu du ciel pour le ramener chez lui ? Non, les anges avaient déserté ce lieu. Il se trouvait bien là où il était censé être : au Jahannam, en enfer.

Ses lourdes paupières s'ouvrirent. Pour la première fois depuis des semaines, il était couché sur le dos. Il n'était plus accroché au mur, même s'il sentait encore le poids des fers à ses poignets et à ses chevilles.

Il regarda à sa gauche. De grands yeux marron ornés d'épais cils le fixaient derrière un voile noir. Il était facile de deviner, aux rides qui rayonnaient de ses paupières, qu'elle souriait. Une femme ? Dans une prison sarrasine ? Elle hocha la tête et continua à appliquer le baume sur sa poitrine. Rohan voulut se redresser mais en fut incapable, n'ayant même pas la force de soulever la tête. Au-delà de la femme, il aperçut Thorin. À sa droite, se trouvait le géant noir comme l'ébène. Plus loin, il distingua tous les autres, encore enchaînés mais, eux aussi, allongés. Il ferma les yeux.

Quand il les rouvrit, les ténèbres régnaient.

— Thorin ? murmura-t-il, les lèvres craquelées, la gorge à vif.

— Je suis là.

La voix de son ami était à peine audible.

Rohan serra les poings. Il sursauta en sentant alors une piqûre dans sa main droite. Qu'était-ce ? Avec une infinie prudence pour ne pas le perdre, il tâta l'objet en fer. Un clou ? Qu'il pourrait utiliser pour ouvrir ses fers ? Les battements de son cœur s'accélérèrent. L'ange lui avait-il donné la clé de cette prison ?

Un grincement de métal calma son exaltation. Il ferma la main autour du clou et se laissa aller sur le sol. De la lumière s'insinua dans la cellule, projetant d'étranges ombres autour d'eux. Des mots rudes furent prononcés dans une langue étrangère. Une douce voix de femme leur répondit, une voix cependant très ferme. La porte se referma derrière elle.

Son ange de miséricorde était revenu.

Comme elle l'avait déjà fait, elle appliqua le baume sur son torse, ses mains légères se déplaçant rapidement sur son corps. Puis elle s'occupa de Thorin et des autres, jusqu'à ce qu'elle arrive au géant allongé à son côté. Manhku marmonna dans sa langue maternelle. La femme répliqua sèchement.

Elle s'écarta de lui et fit alors quelque chose qui stupéfia Rohan. Elle se signa plusieurs fois, dessinant le signe de la croix avant de se relever. La porte s'ouvrit brutalement et Tariq surgit, les yeux brillant de rage. Il saisit la femme. Elle cria, se débattit, lui lançant des coups de pied puis, dans un geste de défi, arracha le voile qui couvrait son visage. Cette vision réveilla la colère de Rohan. Le miel sombre de sa peau était souillé par d'atroces cicatrices rouges qui lui zébraient les joues.

— Je vous interdis de regarder son visage, *kafir* ! hurla Tariq.

Refusant de se laisser impressionner, la femme le toisait. Tariq la frappa violemment. Elle s'écroula aux pieds de Thorin. Quand Tariq se baissa pour la saisir, Thorin gronda :

— Laisse-la !

— Tu as osé la regarder !

— La torture te va bien, Sarrasin. Tu ne sais t'imposer qu'à des hommes enchaînés et des femmes impuissantes, répliqua le Viking.

Tariq dégaina son cimeterre.

— Tu vas payer le prix pour avoir osé la regarder, *kafir*.

Avec une vivacité inouïe, il lui trancha l'œil droit. Thorin hurla de douleur. Il détourna la tête tandis que le sang jaillissait de son orbite. Tariq leva son arme pour s'occuper de l'autre œil.

La rage s'empara de Rohan. Il poussa son puissant cri de guerre et se tordit malgré ses chaînes. D'un coup de pied, il déséquilibra le Sarrasin. Le cimeterre lui échappa, tombant près de Manhku. Agile comme un chat, Tariq se jeta sur Rohan, une dague à la main.

Avant de se figer soudain. Un étrange gargouillement suivit le sifflement qui s'échappa de sa poitrine. Il baissa les yeux vers son propre cimeterre plongé en lui jusqu'à la garde. Puis il regarda tour à tour Manhku et Rohan avec stupeur.

La femme arracha la lame de son corps avant de le repousser d'un coup de pied. Il s'écroula à genoux.

— Je t'avais prévenu, mon frère ! La voyante avait prédit la venue de l'Épée rouge. Tu as été stupide de ne pas la croire.

Elle se tourna vers Rohan, puis vers chaque homme présent dans la cellule.

— Apprenez votre destinée, chevaliers bâtards. Jurez-vous fidélité les uns aux autres, car ceux d'entre vous qui survivront au pays des Sarrasins pour gravir les grandes montagnes de Gaule n'auront personne d'autre sur qui compter. De nombreux périls vous attendent au-delà des eaux.

Elle se baissa pour s'emparer de la dague dans la main de son frère. D'un geste si vif qu'il n'eut pas le temps de l'empêcher, elle fit une petite entaille sur le menton de Rohan, avant de procéder de même avec chacun des autres. Ceci fait, elle revint vers le centre de la pièce et, de ses deux mains, leva le poignard vers le ciel. Le sang mêlé des chevaliers ruissela le long de la lame, puis sur ses bras.

— Vous portez la marque de l'épée sur la poitrine et vos sangs se mêlent ici sur cette lame. Vous voilà liés jusqu'à la fin des temps. Qu'ainsi commence votre héritage !

Elle ferma les paupières pour psalmodier des mots inintelligibles. Soudain, son corps se raidit. Puis elle rouvrit les yeux. Ceux-ci semblaient insondables.

— Ne dispersez pas votre semence, chevaliers de l'Épée rouge. Si elle est puissante, elle ne prendra racine que dans les entrailles fertiles de la femme dont la destinée est de porter vos fils.

Elle ferma les yeux avant de conclure :

— Mais un tel ventre ne viendra pas de son plein gré et le prix à payer sera grand, ajouta-t-elle en levant la dague plus haut encore. Pour prétendre le posséder, vous devrez verser le sang des siens !

1

20 novembre 1066, Alethorpe, Angleterre

— Des cavaliers ! cria Bertram, la vigie postée sur la tour.

Isabel s'immobilisa devant la petite chapelle attenante au manoir de Rossmoor. Son cœur s'affola. Père ! Geoff ! Rassemblant ses jupes, elle courut à travers la cour vers le mur d'enceinte, les semelles de ses souliers effleurant à peine la pierre.

— Des chevaliers en armes ! annonça Bertram d'une voix soudain étranglée.

Le sang se figea dans les veines d'Isabel. La terreur remplaça l'excitation. Faisant demi-tour, elle se rua vers le manoir. Les pillards ! Sainte Mère de Dieu. Chaque jour, ils devenaient plus audacieux. N'avaient-ils pas assez accablé les pauvres gens d'Alethorpe ?

— Aux armes ! Aux armes ! cria-t-elle à la vigie.

Donner un tel ordre n'avait aucun sens. Il n'y avait plus ici qu'une poignée de villageois inexpérimentés. Quoi qu'il en soit, elle était décidée à se battre.

— Jésus ! hurla Bertram. C'est la Lame noire !

La Lame noire ! Le chef de la plus terrible troupe de Guillaume, qu'on appelait « les Morts ».

Le cri qu'elle retenait lui échappa.

Au moment où elle poussa l'immense porte en bois, Isabel faillit heurter Russell, l'écuyer de son père, qui était resté à Rossmoor sur son insistance pour protéger sa fille et son fief.

— Russell, c'est la Lame noire ! Rassemble tous les serviteurs. Appelle les villageois !

Elle n'attendit pas sa réponse pour monter dans la tour et, de là, gagner les remparts. Quand elle tourna son regard vers l'horizon, ce qu'elle vit l'épouvanta.

Une dizaine de chevaliers en armures noires montés sur des destriers eux aussi caparaçonnés de noir, leurs immenses corps bardés de métal comme ceux de leurs maîtres, franchissaient au galop la dernière crête avant le village. Leurs longs manteaux noirs aux coutures écarlates flottaient au vent telles les ailes d'anges déchus.

Les villageois hurlaient, terrifiés par cette nouvelle menace. Ceux qui venaient n'étaient pas les pillards masqués qui rôdaient depuis quelques semaines dans la forêt, attaquant femmes, enfants et vieillards. Non, ceux qui fondaient sur eux à une allure folle étaient la mort elle-même.

L'étendard de Guillaume, duc de Normandie, deux lions d'or sur fond écarlate, battait dans l'air glacial du matin, mais plus effrayant encore était celui de ces hommes qu'on appelait « les Morts ». Flottant avec arrogance au sommet de chaque lance, leur gonfalon arborait un fond noir avec une épée rouge plongeant dans un crâne ricanant. La Mort.

— Sonnez la corne pour que les villageois aillent se cacher dans les bois ! Préparez-vous au combat !

Isabel dévala l'escalier pour retourner dans la cour et conduire tous les malheureux qui s'y trouvaient dans la grande salle du manoir.

Plusieurs servantes accoururent des cuisines, d'autres des appartements à l'étage. Bertram apparut à son tour, une épée à la main, Russell sur ses talons. Avec l'aide de Thomas, le palefrenier, elle enfonça les gros écrous de métal dans leurs supports avant d'installer les poutres qui bloquaient l'épais portail.

— Fermez toutes les fenêtres et meurtrières ! Occupez-vous des portes extérieures ! Alimentez les feux pour qu'ils ne tentent pas de descendre par les cheminées. Apportez les couteaux des cuisines.

— Et les latrines ? demanda Enid en se tordant les mains.

— Tu oublies les crochets. S'ils essaient de grimper par là, ils se feront tailler en pièces.

Isabel sourit en imaginant les chevaliers de Guillaume pris au piège de ces crochets affûtés, conçus pour décourager quiconque aurait l'idée saugrenue d'escalader le mur surplombant la fosse d'aisances.

Une fois que ses ordres eurent été exécutés et que tout le monde fut rassemblé dans le hall, elle s'autorisa un long soupir. Pour le moment, ils étaient en sécurité.

— Ma dame ?

Elle leva les yeux vers le regard d'un bleu limpide du garçon qui bientôt serait un homme. Elle sourit en lui tapotant le bras pour l'encourager.

— La porte tiendra. Nos murs sont infranchissables et nous avons assez de vivres pour tenir jusqu'à la nouvelle année. D'ici là, mon père et mon frère seront revenus.

Le doute persista dans les yeux du garçon. La colère la saisit et elle le secoua.

— Crois-moi, Russell.

Elle se détourna pour gagner le grand escalier qui menait à l'étage. Elle gravit quelques marches avant de faire face à ses gens. Comme elle l'avait fait lors de la première attaque, survenue une quinzaine de jours plus tôt, quand elle était parvenue à les calmer par sa simple présence.

Au moment où elle ouvrait la bouche, la vigie s'écria :

— Ils ont escaladé le mur de la cour !

La panique se déchaîna autour d'elle.

— Écoutez-moi ! s'exclama-t-elle. Écoutez-moi, tous !

Cela parut les apaiser, mais elle dut néanmoins continuer à élever la voix :

— Nous sommes bien préparés. Les portes tiendront !

— Mais, milady, nous n'avons ni archers ni lanciers. Aucun soldat pour nous protéger !

— Oui, acquiesça Isabel. Et nous n'en avons pas besoin.

Elle montra les formidables doubles battants en chêne, l'impénétrable porte de Rossmoor. Comparée aux richesses qui ornaient la grande salle, celle-ci paraissait rustique. Elle n'avait pas été conçue dans un souci de décoration, mais pour interdire l'entrée du manoir au plus déterminé des assaillants.

— Rossmoor a toujours tenu bon par le passé. Et nous résisterons encore une fois jusqu'au retour de mon père et de mon frère.

Nul ne pourrait escalader les murs, hormis celui de la tour mais la porte au sommet de celle-ci et les entrées de la grande salle étaient aussi solides que la double porte en chêne. Et, elle en était certaine, l'ennemi ne risquait pas de découvrir le passage secret que seuls son père, son frère et elle connaissaient.

Pour l'instant, ils ne risquaient rien.

Un coup violent porté par un poing ganté de fer retentit contre les battants.

— Je suis Rohan du Luc. Au nom de Guillaume, duc de Normandie, ouvrez !

Si les villageois ne comprenaient pas ces mots prononcés en français, le ton était clair.

Bertram apparut à nouveau, le visage congestionné, le souffle court.

— J'ai barricadé la porte. Même s'ils parviennent en haut du mur, ils ne pourront pas entrer par là.

Malgré l'épaisseur du chêne, la voix de Rohan du Luc tonna :

— Ouvrez, ou préparez-vous aux conséquences.

Isabel traversa la foule pour se diriger vers la porte de la tour.

— Non, ma dame ! s'écria Russell en se précipitant vers elle. C'est de la folie. Ils ont sûrement des arcs.

Elle repoussa la main posée sur son épaule.

— Laisse-moi, Russell. Ce sont des chevaliers, pas des archers.

Elle manœuvra le lourd loquet et gravit à toute allure l'étroit escalier, jusqu'à ce qu'elle arrive à une autre porte tout aussi solide donnant sur le poste de vigie. L'ouvrir ne fut pas facile. L'air glacial de novembre l'accueillit, tourmentant ses jupes. Elle claqua des dents, hésitant à se risquer sur le rempart. Et si Russell avait raison ? Se frottant les bras pour se réchauffer, elle s'avança entre deux créneaux.

Les mains posées sur la pierre dure et froide, elle se pencha pour découvrir les chevaliers noirs. Tous sauf l'un d'entre eux, leur chef sans doute, tenaient un arc avec une flèche engagée et la visaient. Elle ravala un nouveau cri de frayeur. Mais non, il n'était pas question de leur montrer la moindre peur.

— Vous tueriez une femme désarmée ? ricana-t-elle en toisant celui qui devait être du Luc.

Il chevauchait un immense destrier noir couvert d'une armure en cuir hérissée de pointes métalliques. Toutes les autres montures étaient ainsi équipées. On aurait dit les cavaliers de l'Apocalypse.

— Je suis Isabel d'Alethorpe. Quelle affaire vous amène chez moi ?

— Ouvrez, et nous en parlerons.

Elle éclata de rire.

— Ai-je l'air d'une demeurée ? Dites ce que vous avez à dire depuis votre selle.

Comme un seul homme, tous les chevaliers bandèrent leur arc. La terreur la pétrifia. Figée telle une statue, elle ne sentait plus la morsure du vent qui faisait danser ses cheveux dénoués. Mais elle refusa de se laisser intimider. De tourner les talons et de fuir. De se soumettre.

— Au nom du duc Guillaume, je prends possession de ce manoir et de ces terres. Maintenant, ouvrez !

— Cette demeure est la mienne comme elle a été celle de mes ancêtres. Je ne la céderai jamais à quiconque, et encore moins à toi, bâtard de Normand !

Se penchant un peu plus au-dessus du parapet, elle ajouta :

— Ce manoir et les terres qui l'entourent appartiennent à mon père, Alefric, seigneur d'Alethorpe, de Wilshire et de Dunleavy. Vos prétentions n'ont pas lieu d'être. Laissez-nous !

— Harold est mort, damoiselle. L'Angleterre appartient à Guillaume. Ouvrez, maintenant.

24

Isabel examina l'intrus. De l'endroit où elle se trouvait, elle ne pouvait distinguer que la partie inférieure de son visage. Des lèvres cruelles, un menton dur. Son regard glissa vers ceux qui l'accompagnaient : sept chevaliers et une bonne vingtaine de soldats à pied. D'autres allaient-ils les rejoindre ? Cela n'avait aucune importance. Même si c'était Guillaume en personne qui s'était trouvé devant sa porte, elle n'aurait pas cédé.

— Non ! Mon père et mon frère vont revenir. Je jure qu'ils ne retrouveront pas leur domaine aux mains d'étrangers. Allez vous chercher un autre fief. Laissez-nous !

— Je ne le redemanderai pas, dame Isabel, dit du Luc. Ouvrez cette porte, si vous ne voulez pas vous retrouver avec beaucoup moins que je ne suis prêt à vous accorder.

— Je n'ouvrirai jamais à un Normand !

Là-dessus, elle quitta les remparts, ferma la lourde porte en chêne derrière elle et la verrouilla. Quand elle revint dans la grande salle, Russell s'occupa de la seconde porte. Elle se tourna vers ses serviteurs et les villageois terrifiés.

— Gardez confiance. Le manoir est solide et supportera toutes les attaques que ces barbares lui infligeront.

— Ma dame, qu'allons-nous faire ? gémit Enid.

Isabel tapota la main de sa femme de chambre.

— Nous allons attendre le retour du seigneur Alefric et de messire Geoff. Ils nous débarrasseront de ces Normands.

— Vous pensez que ces chevaliers se sont alliés aux pillards ? demanda Russell.

Elle lui jeta un regard dur, avant de l'entraîner à l'écart de la foule.

— Russell, ne parle pas de ces fripouilles, lui dit-elle à mi-voix. Les nôtres sont déjà assez effrayés.

Il s'inclina.

— Vous êtes bien plus sage que votre âge ne le laisse penser, dame Isabel. Si vous étiez un homme, je suis sûr qu'à vous seule, vous tiendriez tête à ces étrangers.

Si elle était un homme, se dit Isabel, elle serait sans doute en cet instant même allongée, sans vie, aux côtés de tant d'autres Saxons à Senlac Hill.

— Aide nos gens à garder leur calme, Russell, pendant que j'inspecte le manoir.

Très vite, elle fit le tour de la salle, s'assurant que chaque accès était sécurisé. Rossmoor avait été construit par son arrière-grand-père Leofric – que beaucoup appelaient le Renard en raison de sa rouerie – avec l'intention de pouvoir soutenir un siège. Le toit était incliné selon un angle qui le rendait impossible à escalader. Sous ses ardoises, plusieurs couches de métal étaient recouvertes d'un chaume qui avait été traité tout spécialement pour empêcher le feu de gagner la bâtisse. Tous les cinq ans, le chaume était à nouveau enduit d'une décoction datant du temps des Romains pour le rendre moins vulnérable aux flammes.

Inspectant les réserves, Isabel estima qu'ils pourraient tenir quatre mois, au moins. Plus longtemps, s'ils se rationnaient. Elle observa l'épaisse porte en chêne qui menait des cuisines à la cour. Elle était aussi robuste que l'entrée principale.

À l'instant où elle regagnait la salle, un choc sourd ébranla la grande porte. Il fut rapidement suivi par un autre, puis un autre. La cadence était claire. Deux béliers. Elle courut vers les battants qui tremblaient à chaque coup. Ils tenaient bon. Mais pour combien

de temps ? Une terrible prémonition ébranla sa résolution. À chaque nouveau choc, son corps tressail-
lait comme si c'était elle que l'on frappait. Les
villageois criaient de plus en plus fort. Ils avaient de
bonnes raisons pour cela. Ils avaient déjà tant
souffert.

Elle se força à afficher un sourire. Ces portes
avaient déjà supporté d'innombrables attaques sans
céder. Même si les gonds craquaient, les loquets de
métal profondément enfoncés dans le sol suffiraient
à maintenir les battants. Son sourire s'effaça quand
une odeur âcre assaillit ses narines. Elle se tourna
vers le foyer pour découvrir que la fumée, épaisse et
grise, envahissait la salle.

— Ils ont bouché la cheminée ! Éteignez les feux !

Il fallut plusieurs chaudrons. Avant que les dernières braises ne fussent noyées, la fumée suffocante
eut le temps de se répandre dans la salle. Toussant,
les yeux larmoyants, Isabel se protégea le nez et la
bouche avec sa tunique et fit signe à ceux qui l'entouraient de chercher refuge là où l'air était moins vicié.
Encore un peu, et ils auraient tous été asphyxiés.
Jésus !

Les chocs rythmiques continuaient sur les portes.

La petite foule réunie ouvrait des yeux effrayés ; les
corps tremblaient, les femmes se lamentaient.

— Dame Isabel ?

— Courage, Russell, dit-elle avant de gravir quelques marches sur l'escalier, attirant les regards.
Tenez bon, vous tous ! Tenez bon !

— Ils vont nous massacrer ! Nous arracher les yeux
et nous brûler vifs ! s'exclama Mertred, le tanneur.

Sa femme, Anne, se mit à hurler.

Tous les autres villageois poussèrent un gémissement à l'unisson.

— Les pillards m'ont déjà pris un enfant ! s'écria Guntha, une femme du village.

Isabel reprit la parole.

— Ces émissaires du duc bâtard ne sont pas ceux qui ont ravagé le village ! Les pleutres encagoulés n'oseraient jamais se montrer ainsi. Non, dit-elle en baissant la voix, ces chevaliers sont d'une espèce différente.

— Oui, ce sont des suppôts de Satan ! Nous sommes perdus !

La panique les gagnait. Il fallait trouver une solution, se dit-elle, l'esprit en ébullition. Marchander avec le Normand était hors de question. S'il parvenait à investir le manoir, il faudrait une armée pour l'en déloger. Arlys, seigneur de Dunsworth, son promis, n'était pas encore rentré de sa campagne aux côtés du roi Harold. Mais elle avait entendu dire qu'il avait survécu. Si elle avait su où le trouver, elle lui aurait envoyé un messager pour lui demander de venir à leur secours.

Le craquement sinistre du bois qui se brisait retentit soudain. La porte était en train de céder.

Impossible !

Enid hurla :

— Ma dame ! Nous sommes perdus !

Isabel croisa le regard de Russell au-dessus de la foule.

— Conduis-les tous à l'étage. Barricadez les portes. N'ouvrez pas avant d'entendre ma voix, et seulement *ma* voix !

À peine eut-elle prononcé ces mots qu'une vingtaine de villageois se ruèrent dans l'escalier. Russell les suivit plus lentement.

— Ma dame, et vous ?

— Je reste, Russell.

— Ici ? Êtes-vous deve…

Isabel lui donna une claque. Le garçon rougit violemment.

— Ne mettez jamais ma parole en doute, messire écuyer. S'il nous faut traiter avec l'ennemi, croyez-moi, j'en suis capable.

Elle aurait aimé être aussi confiante qu'elle le prétendait.

— Je vais m'occuper de nos gens, milady, puis je reviendrai à vos côtés.

— Non, dit-elle avec calme. Veille sur eux jusqu'à ce que tu entendes ma voix.

Elle le poussa vers les marches tandis que les coups contre la porte redoublaient et que les craquements devenaient de plus en plus menaçants. Les voix de l'autre côté étaient désormais parfaitement audibles. Et le sens des mots prononcés en français ne laissait aucun doute quant aux intentions des envahisseurs.

— Va-t'en, Russell. *Va !*

Tandis que le garçon se précipitait sur les marches pour guider les villageois, Isabel se retourna vers la porte. Le chêne vibrait, les supports de métal aussi. Certaines poutres étaient déjà fendues.

Elle frémit. Était-elle folle de rester ainsi face à ces Normands ? Pensait-elle sincèrement qu'à elle seule, elle parviendrait à… à quoi, au fait ?

Du regard, elle parcourut les riches tapisseries accrochées aux murs, les meubles délicatement ciselés, le fauteuil de son père placé à son endroit préféré près de la cheminée.

Un sourire amer étira ses lèvres. Jamais Alefric n'avait permis à quiconque de prendre place dans ce fauteuil. Pas même à Geoff qui, un jour, deviendrait pourtant le seigneur de ces lieux. Même s'il avait perdu une grande part de sa joie de vivre à la mort de son épouse, six ans plus tôt, il continuait à exercer toutes ses prérogatives de maître de nombreux domaines. Et s'il revenait, il se battrait jusqu'à la mort pour protéger sa famille et sa demeure. À soixante-neuf ans, malgré sa barbe d'un blanc de neige, il possédait encore une force impressionnante.

Avait-il succombé face aux Normands ? se demandat-elle encore une fois, le cœur battant. Et Geoff ? Son frère si espiègle qui venait tout juste d'être fait chevalier. Avant de partir, il lui avait adressé un salut nonchalant en lui promettant qu'il serait de retour pour son anniversaire en novembre.

Le premier jour du mois de novembre était passé, et elle n'avait toujours aucune nouvelle de son père et de son frère.

— Ma dame !

C'était à nouveau Russell, au sommet des marches.

— D'autres cavaliers à l'horizon !

Un espoir insensé s'empara d'Isabel.

— L'étendard de mon père ?

— Non. Encore des cavaliers noirs.

Elle crut qu'on venait de la poignarder. Elle se signa plusieurs fois.

— Va, Russell, et reste avec les villageois.

— Mais…

— Non ! Des paroles de paix parviendront peutêtre à les convaincre. Laisse-moi.

Prête à affronter la Lame noire, Isabel se dirigea vers le mur derrière le fauteuil de son père, où une longue épée était pendue. Il s'agissait plus d'une décoration que d'une arme véritable, mais elle était solide et lourde. Elle eut besoin de ses deux mains pour la décrocher. Cela fait, elle revint se placer au centre de la grande salle.

Cette demeure était la seule qu'elle ait jamais connue.

Comment aurait-elle pu ne pas la défendre ? Qu'on la traite de folle, mais elle était prête à se battre. Comme pour se donner du courage, elle leva la longue épée. Elle en fut à peine capable. Non, elle ne parviendrait jamais à manier un tel poids. Mieux valait compter sur sa dague.

Et c'est ainsi, la main posée sur la garde de son poignard, qu'elle attendit les envahisseurs.

2

— Préparez-vous ! rugit Rohan. Le bois cède !

Thorin, Ioan, Wulfson et Rorick maniaient un des lourds troncs de chêne ; Rhys, Stefan et Warner s'occupaient de l'autre et, ensemble, ils portèrent le coup de grâce. À l'unisson, les deux béliers s'écrasèrent contre le battant qui s'ouvrit dans un craquement formidable. Rohan éperonna Mordred qui effectua un bond prodigieux au-dessus des débris.

Bouclier levé et épée brandie, il lança son destrier dans la grande salle du manoir, prêt à subir l'attaque des Saxons. Le spectacle ne fut pas celui qu'il attendait.

Une jeune femme seule, celle qui l'avait si témérairement défié du haut des remparts, se tenait au milieu de la salle. Une grande épée à ses pieds, une dague serrée contre la poitrine. Le regard de Rohan la dépassa pour se porter sur le grand escalier menant aux appartements. Tandis que ses hommes se déployaient à pied derrière lui, il fit avancer sa monture, dépassant la fille pour gravir les marches, les sabots claquant sur les pierres. Arrivé à l'étage, il s'aventura dans l'étroit couloir, certain que les villageois l'attendaient pour l'attaquer. Au lieu de cela, un étrange silence l'accueillit. Ces couards s'étaient réfugiés derrière une autre porte, laissant une femme seule assurer leur défense. Rohan ricana de mépris.

Tirant sur les rênes, il fit faire volte-face à Mordred qui descendit les marches. La femme n'avait pas bougé. Elle se dressait toujours là, fière et fragile.

Il s'immobilisa à bonne distance. Pour éviter que, si elle bougeait, Mordred ne la réduise en bouillie d'un simple coup de patte : blesser une telle beauté serait un impardonnable gâchis. Guère plus grande qu'un adolescent avec de longs cheveux dorés qui tombaient jusqu'à des hanches d'une rondeur délicieuse, elle possédait des yeux d'un violet peu commun, comme de la bruyère. Enserrés dans d'épais cils noirs, ils continuaient à le défier. Sa peau semblait laiteuse et douce comme de la crème. Ses joues étaient roses. Il laissa son regard descendre vers une gorge que l'indignation et la colère faisaient frémir. Il sentait déjà le poids de ces seins plantureux dans ses mains tandis que la passion les unirait. Le butin de guerre était agréable, aujourd'hui. Il apprécierait cette femme autant que possible car, demain, un ordre de son suzerain pourrait l'envoyer très loin d'ici.

— Incline-toi devant ton nouveau maître, ordonna-t-il en français.

— Jamais ! rétorqua-t-elle.

Rohan pencha la tête de côté avant de regarder ses hommes postés le long des murs, armes à la main. Ils n'attendaient que son ordre pour aller dénicher les Saxons.

Il descendit lentement de selle.

Isabel cessa de respirer tandis que le diable en personne venait vers elle. Soudain, le monde parut se figer. Des yeux étranges, striés d'éclats fauves, brillaient sous le métal noir du casque. Celui-ci protégeait le nez, séparant son visage en deux parties et lui conférant un air plus menaçant encore. Une cicatrice en forme de croissant ornait son menton. L'homme était immense, plus grand que tous ceux qu'elle avait croisés en vingt ans d'existence. Ses épaules étaient si larges qu'il devait avoir du mal à franchir certaines portes. Des jambes aussi solides que des troncs d'arbres supportaient un torse couvert d'une maille et d'un manteau noirs. Elle contempla le blason sur sa poitrine. L'épée noire qui plongeait dans un crâne avec des gouttes de sang écarlates tombant de la lame. Son bouclier ne portait pas d'armoiries. Le destin de ceux de son espèce. D'après la rumeur, il n'était que le neveu bâtard de la mère de Guillaume.

On l'appelait la Lame noire.

Le sang d'Isabel se glaça dans ses veines. Le chevalier noir et ses sbires étaient célèbres pour leur propension à répandre la mort. Elle observa un instant ses compagnons qui n'étaient pas moins fameux que lui, cherchant le géant d'ébène dont on disait que d'un seul coup d'épée il pouvait occire une douzaine d'hommes.

— Une forte parole pour une si petite femme, dit alors la Lame noire d'une voix douce.

Si douce qu'Isabel en eut des frissons.

— Ne me sous-estime pas, Normand.

Il s'avança, ses longues foulées comblant très vite la distance qui les séparait. Il s'arrêta devant elle, la dominant de deux têtes. Comme si elle était aussi insignifiante que les nattes de paille jetées au sol, il se tourna pour examiner la salle. Elle n'avait qu'un geste à faire pour lui enfoncer sa dague dans le cœur. Elle réprima son impulsion. Même si elle parvenait à le tuer, l'un des autres le remplacerait.

— Appelez vos gens. Que ces pleutres sortent de leur cachette et je les épargnerai.

Il avait adopté un ton courtois.

— Là où ils sont, vous ne pouvez rien contre eux.

Il baissa un regard dur vers elle. Courtois, peut-être, mais surtout impitoyable.

— Mais je peux tout contre leur dame.

Isabel frappa. L'instant d'après, sa dague cognait le sol et elle laissait échapper un cri de douleur, se frottant la main. Le sauvage la saisit par le col de sa robe et la tira contre lui.

— Je vous aurais crue plus intelligente.

Il la lâcha en la repoussant si fort qu'elle s'écroula à terre. Il fit signe à ses hommes.

— Prenez un bélier et faites-les sortir.

Deux de ses sbires obéirent aussitôt. Quand ils revinrent, traînant un tronc d'arbre, le chevalier noir ajouta :

— Tuez tous ceux qui résistent.

Isabel se releva d'un bond pour courir au-devant des deux hommes. Elle écarta les bras.

— Non ! Ils n'ont rien fait !

Ils la repoussèrent d'un geste nonchalant pour monter l'escalier, hissant le lourd bélier derrière eux. Bientôt, on entendit à nouveau des chocs sinistres et des hurlements terrifiés. Isabel se retourna vers le chevalier qui, impassible, lui rendit son regard.

Les villageois ne tardèrent pas à apparaître, descendant l'escalier tel un troupeau apeuré. Les soldats du chevalier noir les bousculaient sans ménagement, les femmes hurlaient tandis que les hommes, étrangement, se taisaient. À l'étage, d'autres craquements

annonçaient que de nouvelles portes étaient défon-
cées. Silencieuse, Isabel se tenait prête à intervenir
au cas où une lame normande menacerait l'un de
ses gens. Tous les visages qu'elle scrutait étaient
terrifiés.

Soudain, elle prit conscience de l'absence de l'un
d'entre eux. Elle fouilla la foule du regard sans trouver la chevelure rousse qu'elle cherchait. Russell
avait disparu.

— Il manque quelqu'un, damoiselle ? demanda la
Lame noire derrière elle.

Elle fit volte-face et tressaillit. Il se tenait si près
qu'elle aurait pu le toucher.

— Personne, murmura-t-elle.

— Si vous mentez…

Il se tourna vers ses hommes pour leur faire signe
de rassembler les gens du manoir. Cela fait, il afficha
ce même sourire grimaçant.

— Maintenant que tout le monde est présent,
damoiselle, vous allez vous agenouiller devant moi.

Elle poussa un cri indigné.

— Je ne m'agenouillerai jamais devant un bâtard !

Ce fut au tour des hommes du chevalier noir de
lâcher une exclamation de surprise. Il s'était exprimé
en français et elle lui avait répondu dans la même
langue. Ce qui était une bonne chose : ainsi, les siens
n'avaient pas compris ce qu'il exigeait d'elle.

À sa grande surprise, le chevalier rugit de rire. Puis
sa main gantée se referma sur l'épaule d'Isabel. Une
poigne de fer.

— À genoux, dit-il dans un anglais parfait. Si vous
ne voulez pas que des têtes tombent.

La Lame noire leva l'autre main et l'un de ses chevaliers saisit Enid. Celle-ci hurla. Isabel se mordit la
lèvre si fort qu'elle sentit le goût de son propre sang.

Elle s'agenouilla donc, mais sans baisser la tête. Elle continua à le fixer droit dans les yeux.

Avant de lui cracher au visage.

Une lueur de surprise passa dans son regard. Puis le terrifiant sourire étira ses lèvres.

— Je vais adorer vous briser, dame Isabel.

La prenant à nouveau par le col, il la souleva de terre au moment même où un cri de guerre retentissait. Isabel n'eut pas le temps de réagir : Russell décocha une flèche qui frappa le chevalier noir en pleine poitrine... et rebondit sur son armure avant de tomber à terre, bout de bois ridicule.

Les chevaliers se ruaient déjà vers l'escalier. Leur chef aboya un ordre et ils s'immobilisèrent. Il allait s'occuper en personne du garçon. À voir comment Rohan regardait Russell, posté en haut des marches, Isabel comprit que celui-ci allait payer cette attaque de sa vie. Sans hésiter, elle s'interposa.

La poussant sur le côté comme on le ferait d'un insecte, le Normand dégaina sa hache de guerre. Pétrifiée d'horreur, Isabel le vit la lancer. Le jeune écuyer, qui tenait toujours son arc, n'eut pas le temps de réagir. La lame traversa sa tunique juste sous l'aisselle avant de se ficher dans la porte, le clouant sur place.

Le chevalier grimpa les marches quatre à quatre, décrocha sa hache et la leva pour lui trancher la tête. Isabel, qui l'avait suivi, se jeta sur Russell, le couvrant de son corps.

— Non ! Ne le tuez pas !

Poussant un rugissement de colère, Rohan la souleva par le dos de sa robe, l'obligeant à le regarder alors qu'elle touchait à peine terre.

— Ne te mêle pas de ça, femme !

Elle lui flanqua un coup de pied dans le tibia.

— Je ne suis pas une *femme*. Je suis la dame de Rossmoor. En tant que telle, j'ai mon mot à dire. Ne tuez pas ce garçon !

— Tu exiges ce qui ne t'appartient plus. Sur ordre de Guillaume, je suis seul maître ici.

— Est-ce une raison pour assassiner des enfants ?

Il poussa un grondement sourd.

— Je tue ceux qui veulent me tuer.

— Ce n'est qu'un garçon qui essayait de protéger sa maîtresse. Pardonnez-lui sa loyauté envers moi.

— Je ne pardonne jamais à ceux qui cherchent à abréger mon séjour sur cette terre. Il en paiera le prix comme tous ceux avant lui qui ont essayé et échoué.

— Ce serait un meurtre !

— Appelle cela comme il te plaira, femme, mais le châtiment aura lieu.

Il la lâcha et elle tituba au bord des marches, évitant de justesse une chute dans l'escalier. Le chevalier se tourna vers Russell qui n'avait pas bougé. Isabel se jeta en avant, saisissant la manche du haubert de Rohan.

— Je vous implore, épargnez-le !

Il se retourna si brutalement qu'elle faillit à nouveau tomber dans l'escalier. Il ne lui en laissa pas le temps, l'attirant contre sa cotte de mailles. Il plongea son regard en elle et, cette fois, elle fut vraiment prise de terreur.

Car elle sut soudain ce qui l'attendait. Pire encore, elle en eut la *vision* : cet homme nu au-dessus d'elle, le corps luisant de sueur, immense et exigeant entre ses cuisses. C'était le prix qu'il allait réclamer. Aussi sûr qu'elle était Isabel, fille du seigneur Alefric et de dame Joan, elle savait qu'il voudrait sa virginité en échange de la tête de Russell.

Comme pour le confirmer, il glissa la main le long de son dos pour la presser contre lui dans un geste lubrique.

— Et qu'êtes-vous prête à donner pour la vie du garçon, damoiselle ?

— Ma propre vie, répondit-elle sans la moindre hésitation.

Une ombre passa dans les yeux couleur de miel, et il la repoussa. Lentement, délibérément, il l'examina, commençant par la pointe de ses souliers en cuir qui dépassaient de sa robe pour remonter vers sa taille, sa poitrine, et finalement ses yeux.

— Votre vie n'a aucune importance pour moi, déclara-t-il avant de poser la main sur un de ses seins. Mais il y a sous cette robe des choses qui m'intéressent davantage.

Même si elle était prête à se sacrifier, Isabel refusait de se soumettre aussi facilement.

— Il n'y a que moi sous cette robe, messire !

Son sourire s'élargit, montrant des dents blanches et régulières.

— C'est bien ce dont je parle.

Ses hommes se mirent à siffler et à hululer.

Elle se raidit.

— Je ne puis vous donner ce que vous demandez, messire. Je suis promise à un autre. Si mon fiancé accordait sa permission, alors je considérerais votre requête. Mais il n'est pas ici.

Un muscle joua sur les mâchoires du chevalier. Elle ne lui laissa pas le temps de répondre :

— Messire, seriez-vous prêt à souiller la dame du manoir au risque de voir mes gens se soulever et prendre les armes contre vous pour défendre mon honneur ?

— Je tuerai quiconque lèvera la main sur mes hommes ou sur moi.

— Vous oseriez dérober ce qui ne vous appartient pas ? Êtes-vous un voleur autant qu'un meurtrier ?

Ses lèvres se durcirent, son regard devint glacial.

— Je ne suis pas un voleur, répliqua-t-il avant de parcourir la foule du regard. L'un d'entre vous est-il fiancé à cette femme ? demanda-t-il en anglais.

Les yeux écarquillés, les gens de Rossmoor restèrent silencieux.

— Oui, il semble bien que votre galant ne soit pas là. Ses terres doivent désormais être aux mains de mes compagnons normands. Vos fiançailles n'ont plus cours, à moins que Guillaume n'en décide autrement.

— Arlys est un très fidèle vassal de Harold. Il ne se soumettra pas.

— Harold n'est plus.

— C'est possible, messire, mais Arlys est un noble chevalier. Il a combattu aux côtés de son roi à Stamford Bridge, et avec mon père et mon frère à Hastings. Vous feriez mieux de reconsidérer votre position. Ils ne devraient plus tarder à rentrer.

Il eut alors un étrange sourire. Mais, au lieu d'adoucir ses traits, cet infime plissement des lèvres donnait l'impression qu'ils étaient taillés dans la pierre.

— J'y étais, moi aussi. Très peu de Saxons ont survécu à Senlac Hill. Guillaume a triomphé.

Il la toisa un instant avant d'ajouter :

— Ne croyez-vous pas que les vôtres seraient déjà revenus s'ils avaient survécu ?

Isabel sentit son ventre se glacer. Cet étranger venait de formuler sa pire crainte. Même s'il disait vrai, cela ne fit que renforcer sa résolution. Elle refusait que son père et son frère soient morts en vain. Elle contempla l'homme debout devant elle qui se moquait bien de ses sentiments et de ceux des Saxons vaincus. Son maître, un duc bâtard, avait conquis l'Angleterre et ce mercenaire exécutait ses ordres. Mais tant qu'elle n'aurait pas la preuve que les siens n'étaient pas enfouis sous cette terre qu'ils avaient si chèrement défendue, elle ferait tout ce qui était en son pouvoir pour garder ce qui lui appartenait.

— Ne soyez pas si sûr qu'ils ne reviendront pas. Lord Dunsworth exigera votre tête pour votre offense, tout comme mon père et mon frère. Vous n'avez aucun droit ici.

— J'ai tous les droits. Guillaume est vainqueur. Je suis Rohan du Luc, son capitaine, dit le chevalier noir avant de se tourner vers la foule dans la salle. Par droit de conquête, je déclare miens ce manoir, ses terres et tous ses gens. Et par voie de conséquence, vous aussi, dame Isabel.

Pour la première fois, elle comprit qu'il avait raison. Même si Arlys surgissait soudain comme par magie, leurs vœux de mariage seraient sans doute annulés par le nouveau roi. Elle n'avait d'autre choix que d'accepter le joug des Normands.

Isabel contempla les hommes de messire Rohan. Vêtus de surcots noirs arborant le même blason que leur chef, sur une cotte de mailles noire, avec casques et boucliers noirs eux aussi, tous avaient le regard dur et déterminé. C'étaient des guerriers brutaux, sans pitié. Et du Luc était le pire de tous.

— Vous comptez donc me violer ?

Il secoua lentement la tête.

— Non, mais je vais jouir de tous les charmes qui se trouvent sous cette robe en échange de la vie de ce jeune idiot.

— Et me déshonorer ?

— Pas du tout.

— Je serai indigne de me marier !

— Au contraire, votre époux aura la joie de profiter d'une amante experte.

La chaleur monta aux joues d'Isabel. Comment osait-il parler d'une façon aussi crue ? Elle aperçut soudain Enid agenouillée aux pieds d'un chevalier. Elle pleurait à chaudes larmes : Russell était son neveu. Isabel serra les dents.

— Nul homme ne voudra de moi après qu'un Normand m'aura touchée !

Rohan haussa ses immenses épaules.

— Ce n'est pas mon problème.

Elle le gifla. Sa main s'écrasa sur son casque. Elle grimaça de douleur tandis qu'il la saisissait et l'attirait violemment contre son torse bardé de fer.

— Attention, damoiselle, gronda-t-il. Je pourrais très bien frapper une femme pour une telle insolence.

Il la repoussa. Elle tomba encore une fois.

— Quelle est votre décision ? demanda-t-il en la toisant de toute sa hauteur.

Malgré elle, elle eut un mouvement de recul.

— Je… je vous donnerai ce que vous demandez en échange de la vie de mon écuyer.

Rohan dégaina son épée pour poser la pointe sur sa poitrine.

— Qu'allez-vous donner ?

Elle tremblait de tous ses membres.

La pointe de la lame descendit lentement vers son ventre, puis vers ses cuisses et ses jambes. D'un geste nonchalant, Rohan souleva l'ourlet de sa robe, dévoilant un mollet.

— Dites-le. Faites-en le serment ici, devant vos gens et les miens. D'abord dans ma langue, puis dans la vôtre.

Humiliée, elle dut s'y reprendre à plusieurs fois. Les mots qu'il exigeait refusaient de sortir. L'épée monta un peu plus haut, révélant sa cuisse. Poussant un petit cri étranglé, Isabel déclara :

— Je vous permettrai d'offenser ma personne en échange de votre parole de ne faire aucun mal à Russell, dit-elle en français.

— Répétez, de façon que les vôtres comprennent.

D'une voix méconnaissable, elle répéta sa promesse en anglais.

Rohan rengaina son épée.

— Bien.

Vif comme l'éclair, il la saisit, la remit debout et écrasa sa bouche sur la sienne. Choquée, elle n'eut pas le temps de réagir. Il la relâcha tout aussi subitement. Sous le casque, ses yeux brillaient. Il lui lança alors un dernier avertissement.

— Je suis un homme de parole, damoiselle. Ne me décevez pas. Et avant que cette journée ne s'achève, rendez-vous disponible.

Soudain, retentit le martèlement d'une cavalcade. De nouveaux cavaliers arrivaient.

3

— Ioan, occupe-toi de ces pleutres. Wulfson, amène-moi le garçon. Les autres, avec moi ! lança Rohan.

Il sauta sur son cheval et quitta la grande salle comme il y était entré. Isabel prit soudain conscience qu'elle retenait son souffle. Elle respira enfin, soulagée par le départ du chevalier noir. Russell descendit lentement l'escalier.

— Toi ! fit celui qui s'appelait Wulfson en pointant son épée vers l'écuyer. Suis-moi.

Isabel s'interposa.

— Non, on ne doit lui faire aucun mal.

Wulfson l'écarta pour saisir Russell par le bras.

— Il a mérité son châtiment.

— Non ! hurla-t-elle.

— Ma dame, laissez-moi y aller, dit Russell.

Elle le dévisagea. Il soutint son regard avec fierté. Mais la peur était présente dans ses yeux.

— Mais...

— J'accepte le châtiment du Normand. Je vous remercie de m'avoir sauvé la vie, ajouta-t-il en s'inclinant pour lui baiser la main. Et je trouverai un moyen pour que vous retrouviez votre honneur, même si c'est la dernière chose que je fais sur cette terre.

Wulfson éclata de rire.

— Attention, petit Saxon, personne ne peut rivaliser avec la Lame noire, que ce soit avec une épée ou en esprit. Accepte ta punition et qu'on en finisse.

Là-dessus, il traîna le garçon derrière lui vers les portes brisées du manoir.

Isabel les suivit dans la cour, et l'horreur la saisit à nouveau. Les forces de l'occupant venaient encore de s'accroître : une dizaine de chevaliers et une vingtaine de fantassins étaient arrivés en renfort. Les Morts étaient en masse, formant une vision terrifiante. Des destriers plus noirs que la nuit, montés par des cavaliers plus noirs encore, ruaient et hennissaient. Soudain, elle vit le plus sombre d'entre eux, un géant à la peau couleur d'ébène, tomber de selle pour s'écraser lourdement sur le sol de pierre. Il resta là, immobile.

Se mordant les lèvres avec nervosité, elle regarda Rohan se précipiter vers l'homme inconscient. Pour quelqu'un portant une si lourde armure, il se déplaçait avec une agilité stupéfiante.

— Manhku ! s'exclama du Luc en fendant la foule de ses soldats.

Au moment où il s'approcha de l'homme à terre, elle le perdit de vue, tous les autres s'amassant autour d'eux. Mais sa voix tonna :

— Que s'est-il passé ?

— Une hache saxonne, Rohan. Une embuscade pas très loin d'ici. C'est la raison de notre retard, répondit une autre voix.

— Oui, la tête est encore enfoncée dans ses chairs.

Isabel fronça les sourcils. Une hache saxonne ? Comment cela était-il possible ? Les villageois n'oseraient jamais s'attaquer à des chevaliers en armure. D'ailleurs, beaucoup avaient fui dans les bois quand une bande de pillards les avaient attaqués une quinzaine de jours plus tôt. Ceux-là étaient de vrais scélérats, sans bannière ni étendard, des gredins qui ne cherchaient qu'à détruire.

Rohan était agenouillé auprès de son ami. Il effleura l'épaisse lame d'acier encore fichée dans sa cuisse. Manhku gémit. Du sang ruisselait en flot ininterrompu de sa blessure, formant déjà une petite mare sur les pierres.

— Il lui faut des soins qui dépassent mes connaissances, dit Rohan en se tournant vers Thorin.

— Oui, acquiesça celui-ci, il doit bien y avoir un guérisseur ici.

— Je doute qu'un Saxon veuille s'occuper de lui, répliqua Rohan.

Il se leva et ses hommes s'écartèrent devant lui tandis qu'il revenait vers le manoir. Dame Isabel se tenait sur le seuil. À sa vue, une douce chaleur envahit ses veines. La brise du matin collait ses vêtements à ses formes, soulignant leur volupté. De grands yeux violets tels des saphirs venus de l'Orient lointain le fixaient sans la moindre trace de frayeur. À vrai dire, on aurait juré que la damoiselle était prête à tirer l'épée contre lui. Si Guillaume avait eu davantage d'hommes de cette trempe, l'assaut sur Senlac aurait été facile.

— Damoiselle, mon ami est gravement blessé. Faites appeler votre guérisseur.

— Maylyn est morte il y a deux jours, lâchement assassinée par un pillard.

— Qui d'autre ici est versé dans l'art de guérir ?

Il vit une étrange expression passer sur son visage. Elle parut hésiter. Pour une femme à la langue si bien pendue, les mots semblaient soudain lui manquer.

— Parlez ! Mon ami perd son sang.

— J'ai appris certaines choses, répondit-elle à contrecœur, mais je ne puis vous promettre de le sauver.

La saisissant par le bras, Rohan la traîna sans ménagement vers l'homme gisant sur le sol de la cour.

Impitoyable, il la força à s'agenouiller. Elle lui jeta un regard de colère, avant de porter son attention sur le blessé. Avec précaution, elle tâta les chairs autour de la tête de hache. Le coup avait été asséné avec une telle force que la lame avait tranché la maille de son haut-de-chausses. Elle se retourna vers Rohan.

— La blessure est profonde, dit-elle, et il a perdu beaucoup de sang. Je ne sais si mes talents suffiront.

Rohan s'agenouilla à son côté et lui prit la main.

— Sauvez-le et je satisferai toute requête qu'il est en mon pouvoir d'accorder.

Il sentit sa main trembler sous la sienne. Si les circonstances avaient été différentes, il l'aurait couchée là, à même le sol, et lui aurait donné de bien meilleures raisons de trembler. Pendant un instant, il eut l'impression de se perdre dans ces grands yeux violets. Il remarqua quelques taches de rousseur sur son nez, puis il s'attarda sur ses lèvres entrouvertes. Elles étaient pleines et aussi écarlates qu'une rose. Elle les humecta, les rendant plus brillantes encore. Rohan serra le poing. Elle grimaça sous son étreinte.

— Messire chevalier, je ne puis travailler avec une seule main.

Il la relâcha.

Se relevant, il la vit déchirer une bande de tissu au bas de sa propre chemise, qu'elle enroula délicatement autour de la cuisse de Manhku au-dessus de la plaie. Cela fait, elle dégaina la dague qu'elle portait encore à sa ceinture. Avant même que la lame n'apparaisse, Rohan la fit sauter de sa main. Isabel poussa un petit cri, puis lui décocha un regard meurtrier. Rohan récupéra le poignard à terre. Se dressant à son tour, elle se planta devant lui, les épaules rejetées en arrière. Il sentit la douce odeur de bruyère qui l'enveloppait. Elle tendit la main, paume ouverte.

— Stupide chevalier ! Pour le sauver, je dois former un tourniquet. Rendez-moi ce couteau.

Leurs regards s'affrontèrent. Et, pour la deuxième fois de la journée, quelque chose chez cette femme l'émut. Il avait envahi sa demeure, soumis ses gens ; il l'avait humiliée en public et pourtant elle était là, crachant le feu pour qu'il lui rende sa dague afin qu'elle puisse sauver son ami. Il plissa les paupières. Était-elle une sorcière ? Ou bien se laissait-il aveugler par sa beauté ?

Cette idée le fit ricaner. Une seule femme sur cette terre avait gagné son affection. Et elle était morte.

D'un geste vif, il fit sauter le poignard dans sa main. Une fois, deux fois, trois fois. Sans cesser de fixer les yeux violets. Il fit voler l'arme une dernière fois pour la reprendre par la lame et en présenter la poignée. Son autre main était posée sur la garde de son épée. Ignorant la menace, elle reprit la dague et s'agenouilla près du blessé.

Glissant la lame sous le tissu, elle la tourna, resserrant le garrot. Quand la pression fut suffisante, elle coinça la dague et se redressa en s'essuyant les mains sur sa tunique.

— Qu'on le porte dans la grande salle et qu'on installe une paillasse devant la cheminée.

Les chevaliers s'avancèrent pour lui obéir. Lorsque Rohan saisit sa main pour l'aider à se relever, elle la lui arracha.

— Je ne veux rien de toi, Normand.

Sans lui accorder un regard, elle fila vers l'intérieur.

Une fois le géant d'ébène installé devant le feu rallumé dans le grand foyer, Isabel se pencha sur lui, vérifiant son bandage. Quand elle se redressa, ce fut pour fixer Rohan d'un air décidé.

— Il me faut une autre lame, chauffée au rouge.

Elle soutint son regard. Un frisson prit naissance au creux de ses reins, mais elle refusa de se laisser troubler. Comme il continuait à la toiser durement sans le moindre mot, elle leva les mains au ciel.

— Une lame, ou il mourra.

— Non.

Elle secoua la tête.

— Dans ce cas, je ne puis rien pour lui, messire.

Elle fit mine de s'éloigner. Le bras de Rohan jaillit. Son étreinte, pourtant impitoyable, ne lui fit aucun mal. Elle leva à nouveau les yeux. Il n'avait toujours pas enlevé son casque qui masquait l'essentiel de son visage, mais elle n'avait pas de difficultés à voir l'éclair doré dans ses yeux. Cet homme n'était pas de ceux qui changeaient d'avis une fois leur décision prise. Et même si elle n'appréciait guère de porter secours à un ennemi, elle se sentait mal à l'aise à l'idée de laisser un homme mourir sachant qu'elle pouvait peut-être le sauver. Gênée, elle détourna les yeux pour les poser sur celui qu'il avait appelé Thorin. Elle fronça soudain les sourcils. Maintenant qu'elle l'observait mieux, elle constata qu'il était... borgne !

Sa stupeur fit sourire Thorin, qui retira son casque avant de repousser sa capuche de mailles de fer, révélant une longue chevelure dorée... et un bandeau noir qui lui couvrait l'œil droit. Une balafre le zébrait du front à la mâchoire. Son œil valide était d'une belle couleur noisette... et, comme son maître, il portait la même cicatrice en forme de croissant sur le menton. Aussi imposant que Rohan, il semblait doté d'une force physique tout aussi stupéfiante.

Elle examina alors les autres chevaliers debout à ses côtés. Certains arboraient la même cicatrice au menton en forme de demi-lune. Si beaucoup portaient le surcot noir orné du sinistre crâne, seuls les chevaliers ayant cette marque au menton possédaient le blason avec l'épée sanglante. Ces hommes étaient plus que de simples guerriers. Quelque chose les unissait au-delà de la vie.

Le géant gémit, rompant le silence qui s'était installé. Isabel se tourna à nouveau vers Rohan.

— Je peux continuer à interrompre le flot de sang pendant encore quelques instants. Mais une fois que j'aurai nettoyé la plaie, seule une lame chauffée pourra sceller une blessure aussi profonde. C'est une mesure extrême, mais c'est la seule qui permettra de le sauver. Et je dois agir très vite.

— Je ne voue guère une grande confiance aux femmes, et encore moins aux Saxonnes. Assure-toi que la lame ne glisse pas, fit-il, la main sur la garde de son épée. Retiens bien ce que je te dis : la mienne ne rate jamais sa cible.

— Cela ne me surprend pas, Normand. Il est normal que les chevaliers du duc bâtard partagent son penchant pour le massacre de femmes et d'enfants.

Rohan émit un grognement, mais ne nia pas l'accusation.

Elle tourna les talons pour aller chercher des herbes médicinales. Il la saisit à nouveau, la forçant à se tourner vers lui.

— Vous apprendrez à demander la permission avant de prendre congé de moi, damoiselle.

Elle serra les poings.

— Suis-je autorisée à aller chercher des herbes pour guérir votre homme ? lança-t-elle, ironique.

Il acquiesça.

Elle effectua une profonde révérence.

— Vous êtes trop bon, messire chevalier.

Là-dessus, elle se dirigea vers l'escalier, mais la voix de Rohan retentit :

— Ioan ! Accompagne la dame.

Isabel s'acquitta de sa tâche en essayant d'oublier le géant qui ne la quittait pas d'une semelle. En revenant dans la salle, elle remarqua que nombre de chevaliers avaient enlevé leurs casques mais continuaient à garder la main sur le pommeau de leur épée en jetant des regards méfiants autour d'eux. Rohan n'avait toujours pas retiré le sien.

Posant son panier près du feu, elle se mit en devoir d'écraser des herbes dans un chaudron contenant de l'eau chaude. Quand le mélange eut la consistance désirée, elle sortit une minuscule gourde de sa poche et y versa quelques gouttes de liquide. La fumée qui s'en éleva piquait les yeux. Clignant les paupières pour chasser ses larmes, Isabel plongea plusieurs linges propres dans la mixture. Puis elle prit un petit flacon rempli de baume dans son panier. Avec une louche, elle préleva un peu de son mélange qu'elle ajouta au baume. Sans le regarder, elle tendit le flacon à du Luc.

— Tenez ceci et passez-le-moi quand je vous le dirai.

Il obéit, et Isabel entama ses soins. Avec précaution, elle nettoya la zone autour de la blessure avec les linges fumants qu'elle avait plongés dans le chaudron. Quand elle fut satisfaite du résultat, elle délogea adroitement la tête de hache et la retira d'un geste vif. Les chevaliers s'étaient tous réunis autour d'elle. La plaie était immonde. Les chairs étaient profondément entaillées et on distinguait le blanc de l'os. C'était un miracle que Manhku soit encore en vie.

Une lourde main se posa sur son épaule.

— Damoiselle ? fit Rohan d'une voix sourde.

Elle chassa cette main importune et se pencha pour inspecter la blessure. Son aiguille ne lui serait d'aucune utilité. La seule possibilité était bien celle qu'elle avait envisagée. La brûlure. Une boule dans la gorge, elle s'empara de la dague enfoncée dans les braises qu'elle plongea dans le chaudron pour la nettoyer des cendres qui la recouvraient, puis elle la plaqua sur une des parois de la plaie.

Le géant inanimé hurla, ses muscles se raidirent, mais il ne chercha pas à se dérober. Au lieu de cela, il parut sombrer un peu plus dans l'inconscience.

Isabel appliqua le plat de la lame sur toutes les chairs exposées. L'odeur de viande carbonisée lui donna la nausée. Serrant les dents et avalant très vite sa salive, elle acheva sa besogne. Enfin, elle reposa la dague dans les braises et se laissa aller en arrière, assise sur les talons.

Tandis que la plaie refroidissait, elle prépara un cataplasme d'herbes et de pain noir. Le laissant à portée de main, elle découpa le reste du haut-de-chausses en cuir de Manhku. Quand elle commença à soulever sa lourde jambe, du Luc se pencha pour l'aider. Elle glissa le tas de vêtements découpés sous son mollet pour le surélever.

Priant pour que les chairs scellées par la brûlure ne se rouvrent pas, elle défit lentement le tourniquet au niveau de la cuisse. Lorsque finalement le garrot fut complètement lâche, elle poussa un soupir de soulagement. Le géant noir ne saignait plus.

— Le baume, s'il vous plaît.

Du Luc lui passa le flacon. Plongeant deux doigts dans l'onguent, elle l'étala sur et autour de la plaie noirâtre. Une fois la blessure soignée, elle y inséra le cataplasme, remplissant le moindre interstice. Cela fait, elle découpa plusieurs longueurs de linge et banda toute la cuisse. Contemplant son ouvrage, Isabel repoussa une mèche rebelle sur son front et remarqua qu'elle était en nage. Finalement, elle se retourna vers le chevalier debout derrière elle.

Pendant un instant qui parut s'éterniser, il se contenta de lui rendre son regard, son expression toujours cachée par le casque.

— Je puis vous assurer, messire chevalier, que pour le moment vous n'avez pas à redouter une attaque saxonne. Voulez-vous bien retirer votre casque, que je puisse voir le visage du diable ?

— Vous redoutez cet ange déchu ?

— Non, je ne crains que Dieu.

Il commença par enlever ses gantelets. Nues, ses mains paraissaient encore plus grandes. C'étaient des mains fortes aux longs doigts épais. Des mains forgées pour tuer. Lentement, il souleva son casque avant de rabattre sa capuche pour découvrir de longs cheveux couleur d'une nuit sans lune. Soudain, il s'accroupit auprès d'elle en souriant. Isabel éprouva un choc. Même avec ses deux cicatrices, celle en croissant sur le menton et une autre plus récente sur le côté gauche du visage, elle ne pouvait nier qu'il était... beau. La noblesse de ses traits, les pommettes hautes et le nez aquilin exigeaient sans nul doute un tel qualificatif. Quant à la cicatrice en forme de demi-lune, elle semblait faire partie de son visage, comme s'il était né avec.

Elle éprouva une étrange sensation au creux du ventre tandis que lui revenait la vision de cet homme au-dessus d'elle, décidé à assouvir son désir charnel. La panique s'empara d'elle avec la soudaineté de la foudre. Elle se raidit. Puis elle se souvint de sa promesse de lui accorder un vœu si elle sauvait cet homme. Se forçant à respirer longuement, calmement, elle désigna le géant.

— Votre Manhku se remettra, à condition qu'il reste allongé et qu'il laisse le temps à la blessure de se refermer. Une fois guérie, la cicatrice ne sera pas belle à voir et il aura moins de force dans la jambe, ajouta-t-elle en s'essuyant le front avec le dos de la main. Priez pour que la fièvre ne s'empare pas de lui. Dans ce cas et s'il y survit, il lui faudra une jambe de bois.

Elle se releva difficilement, après être restée si longtemps accroupie. Le chevalier noir voulut l'aider. Elle chassa sa main et faillit retomber en arrière. Riant de ses efforts, Rohan la saisit.

— Je ne mords pas, damoiselle.

— Ce ne sont pas vos morsures qui m'inquiètent, messire.

Il la dévisagea, un sourire aux lèvres. C'était un vrai sourire, cette fois, sans la moindre ironie. Quelque chose remua au plus profond d'Isabel.

Il baissa la voix :

— Il se pourrait que bientôt, vous soyez folle de mes morsures.

Les joues d'Isabel s'empourprèrent violemment.

— Jamais !

Il rit de plus belle et se pencha encore un peu plus vers elle pour murmurer :

— Ne jamais dire « jamais », damoiselle.

Elle secoua la tête, sa lourde chevelure balayant ses épaules.

— Ne parlez pas de ces choses. Ce n'est pas décent.

Le regard de Rohan se durcit.

— Je ne le suis pas non plus.

Le cœur battant, elle demeura perplexe. Dans le même instant, cet homme pouvait menacer sa vie et lui offrir des promesses de plaisir. Comment expliquer un tel comportement ? Et elle n'était pas au bout de ses surprises car, soudain, il recula et, comme si elle était une reine, il s'inclina devant elle, très chevaleresque.

— Dame Isabel, il semble que la vie de mon ami a été épargnée grâce à vos soins. Quelle récompense choisissez-vous pour l'avoir sauvé ?

Il voulait jouer ? Très bien ! Souriant, elle effectua une impeccable révérence.

— Eh bien, messire chevalier, mon honneur, bien sûr.

Comme un seul homme, tous les compagnons de Rohan rugirent de rire derrière lui. Thorin lui flanqua une claque dans le dos.

— Ah, Rohan, on dirait que la damoiselle t'a pris à ton propre jeu.

Avec une immense satisfaction, Isabel vit les yeux du chevalier noir se plisser, les étincelles dorées à peine visibles sous les sourcils coléreux. Il réfléchissait à sa requête. Puis, comme s'il était au comble de l'amusement, il s'inclina à nouveau.

— La vie d'un homme vaut toujours plus que le pucelage d'une femme. Quelle qu'elle soit.

Choquée, Isabel en resta un instant sans voix avant de demander d'un ton sec :

— Puis-je être excusée afin de m'occuper des affaires du château ?

Il hocha la tête.

— Oui, préparez un festin. Ce soir, nous allons festoyer !

Elle fronça les sourcils.

— L'hiver arrive. Les provisions…

— Débordent. Mes hommes chasseront et rempliront le fumoir.

— Bien sûr, messire Rohan, un festin afin que vous puissiez fêter le sang que vos épées ont fait couler.

Elle tourna les talons et s'éloignait déjà quand sa voix retentit :

— Dame Isabel ?

Elle s'immobilisa. Puis, serrant les mâchoires, elle se retourna lentement vers lui. Il se tenait là, se massant la poitrine comme gêné par une vieille blessure. Mais la douleur ne devait pas être si grande car il souriait de toutes ses dents. Elle haussa un sourcil interrogateur.

— Avant le repas, faites préparer un bain dans la chambre du seigneur et soyez présente pour me laver. Je veux être propre pour ce soir.

4

Avant de s'occuper des préparatifs du festin, Isabel voulut apaiser les craintes de ses gens. La chose n'était pas aisée car partout où elle se rendait dans la grande salle, une ombre la suivait. Si ce n'était pas un chevalier de Rohan, un de ses soldats le remplaçait. Quand elle sortit dans la cour, elle se figea sur place en découvrant Russell attaché au poteau près des écuries. On l'avait dénudé jusqu'à la taille. Lorsqu'elle courut vers lui, il se tourna vers elle :

— Non, ma dame, laissez-moi accepter ma punition.

— Russell, implora-t-elle.

Obstiné, il baissa les yeux.

— Milady, laissez-moi ma fierté. Je survivrai. Reculez.

Rohan apparut soudain, un long fouet à la main. Furieuse, elle s'en prit à lui :

— Comment osez-vous punir un garçon qui n'a cherché qu'à protéger sa dame ?

Il la dépassa sans prendre la peine de lui répondre. Elle le suivit, s'accrochant à la poignée du fouet. Cette fois, il pivota vers elle.

— Vous dépassez les bornes. Disparaissez.

Isabel regarda Russell qui baissait toujours la tête, comme humilié par son intervention. Elle ne comprenait pas pourquoi il tenait à endurer ce châtiment. Soupirant, elle recula.

— Eh bien, soit, torturez-le, si cela vous amuse.

Elle courut dans la grande salle puis grimpa dans sa chambre où elle s'enferma, verrouillant la porte.

Elle commença à faire les cent pas sur l'épais tapis de laine. Le claquement du fouet suivi par un cri perçant la pétrifièrent. Elle se précipita à la fenêtre, écarta le lourd rideau et repoussa le volet. Une marque écarlate zébrait le dos de Russell. Rohan prenait son élan. Il frappa à nouveau. Le garçon cria, se débattant contre ses liens. La langue de cuir fendit l'air plusieurs fois encore, s'abattant avec un claquement cinglant. Russell, désormais à bout de forces, se contentait de gémir. S'arrachant à cette vision d'horreur, Isabel traversa la chambre et dévala l'escalier. Elle surgit dans la cour au moment où le bras de Rohan se dressait. Elle se jeta sur lui.

— Assez ! Vous allez le tuer !

Il la repoussa.

— Qu'avez-vous à offrir cette fois, damoiselle ?

Isabel fixa Russell dont le dos n'était plus qu'une masse de chairs sanguinolentes.

— Ayez pitié d'un enfant. Montrez votre compassion.

— Je n'en ai pas, répliqua-t-il.

Mais il jeta le fouet à terre, avant de faire signe à un de ses hommes.

— Qu'on l'amène aux écuries, dit-il avant de toiser Isabel. Occupez-vous de lui s'il le faut, mais veillez aussi à mon bain.

Isabel courut récupérer ses herbes pendant qu'on détachait Russell. Alors qu'elle s'agenouillait près du géant noir à côté duquel elle avait laissé son panier, elle lui toucha le front. Chaud, mais pas trop. Enid vint la rejoindre. Elle se tordait les mains.

— Ma dame ? Comment va le garçon ?

— Il survivra. Cela aurait pu être pire. Que Bert fasse remplir un baquet pour le chevalier bâtard.

— Dans la chambre du seigneur, ma dame ?

— Non…

— Oui ! C'est la mienne désormais, déclara Rohan depuis l'entrée de la salle.

Isabel remarqua que le charpentier avait déjà commencé à réparer la porte.

— C'est la chambre de mon père, et il la reprendra dès son retour !

Rohan vint vers elle, se débarrassant de ses gantelets couverts du sang de Russell.

— Votre père ne reviendra pas.

— Vous n'avez pas de cœur, fit-elle, révoltée par la cruauté de ces mots.

Il acquiesça.

— C'est exact. Qu'on s'occupe de mon bain, ordonna-t-il à Enid.

Isabel voulut partir elle aussi mais Rohan la saisit une nouvelle fois, l'obligeant à lui faire face.

— Soignez votre écuyer, mais faites vite. Ensuite, c'est à moi que vous vous consacrerez.

Rohan suivit du regard la svelte silhouette de la jeune femme qui se précipitait vers la cour. Une agréable chaleur s'emparait de lui quand il prenait le temps d'admirer ses formes. À chaque fois qu'il songeait à dame Isabel nue sous lui, son sexe frémissait.

Cela faisait très longtemps que ce n'était plus le cas avec les putains à soldats, et il n'avait jamais pris de compagne régulière. Ses yeux se plissèrent tandis qu'elle disparaissait de sa vue. L'hiver anglais était long et rude, et elle semblait capable de le distraire plus d'une fois. Par ailleurs, lorsqu'il n'y avait plus d'ennemi à écraser, il ne connaissait qu'une seule occupation capable de lui procurer autant d'excitation que le combat. Oui, cela allait être un plaisir que de réchauffer le cœur glacé de dame Isabel.

Il fronça les sourcils. Elle n'était pas simplement belle, elle était également rouée. Elle avait su lui extorquer la promesse d'épargner sa virginité. Il sourit. Mais elle semblait avoir oublié qu'elle aussi avait fait un serment.

Il se frotta la poitrine là où la brûlure continuait à le gêner, même après tant d'années. La cicatrice gravée sur sa peau était un rappel permanent de ce qu'il avait enduré dans cette prison.

Rohan contempla le manoir de Rossmoor. L'endroit était plaisant.

L'édifice se dressait sur une petite colline dominant une vaste prairie cernée par une forêt. Le village niché contre le mur d'enceinte regorgeait de maîtres artisans. Les greniers à céréales étaient pleins, les fumoirs remplis de viandes de toutes sortes. Plusieurs belles juments occupaient les écuries, partenaires idéales pour certains de leurs étalons. Le regard de Rohan balaya la grande table seigneuriale avant de s'arrêter sur le fauteuil du maître des lieux, placé près de la cheminée. Si la chance continuait à lui sourire et si Guillaume tenait sa promesse, un jour ce fauteuil serait le sien. Oui, il n'avait aucun mal à s'imaginer en seigneur de Rossmoor.

Puis il aperçut son fidèle bras gauche, Manhku. Car Thorin était le droit. Il s'accroupit près de lui. L'Africain dormait d'un sommeil agité. Une fine couche de sueur couvrait son front.

La blessure était vilaine, certes, mais Manhku avait déjà subi bien pire. Comme eux tous. Il survivrait et connaîtrait encore de nombreux hivers. Rohan se redressa, laissant la chaleur du feu s'insinuer dans ses muscles fatigués. Ils n'avaient pas cessé de chevaucher depuis Senlac, ne passant jamais plus de deux jours dans chaque fief dont ils prenaient possession au nom de Guillaume.

Rossmoor était le dernier. Il devait y attendre le message de son suzerain lui demandant de le rejoindre à Westminster. Le répit était bienvenu.

Rohan ferma les yeux. Comme souvent, la vision d'A'isha lui apparut aussitôt. Leur ange de miséricorde à Jubb. Si elle n'avait pas défié son frère et son père et sacrifié sa propre vie, ses Épées rouges et lui ne seraient plus que poussière.

Il était retourné la chercher. Mais les chauves-souris l'avaient enveloppé comme une tornade noire. Il avait hurlé pour les disperser, il les avait même attaquées de ses mains nues. Mais une nouvelle tornade d'ailes, de griffes et de dents s'était ruée sur lui, plus impénétrable qu'un mur de pierre, plus féroce que mille flèches. Il n'avait pas eu le choix. Il avait dû fuir, retourner aussi vite que ses jambes en étaient capables vers la lueur salvatrice du jour... et la liberté.

Il rouvrit les yeux pour fixer le feu. Jamais il n'avait rencontré de femme plus brave. Il n'oublierait pas son sacrifice.

— Messire du Luc ? couina une voix timide derrière lui.

Il se retourna, agacé, pour découvrir la servante nommée Enid. Celle-ci baissa aussitôt le regard.

— Votre bain est prêt, messire.

— Allez chercher votre maîtresse. Dites-lui que si elle traîne, c'est elle qui recevra le fouet.

Enid poussa un petit cri étouffé et fila vers la cour. Rohan gravit l'escalier. Maintenant que plus personne n'était là pour le regarder, il s'autorisait à boiter. Sa jambe droite lui faisait un mal de chien. Encore un souvenir de cette maudite prison.

Comme si on la conduisait à la potence, Isabel montait lentement vers la chambre seigneuriale. Elle poussa la porte. La vision qui s'offrit à elle lui coupa le souffle. Aussi nu qu'à l'instant de sa naissance, Rohan se tenait devant l'âtre. Il lui tournait le dos, et elle ne put s'empêcher d'admirer sa silhouette virile. Ses fesses étaient rondes et fermes, les muscles roulant à chacun de ses mouvements. Ses larges épaules dominaient une taille étroite. Ses longues jambes étaient tout aussi puissantes et admirablement proportionnées. Elle fronça les sourcils : une vilaine cicatrice violacée serpentait le long d'une cuisse, s'arrêtant au creux du genou.

De la vapeur montait du baquet en cuivre placé près du feu. Rohan tourna un regard courroucé vers elle.

— Tu me fais attendre, femme. Mon bain refroidit.

Un petit cri de surprise échappa à Isabel tandis qu'elle découvrait son torse… et cette nouvelle cicatrice, énorme celle-ci. Comme si on lui avait imprimé une épée brûlante sur la peau. Un élan de compassion la saisit. Une telle torture avait dû lui infliger une douleur sans nom. Mais elle se ressaisit très vite et répliqua :

— L'eau fume encore. Arrêtez de vous plaindre et grimpez là-dedans.

En récupérant un linge propre et du savon au santal, elle remarqua plusieurs sacoches de selle et une petite malle au pied du grand lit. Leur présence signifiait qu'il comptait s'installer ici. Ce qui n'avait rien d'étonnant. Même ce Normand ne pouvait nier que Rossmoor possédait tout le confort désirable. Le manoir était connu pour son hospitalité et ses dépendances luxueuses.

Alors qu'il se glissait dans l'eau, Rohan laissa échapper un long soupir.

— Dieu que c'est bon.

Elle plongea le linge dans l'eau avant de l'enduire de savon. Elle plissa les narines.

— À en juger par votre puanteur, vous ne vous êtes pas lavé depuis au moins vingt ans.

Il se laissa aller contre le rebord et ferma les yeux.

— Dix, seulement.

Isabel préféra ne pas poursuivre cette conversation. Plus tôt elle en aurait fini de cette besogne, mieux elle se porterait. Cet homme la mettait mal à l'aise. Quand il la fixait, elle voyait cette lueur lubrique dans ses yeux. Elle savait ce que cela signifiait.

Pourtant, malgré toutes ses bonnes résolutions, la curiosité prit le dessus. Du bout d'un doigt savonneux, elle toucha le bas de sa gorge, là où commençait la terrible marque.

— Comment cela vous est-il arrivé ?

Il se raidit. Ses yeux restèrent clos, mais il ne répondit pas. Isabel n'insista pas.

Elle lui savonna la tête, plongeant les doigts dans son épaisse chevelure noire. Elle le rinça à l'aide d'un pichet rempli d'eau posé sur le banc voisin. Puis elle s'occupa de son torse, frictionnant une fine toison. Quand elle voulut s'occuper de son bras, il lui saisit la main. Elle poussa un petit cri de frayeur.

Rohan ouvrit les yeux et la fixa.

— Pas si vite, damoiselle. Je tiens à savourer ce moment. Cela fait trop longtemps qu'une personne aussi jolie ne m'a pas débarrassé de la puanteur du combat.

Elle baissa les yeux.

— Certaines affaires requièrent mon attention, dit-elle doucement.

D'un doigt, il lui leva le menton, la forçant à le regarder.

— La seule affaire qui compte pour vous, c'est de veiller sur moi. Si vous allez trop vite, je vous obligerai à me donner autant de bains qu'il le faudra jusqu'à ce que je m'estime satisfait.

Isabel ravala la réplique furieuse qui lui venait, mais ne montra pas la moindre intention de reprendre sa tâche. L'étau sur son poignet se resserra, et il l'attira vers lui. Elle résista. Il tira plus fort jusqu'à ce qu'elle se retrouve en travers du baquet, pratiquement couchée sur lui. Ses seins plongèrent dans l'eau chaude. Elle se débattit, sachant que l'humidité révélerait certains détails de son anatomie. Il tira encore, l'obligeant à prendre appui sur le rebord de sa main gauche. Les lèvres de Rohan ne se trouvaient plus qu'à quelques centimètres des siennes. Son haleine lui caressait le cou.

— Vous m'appartenez, damoiselle.

— Non, murmura-t-elle, leurs souffles se mêlant.

Du bout d'un doigt mouillé, il effleura le renflement de ses seins. Elle frémit.

66

— Oh si, dit-il, et vous feriez mieux de le reconnaître.

Il posa sa paume sur son sein avant de le presser doucement. Elle ferma les yeux tandis que la honte l'envahissait. Dans le tréfonds de son corps, une onde de plaisir se déploya. Un feu s'allumait entre ses cuisses. Cette sensation qui lui était totalement étrangère la sidéra et ne fit qu'accroître sa confusion. Arlys l'avait déjà touchée ainsi et elle n'avait rien senti, hormis une légère irritation. Ses baisers l'avaient laissée froide. Pourtant, il avait fait preuve de douceur. Pas comme ce barbare.

— Non seulement vous êtes un meurtrier, mais vous n'êtes pas un homme de parole.

— Vos moqueries ne m'atteignent pas, damoiselle. Je ferai comme il me plaira. Et, en cet instant...

Il posa les lèvres sur sa gorge.

— ... c'est vous qui me plaisez.

— Vous avez juré de me laisser intacte, soufflat-elle, essayant d'ignorer la chaleur que ses lèvres déclenchaient en elle.

— Oui, je vous ai donné ma parole de ne pas toucher à votre virginité.

Il s'écarta soudain, ses yeux fauves la guettant. Elle frissonna à nouveau.

— Mais, reprit-il, vous avez prêté serment devant mes hommes et les vôtres que vous me laisserez explorer ce qui se trouve sous votre robe. Et il y a là bien plus que votre seul pucelage.

Poussant un cri, Isabel lui jeta le linge au visage et se libéra. Il gronda tandis que le savon lui brûlait les yeux. Elle courut jusqu'à la porte, bien décidée à s'enfuir, mais sa voix dure l'arrêta :

— Rompez le serment que vous m'avez fait, Isabel, et je romprai aussi le mien.

Il s'empara du pichet d'eau propre et se rinça le visage.

— Maintenant, revenez achever ce que vous avez commencé.

Isabel éprouva alors une colère comme elle n'en avait jamais connu. Pas même vis-à-vis de Deirdre, l'odieuse cousine d'Arlys, qui saisissait la moindre occasion de flirter avec des hommes qu'elle aurait dû éviter.

Serrant les mâchoires, elle revint vers le baquet. Elle ignora la douceur du torse de Rohan, la façon dont ses muscles roulaient sur ses bras quand il les déplaçait. Elle essaya aussi d'ignorer les sensations bizarres que son contact provoquait en elle. Elle se concentrait uniquement sur sa tâche. Montrer à cet invité, tout malvenu qu'il soit, que l'hospitalité dans ce manoir n'était pas un vain mot... et ensuite quitter cette pièce.

— Comment se fait-il que ce fief reculé soit aussi riche de gens et de talents ? demanda Rohan.

Soulagée de ce nouveau tour pris par la conversation, elle répondit aussitôt.

— La population du village a diminué depuis le débarquement de votre duc. Mais la terre est fertile ; il faut payer un droit pour franchir nos rivières et elles regorgent de poissons. Les écuries de mon père font l'envie des rois et des empereurs. Mais surtout, depuis l'époque de mon arrière-grand-père, Rossmoor commerce avec le Continent. Et les Vikings, ajouta-t-elle en souriant. C'est ainsi qu'il a acquis mon arrière-grand-mère, Signund.

— Il l'a troquée ?

— Pas tout à fait. Il l'a empruntée sans aucune intention de la rendre.

— Et le père de votre aïeule n'a pas exigé de rançon en échange de sa fille ?

Isabel éclata de rire. Elle sentit le corps de Rohan se raidir, mais elle continua à lui frotter la poitrine avec le linge imbibé de savon.

— Non, il l'a capturée dans un drakkar chargé de l'impôt viking. Il s'est enfui avec la jeune femme et le trésor, disant que c'était l'argent de sa dot. Il a construit Rossmoor en songeant à la menace que représentait sa belle-famille. Jusqu'à votre arrivée, le manoir n'avait jamais été pris.

— Oui, dit-il d'une voix lourde de sous-entendus. Tout comme vous.

Isabel s'écarta pour le fixer droit dans les yeux.

— Messire, je suis une dame de noble naissance. Ne pourriez-vous pas vous montrer moins grossier ?

Il haussa les épaules.

— C'est ce que je suis. Grossier.

— Cela ne justifie rien. Si vous savez que ce comportement est offensant, pourquoi ne pas tenter de le changer ?

Rohan s'assit dans le baquet et lui tourna le dos.

— Cette conversation me fatigue. Terminez ce bain, que je puisse rejoindre mes hommes qui, eux, sont moins grincheux.

Isabel trempa le linge et lui frotta le dos.

— Je ne suis pas grincheuse.

— Vos paroles le sont.

Sentant qu'il était désormais impatient de sortir du baquet, elle le rinça rapidement. Quand il se dressa, elle l'enveloppa dans une longue serviette. Il la lui arracha des mains pour l'enrouler autour de sa taille. Puis il leva les yeux vers les bannières colorées décorant le mur où était accroché l'étendard de son père. Un faucon doré tenant une hache viking entre ses serres.

— Qu'on fasse retirer tout ceci et qu'on transporte vos affaires ici.

— Mais...

Il se tourna pour lui faire face.

— Votre père n'est plus le seigneur de ces lieux.

— Faudra-t-il qu'il prête allégeance au duc ?

— Guillaume n'accorde pas sa confiance aux Saxons. Il mettra ses propres hommes aux postes de pouvoir.

— Et mon frère ? Il pourrait épouser une Normande. Comme mon père.

Rohan sourit et continua à se sécher. Le linge mouillé adhérait à son corps musclé. Isabel gardait les yeux braqués sur un coin du mur situé loin derrière lui. Deux fois déjà, elle avait failli oser le regarder... entièrement.

— Ce qui explique pourquoi vous connaissez ma langue.

— J'ai de la famille en Normandie. Si elle apprend qu'un bâtard cherche à s'approprier la terre de leur parente, elle lèvera sûrement une armée contre vous ! Je demanderai moi-même réparation auprès de Guillaume.

— Faites à votre guise, damoiselle, mais sachez que vous perdrez.

Il laissa tomber le linge humide à terre et, Dieu lui pardonne, elle ne put s'empêcher de suivre le mouvement et de baisser le regard vers ce qui faisait de lui un homme. Elle eut un geste de recul. Même au repos, elle n'avait jamais rien vu de plus viril. Or elle en avait vu, des sexes d'hommes. Non par choix ou par envie, mais en tant que dame du manoir, elle avait donné le bain à des douzaines d'hommes avec les années, et beaucoup avaient fait en sorte qu'elle ne puisse éviter de les regarder.

Ce guerrier se dressait dans toute sa splendide nudité tel un dieu antique. La bouche sèche, elle recula vers la porte.

— Messire chevalier, je vous prie de m'excuser. Mes serviteurs attendent mes ordres pour préparer le festin.

Elle n'attendit pas sa permission. Manœuvrant le loquet, elle sortit précipitamment, sans un regard derrière elle.

La salle était remplie d'envahisseurs. Bien sûr, tous les hommes de Rohan n'étaient pas là, car certains devaient patrouiller aux limites du domaine, mais ces soudards étaient néanmoins très nombreux et, à en juger par leurs voix enjouées et les coupes qui circulaient, ils avaient déjà trouvé les caves. Plusieurs barriques de vin d'Aquitaine avaient été montées et entamées. C'était le breuvage réservé aux plus grandes occasions. Et cela en était une, se dit-elle, morose. Pour eux.

Des arômes à mettre l'eau à la bouche provenaient des cuisines tandis que les serviteurs qui n'avaient pas fui se dépêchaient de dresser des tables. Isabel se rendit aux cuisines pour trouver la pièce en pleine activité. Astrid, comme à son habitude, dirigeait les opérations et nul, pas même ces maudits Normands, n'osait discuter son autorité. Isabel hocha la tête. Ces étrangers estimaient peut-être que les Saxons manquaient de courage, mais ses gens avaient toujours été opiniâtres à la tâche. Même face aux pires épreuves, ils trouvaient un moyen d'achever la besogne du jour. Constatant qu'on n'avait guère besoin d'elle ici, elle baissa les yeux sur sa robe trempée. C'était là une tenue indigne d'un festin.

Se sentant reposé et propre, Rohan descendit dans la grande salle. Depuis son séjour dans cette cellule au sol couvert d'excréments, il était devenu d'une propreté méticuleuse, et il en allait de même pour ses frères. Son regard fouilla la pièce, à la recherche de dame Isabel. Il fronça les sourcils. Elle n'était pas là. Un curieux sentiment de perte se mêla à sa colère de constater qu'une fois de plus, elle désobéissait à ses ordres. Cela n'avait aucune importance. Dès qu'il l'aurait retrouvée, il assignerait un homme à sa surveillance. Cessant de penser à cette femme qui ne faisait que susciter son courroux, il scruta la foule, pour s'arrêter sur les sept chevaliers qui depuis cette époque en terre sarrasine, sept années auparavant, ne faisaient plus qu'un avec lui. Ils ne s'éloignaient jamais l'un de l'autre. Comme en ce moment. Ils avaient déplacé la table du seigneur près du foyer et de leur frère blessé.

— Rohan ! rugit Thorin en levant une chope de vin. Viens donc profiter des fruits de notre labeur !

Ioan, Rorick, Warner, Stefan, Wulfson et Rhys l'imitèrent dans un toast enthousiaste.

— Oui, à Rohan ! Que Guillaume récompense tes efforts en t'offrant ce fief digne de toi ! s'exclama Warner. Et si tu devais trouver la langue de dame Isabel un peu trop acérée…

Il avala le contenu de sa chope d'un trait, deux filets de vin coulant des coins de sa bouche sur son surcot, avant d'écraser le récipient vide sur la table.

— … je suis prêt à parier qu'elle trouvera mon pieu plus à son goût que le tien !

Rohan fronça les sourcils. Warner était le coq de la bande. Il aimait se vanter de ses exploits auprès des damoiselles… comme des matrones. Celles-ci semblaient apprécier ses jolies phrases, car à lui seul il avait semé plus de bâtards derrière lui que tous les autres réunis.

Il s'approcha de la table pour accepter le gobelet tendu par Thorin.

— Warner, si la dame parvient à trouver le pieu dont tu te vantes tellement, je céderai volontiers la place.

La tablée rugit de rire tandis que Warner faisait grise mine. Rohan lui flanqua une claque vigoureuse sur le dos.

— Allons, mon ami, nous savons tous que tu as engrossé une bonne dizaine des putains du camp.

Warner sourit et remplit sa coupe.

— Certes, mais ce ne sont que des gueuses !

— Warner, mon ami, dit Ioan, tu n'as pas encore trouvé le ventre digne de ta semence.

— Une malédiction qui nous frappe tous ! s'écria Rorick qui leva sa coupe, avant de soudain interrompre son geste.

Il écarquilla les yeux et un petit sourire étira ses lèvres. Il contemplait quelque chose derrière Rohan, qui remarqua que ses hommes s'étaient tous subitement calmés. Il se retourna lentement.

Morbleu ! Son ventre se noua et sa bouche s'assécha. Il sentit son membre se gonfler en un instant.

Sa beauté rivalisait avec l'éclat du soleil. Mais qu'elle puisse avoir un tel effet sur son corps lui déplut au plus haut degré.

Isabel s'était baignée et changée. À présent, elle était vêtue d'une chemise grenat aux broderies dorées et d'une robe d'un velours or et pourpre avec des pierres précieuses cousues le long des manches. Une riche ceinture dorée, elle aussi, accentuait la rondeur de ses hanches. Sa dague incrustée de joyaux y pendait. Mais le plus stupéfiant demeurait

son visage. Sa peau crémeuse se colorait d'un soupçon de rose et, même à cette distance, ses grands
yeux violets semblaient étinceler tandis que ses
lèvres pleines et rouges étaient à peine écartées
comme dans l'attente d'un baiser. Son épaisse chevelure – une longue flaque de lumière – avait été bros-
sée. Elle tombait bien au-delà de ses épaules, à
l'exception de deux tresses délicates, nouées par un
ruban améthyste, qui lui encadraient le visage. Elle
ne portait pas de voile, mais un mince diadème d'or
et d'argent auquel on avait donné la forme d'un
faucon.

Rohan n'esquissant pas le moindre geste pour
l'accueillir, Rorick s'avança au-devant d'elle. Il
s'inclina profondément, lui prenant la main :

— Damoiselle, vous offrez à ma vue une telle
beauté que je me demande si elle est de ce monde.

Rohan leva les yeux au ciel et avala une gorgée de
vin... sans cesser de surveiller son ami qui déversait
des compliments ineptes sur la femme qu'il comptait
mettre dans son lit ce soir.

Isabel sourit à l'Écossais.

— Merci, messire... ?

Il s'inclina à nouveau.

— Pardonnez mes manières, dame Isabel. Je ne
suis qu'un vieux soldat qui a passé plus de temps sur
les champs de bataille qu'à la cour.

Il porta ses deux mains à ses lèvres avant de la
regarder.

— Je suis messire Rorick de Moray, chevalier du
duc Guillaume le Conquérant. À votre service, ma
dame.

— C'est un plaisir de vous rencontrer, messire
Rorick. Je prie pour que vous gardiez vos manières

courtoises. Elles sont les bienvenues, après la gros-
sièreté de votre camarade.

Lui offrant son bras, Rorick l'aida à descendre les
dernières marches. Avec un regard ironique vers
Rohan, il sourit. Ce dernier resta de marbre. Quand
Stefan et Warner se précipitèrent pour installer le
fauteuil du seigneur à la table afin qu'elle y prenne
place, il retint une forte envie de leur botter
l'arrière-train.

— Non, gentils messires, c'est le siège de mon
père. Mettez-le de côté pour son retour.

Rohan écrasa sa chope sur la table.

— Votre père, s'il rentre un jour, devra s'asseoir
avec les nobles de moindre rang, dit-il en s'emparant
du fauteuil pour le jeter contre la cheminée.

Cela fait, il montra la chaise voisine de la sienne.

— Maintenant, installez-vous ici. Ces papotages
me fatiguent. Qu'on apporte à manger !

Rorick conduisit lady Isabel à la place indiquée,
tout en toisant son ami.

— Je dois vous présenter des excuses pour les pauvres manières de *messire* Rohan. Il a été élevé dans
une étable.

Rohan grogna et se versa à boire. Surprenant le
regard dur d'Isabel, il sourit avant de lever sa chope.

— À la conquête de Rossmoor !

Cela provoqua de folles acclamations parmi ses
hommes. Il se tourna vers la dame des lieux et
ajouta :

— Et à la brèche entre les cuisses de la mégère !

Cette fois, l'enthousiasme et l'hilarité de ses
hommes furent telles que les murailles du manoir en
tremblèrent.

Il but de bon cœur en regardant les joues d'Isabel
rougir violemment. La pucelle pouvait jouer les

grandes dames en public, dès ce soir elle verrait qui était le maître. Il avait chaud soudain, et la douleur de sa cicatrice sur la poitrine se réveillait. Oui, dompter Isabel allait être un passe-temps bienvenu pendant les longues nuits d'hiver qui s'annonçaient.

5

Pensive, elle contemplait son vin tandis que plusieurs villageois s'activaient dans la grande salle. Winston chargeait de nouvelles bûches dans le feu, Lyn allumait les chandelles, Garsh tenait les chiens en laisse et plusieurs autres portaient de lourds plateaux chargés de victuailles.

Des plats fumants de sanglier rôti, de faisan, de venaison ainsi que de nombreux poissons tout frais pêchés dans la rivière garnissaient la table. Des sucreries et des légumes d'automne s'ajoutaient au festin. Mais la faim d'Isabel se dissipait devant la lutte que se livraient ses émotions et son esprit. Comment faire face à Rohan du Luc ?

Si elle continuait à se révolter contre des choses aussi insignifiantes qu'un siège au côté de cet hôte indésirable et temporaire, elle ne ferait que l'irriter davantage, au risque de représailles contre les siens. Il valait mieux lui concéder ces menus caprices. Et épargner ses forces pour de plus cruciales batailles.

Elle fixa sa main immense sous laquelle disparaissait presque entièrement le calice d'or et d'argent qu'il s'était approprié. Une sensation délicieuse l'envahit à l'idée de ces mains posées sur elle.

— Pensez-vous autant que moi à la fin de cette soirée ? lança-t-il.

Elle rougit violemment, n'osant lever le regard vers lui.

— Tenez, damoiselle, buvez. Ce vin, vous le savez mieux que moi, est exceptionnel. Peut-être vous apaisera-t-il, fit Rohan en lui flanquant sa coupe sous le nez.

Elle n'avait aucun désir de boire à la même coupe que lui. Mais elle n'avait pas le choix : si tel était son bon plaisir, il pouvait l'y forcer.

Elle fit effectuer un demi-tour à la coupe, de façon à bien montrer qu'elle refusait de poser les lèvres au même endroit que lui. Le geste était subtil, mais il fit son office, car elle le sentit se raidir à son côté.

— L'insulte a été notée, mais sachez qu'elle n'a aucun effet sur moi. Après vous, il y en aura une autre et encore une autre après elle.

Ignorant son sarcasme, elle se tourna vers Rorick assis à sa droite. Ses yeux d'un bleu profond brillaient d'un humour malicieux. Elle remarqua sur son menton la même cicatrice en croissant. Elle se tourna vers Wulfson, puis vers celui nommé Ioan et tous les autres. Les huit chevaliers installés à la table seigneuriale portaient la même marque et, sur leur blason, l'épée ensanglantée fendant le crâne.

— Comment se fait-il que vous ayez tous cette cicatrice au menton, et pourquoi seuls ceux qui la portent arborent-ils l'épée rouge sur leur surcot, messire Rorick ? demanda-t-elle.

Le regard de Rorick perdit sa gaieté, mais cela ne dura qu'un bref instant. Ses yeux retrouvèrent très vite leur éclat. Lui prenant la main, il la porta à ses lèvres.

— C'est une vilaine histoire qui offenserait les oreilles d'une dame.

— Isabel, dit Rohan, le tranchoir est plein et j'ai coupé votre viande. Mangez. Vous aurez besoin de forces, ce soir.

Se retournant, elle lui flanqua un solide coup de coude dans les côtes. Il grimaça.

— Vous avez les manières d'un sanglier.

— Et vous, le caractère d'une mégère.

Elle remarqua cependant qu'il avait bien coupé la viande. Et il avait placé les morceaux de choix vers elle. Même si son estomac vide gargouillait, elle n'avait guère d'appétit. En fait, elle ressentait une profonde fatigue, sachant que les jours à venir constitueraient une épreuve comme elle n'en avait encore jamais vécu. Elle but une nouvelle rasade de vin. Quand elle reposa la coupe, Rohan sourit et la remplit. Puis il la tourna pour bien lui montrer qu'il comptait boire au même endroit qu'elle. Ce qu'il fit, sans cesser de la fixer par-dessus le rebord.

— Je n'éprouve aucune gêne à poser mes lèvres sur les vôtres, damoiselle. Et si nous en avons le temps, vous apprendrez à m'implorer que je le fasse.

Isabel pressa les mains sur son ventre de toutes ses forces tandis qu'il piquait un grand morceau de venaison avec son couteau de table. Tout en mâchant, il la considérait d'un air pensif. Après avoir dégluti, il s'approcha pour murmurer à son oreille :

— Ce n'est qu'une rencontre charnelle temporaire, damoiselle. Il n'en restera aucune trace. S'il vous plaît de dire que vous n'avez pas été déflorée, vous le pourrez. Ce sera notre petit secret.

Isabel serra les dents et ferma les yeux. Quand il chuchotait ainsi tout près d'elle, cela provoquait des choses troublantes dans son corps. Mais si sa voix était agréable, ses paroles l'étaient beaucoup moins.

— Au matin de ma nuit de noces, la preuve devra se voir sur les draps.

— Toutes les pucelles ne saignent pas.

Les joues brûlantes, elle le fixa.

— Messire, s'il vous plaît, on ne peut parler ainsi de sujets aussi intimes.

Il leva la main. Effrayée, elle s'écarta brusquement, heurtant Rorick qui ne fut que trop heureux de l'aider à se redresser.

Rohan plissa les paupières. Mais il continua son geste vers elle. Avec une douceur stupéfiante, il lui frôla la joue du bout des doigts.

— Je tiendrai ma parole envers vous, damoiselle. Si je suis impatient de jouir de votre corps, je ne briserai pas cette fine membrane à laquelle vous tenez d'une façon aussi enfantine. Vous resterez intacte pour votre mari.

— Rohan, fit Wulfson de l'autre côté de la table, qu'as-tu prévu pour demain ?

Le chevalier noir but une gorgée de vin.

— Quand nous aurons assouvi notre faim, nous nous rassemblerons pour parler de demain. D'ici là...

Il adressa un regard appuyé à une jeune servante qui le dévisageait sous ses longs cils noirs.

— ... jouissez des fruits de notre labeur.

Wulfson éclata de rire et leva sa chope. Quand la fille, Lyn, passa près de lui, son bras jaillit pour la cueillir par la taille et la placer en travers de ses cuisses. Elle couina et fit mine de vouloir se libérer, mais son regard souriait.

— Une belle pour réchauffer ma paillasse ce soir ?

Il versa un peu de son vin dans la profonde vallée qui séparait ses seins, avant de s'y abreuver. Rires et acclamations saluèrent son exploit tandis que Wulfson léchait jusqu'à la dernière goutte de vin sur cette poitrine crémeuse.

Redoutant que Rohan ne lui inflige le même sort, Isabel ne regardait plus ce spectacle depuis longtemps.

Une ambiance de fête s'installait dans la grande salle. Lorsque Sarah, la fille d'Edwin, le garde-chasse de son père, s'avança pour danser avec un incroyable sans-gêne devant Rohan, Isabel perdit définitivement tout appétit. Lui tournant le dos, il se laissa aller dans sa chaise de telle sorte qu'elle ne pouvait voir son visage. Mais à en juger par les sourires sur les lèvres tentatrices de Sarah et la façon dont elle lui fourrait sa poitrine sous le nez, il devait apprécier son manège. Quand elle posa les mains sur les cuisses du Normand pour les écarter afin de venir se trémousser entre elles, Isabel crut qu'elle allait vomir. Comment Sarah osait-elle ?

Isabel se détourna pour constater que d'autres filles du village – certaines veuves depuis fort peu de temps – cherchaient elles aussi les faveurs des Morts. Étaient-elles à ce point désespérées qu'elles étaient prêtes à se prostituer auprès des envahisseurs ?

Mais n'était-ce pas ce qu'elle avait fait ? N'avait-elle pas donné l'exemple en sacrifiant son corps en échange de la vie de Russell ? Ces filles avaient-elles l'impression qu'elles devaient, comme leur maîtresse, se sacrifier pour avoir une chance de survivre ?

Un profond dégoût d'elle-même l'envahit. Son estomac se souleva. La main sur le ventre, elle pivota vers Rorick.

— Messire chevalier, je ne me sens pas bien, voudriez-vous…

Il l'interrompit.

— Pas un mot de plus, milady. L'air frais vous fera du bien.

Il la conduisit vers la porte maintenant réparée et l'entrouvrit juste assez pour qu'elle se glisse dehors. Elle le vit se retourner vers la salle, sans doute pour échanger un regard avec Rohan. Le visage de Rorick se durcit. Isabel fit à son tour volte-face et se figea. Rohan s'était dressé, visiblement furieux, tandis que la pauvre Sarah continuait à gesticuler de façon grotesque afin de susciter son attention.

— Je ne souhaite pas attirer le courroux de Rohan sur vous, dit-elle.

Rejetant la tête en arrière, Rorick rit de bon cœur.

— Le courroux de Rohan ? Non, je ne le crains pas.

Il la poussa et claqua bruyamment la porte derrière eux.

Isabel prit une profonde inspiration, l'air frais lui piquant les poumons.

— Merci, dit-elle doucement.

Elle remarqua que les torches avaient été allumées le long des murs du manoir. Plusieurs avaient même été installées sur des piques dans la cour jusqu'au mur d'enceinte et au-delà, dans le village. Des sentinelles, ombres parmi les ombres, patrouillaient.

— Qu'ils prennent garde, ceux qui voudraient tenter de reprendre à Rohan ce qu'il a gagné aujourd'hui, commenta Rorick.

— Ce n'est pas juste !

— C'est la guerre, dame Isabel.

— Ce n'est pas *ma* guerre.

Mais elle sentait bien que ces mots sonnaient faux. Alefric avait été un fervent soutien de Harold.

— Mon pèrc re...

— Non, dame Isabel. Son temps est révolu. Celui de votre frère aussi. Guillaume sera couronné roi et tout sera différent dans ce pays. Il vaut mieux l'accepter. Si votre père a survécu et s'il possède un peu de jugeote, il ira prêter serment devant le duc. Guillaume est un vrai guerrier : dur mais juste. Peut-être lui permettra-t-il de garder quelque chose.

— Et nos gens ? Et moi ?

Il baissa les yeux vers elle, et elle fut surprise d'y lire une sincère compassion.

— Vos gens, s'ils devaient servir un nouveau seigneur ici, prospéreront.

Il effleura une mèche dorée que le vent du soir faisait flotter vers lui.

— Quant à vous, ma dame, vous trouverez un mari digne de votre lignée et vous lui donnerez de nombreux enfants.

— Je n'ai aucune dot et je viendrai à lui souillée ! Quel homme voudrait de moi ? Votre maître est-il à ce point aveugle qu'il ne voit pas qu'il ruine toutes mes chances de me trouver un époux ?

— Oui, Rohan est inflexible. Et il a de bonnes raisons pour cela.

— Rorick, les hommes t'appellent.

Isabel sursauta. Elle pivota vers le seuil du manoir où se tenait Rohan. Ses yeux brillaient sauvagement à la lueur des torches. Sa mâchoire était crispée.

Rorick s'inclina devant elle.

— Bonne nuit, dame Isabel.

Elle hocha la tête.

— Bonne nuit, gentil seigneur.

Comme la porte se refermait, elle leva les yeux vers Rohan. Immobile, rigide même, il la toisait, les mains derrière le dos.

— Vous ne trouverez aucun allié parmi mes hommes. Notre lien est indéfectible.

— Oui, je veux bien le croire, mais Rorick n'est pas un sauvage, lui.

Rohan sourit, et elle frissonna. Ce rictus signifiait que, quoi qu'elle pense de Rorick, elle était loin du compte.

— Viole-t-il, pille-t-il et massacre-t-il comme vous le faites ? Et quel est ce fameux lien ? Cette cicatrice que vous avez tous ? Comme des enfants, vous avez joué à devenir frères de sang ? lança-t-elle avec mépris.

Un muscle frémit sur la mâchoire de Rohan.

— Moquez-vous de ce que vous ne comprenez pas. Cela n'a aucune importance.

Elle éprouva une furieuse envie de le frapper. Au lieu de cela, elle se dirigea vers l'écurie.

— Je dois m'occuper de Russell.

Il ne répondit pas et ne fit rien pour la retenir.

À mi-chemin dans la cour, elle croisa Thomas.

— Ma dame, permettez-moi de vous accompagner.

Surprise par son apparition, elle hocha néanmoins la tête. Ils se retournèrent ensemble pour voir Rohan qui s'était enfin décidé à venir dans leur direction.

— Il ne vous lâche pas. Il vous surveille comme un faucon guette un mulot, ma dame. J'ai des nouvelles d'Arlys.

Le cœur d'Isabel manqua un battement.

— Il a donc survécu ?

— Oh oui, et il se prépare à nous libérer du joug normand.

Ils arrivaient à l'écurie, où ils tombèrent sur un homme de Rohan. Pas un chevalier, mais un simple soldat.

— Je suis dame Isabel. Je viens rendre visite à mon écuyer. Laissez-moi passer.

L'homme lança un regard derrière elle, en direction de Rohan. Elle serra les poings, folle de rage de devoir demander la permission de voir un de ses serviteurs.

Le garde hocha la tête, et elle se précipita vers Russell allongé dans la paille. Thomas disparut.

Elle s'agenouilla auprès du garçon endormi, effleurant son dos avec précaution. Il gémit avant de tourner le visage vers elle.

— Ma dame. Ça brûle comme du feu.

— Je vais nettoyer les plaies et appliquer du baume. Cela devrait t'apaiser.

Elle se mit au travail. Une fois qu'elle eut posé des compresses fraîches sur son dos, Russell soupira :

— Oui, la brûlure se dissipe déjà.

— Avec le baume, ce sera encore mieux, dit-elle en l'étalant sur la chair à vif.

Il voulut se redresser sur un coude.

— Reste tranquille, Russell, tu auras bientôt besoin de tes forces.

— Ma dame, pardonnez-moi d'avoir raté ma cible.

— Tu ne l'as pas ratée. Le problème, c'était la cible elle-même. Cet homme est l'engeance du diable. Mille flèches n'auraient pas eu raison de lui.

— J'ai peur pour vous. Il va vous déshonorer.

— Ne t'inquiète pas pour moi, Russell. Je trouverai un moyen. Il n'y a rien que tu puisses faire.

— Je le tuerai s'il vous touche !

— Cesse de dire des idioties ! Il pourrait te découper en morceaux, et je ne supporterais pas de te perdre. C'est à moi qu'il revient de préserver mon honneur. Garde tes forces... répéta-t-elle avant de lui chuchoter à l'oreille : Arlys arrive.

Russell voulut se redresser, mais elle secoua la tête.

— Repose-toi. Je reviendrai demain matin.

Quand elle se leva pour quitter la stalle, une haute silhouette surgit de l'ombre. Rohan. Elle retint son souffle. L'avait-il entendue ?

— Vous m'avez fait peur.

Sans répondre, il la saisit par le bras pour l'entraîner vers le manoir. Celui-ci se dressa haut et fier devant eux. Rossmoor. Là où elle était née. Aux mains d'un étranger. Un homme qui n'avait aucune considération pour ses gens ou leurs traditions.

— D'une manière générale, dame Isabel, je ne donne pas d'avertissement. Mais vous êtes jeune et inexpérimentée.

Elle ne dit rien.

— Je serai impitoyable avec quiconque tentera de me trahir.

— Je suis certaine que vous punirez d'abord et enquêterez ensuite.

— Au contraire, je suis un homme patient.

— Vous êtes une brute.

— Grâce à quoi, je suis encore en vie.

Alors qu'ils pénétraient dans la grande salle, Isabel s'apprêta à un spectacle de folle débauche. Au lieu de cela, les tables avaient été nettoyées et les torches pour la plupart éteintes. Les servantes avaient disparu, et les chevaliers portant la marque au menton étaient réunis autour du foyer et discutaient à voix basse.

— Vos hommes se sont donc si vite rassasiés de mes provisions et de mes femmes ?

— Les femmes et le vin sont déconseillés quand des Saxons en guerre traînent dans les parages.

Isabel lui jeta un regard, avant de repousser son bras pour se diriger vers Manhku.

Elle franchit une barrière de guerriers pour s'agenouiller auprès de l'Africain. Posant la main sur son front, elle leva les yeux vers les hommes qui l'entouraient.

— Il brûle de fièvre. Éloignez-le du feu.

Tandis qu'ils s'exécutaient, elle se rendit dans la cuisine, où elle tira de l'eau fraîche du puits et s'empara de plusieurs linges propres dans une armoire.

À son retour, Rohan faisait grise mine, sans doute agacé qu'elle ait encore quitté la pièce sans demander sa permission. Elle l'ignora, se penchant sur Manhku pour lui enlever ses vêtements. Elle dut renoncer à le débarrasser de son haubert et laissa Ioan et Wulfson s'en charger. Lorsqu'ils eurent terminé, elle ne put retenir une exclamation de surprise. Comme Rohan, Manhku portait une hideuse cicatrice sur le torse. Un examen plus attentif lui apprit qu'il arborait aussi le petit croissant au menton.

Du bout des doigts, elle effleura les chairs boursouflées au bas de sa gorge. Les tissus cicatrisés étaient durs et brûlants. Horrifiée, elle comprit que tous ces hommes avaient été marqués de la même manière, au prix d'une douleur abominable.

Elle leva les yeux vers celui qui, aujourd'hui même, avait bouleversé son univers. Dur et glacial, Rohan lui rendit son regard. Qui étaient ces hommes, en vérité ?

Comme si la parole d'Isabel ne lui suffisait pas, il posa un genou à terre pour toucher son ami.

— La fièvre est terrible.

— Je crains que la blessure ne s'infecte.

Il planta son regard dans le sien.

— Si le poison se répand, ma hache l'arrêtera.

Elle resta sidérée devant la brutalité de cette phrase.

— Un chevalier qui perd une jambe n'est plus rien. Il devra mendier dans les rues pour subsister.

Rohan se leva.

— Moi vivant, Manhku ne mendiera jamais. Je lui dois la vie. Je veillerai sur la sienne.

Encore interloquée, Isabel reprit ses soins. Trempant les linges dans l'eau froide, elle entreprit de baigner Manhku sous le regard de ses camarades. Ils restaient là à l'observer sans rien dire. Ce silence avait quelque chose d'étrange mais elle éprouvait un infime réconfort à l'idée que ces guerriers, si féroces soient-ils, lui confient le sort de leur ami. À elle, leur ennemie. Elle scruta le visage de l'Africain et remarqua pour la première fois une série de tatouages circulaires sur ses joues. Elle songea à nouveau aux chevaliers réunis autour d'elle. Aucun n'était semblable, tous étaient d'une origine différente, et pourtant ils semblaient ne former qu'un.

Trop fatiguée pour réfléchir davantage à cette énigme, elle consacra le peu de forces qui lui restaient à Manhku. Elle le soigna avec une telle concentration qu'elle n'entendit pas les Épées rouges partir, et quand elle se retourna pour demander à Rohan d'aller changer l'eau qui avait tiédi dans le seau, elle se rendit compte que tous avaient disparu.

Elle regagna donc les cuisines. Au moment où elle tirait le seau du puits, un petit bruit derrière elle lui fit lâcher la corde et se retourner. Sa haute silhouette emplissait presque entièrement le cadre de la porte.

— Les linges ont réchauffé l'eau, expliqua-t-elle.

Il fit un pas vers elle. Elle recula. L'arête vive de la margelle du puits l'arrêta. Dans la lueur des bougies, les yeux de Rohan brillaient comme des braises.

— Je… je dois puiser de l'eau fraîche.

Elle pivota pour attraper la corde et recommença à tirer.

L'immense main de Rohan se posa sur les siennes. Elle se figea, et il vint encore plus près. Si près qu'elle sentait l'épaisse colonne de sa virilité contre son dos. Fermant les yeux, serrant les mâchoires, elle s'écria :

— S'il vous plaît !

— Oui, il me plaît, Isabel. Il me plaît beaucoup.

Il la fit se retourner dans ses bras pour l'embrasser, mais elle détourna la tête. Ses lèvres plongèrent dans la douceur de son cou. Malgré elle, un petit gémissement lui échappa. Qui ne fit qu'accroître l'appétit de Rohan. Il la serra un peu plus contre lui.

— Renoncez et abandonnez-vous, damoiselle, dit-il, la voix rauque.

— Non, je…

Au moment où ces mots franchissaient ses lèvres, il posa une main sous son sein et elle poussa un cri.

Avec son pouce, il effleura le mamelon dressé sous le tissu. Provoquant une sensation choquante qu'encore une fois, elle chercha à nier.

— Vous vous trompez vous-même, Isabel.

Elle voulut se débattre, lui répondre, mais en fut incapable, car il plaqua sa bouche sur le téton qu'il venait d'exciter. Elle se raidit tandis qu'une vague immense et inconnue déferlait en elle. Il la mordilla à travers le tissu. Elle frémit en sentant une chaleur délicieuse couler entre ses jambes. Si c'était déjà aussi bon ainsi, qu'éprouverait-elle lorsqu'ils seraient nus l'un contre l'autre ?

— Vous dites non quand votre corps implore le contraire.

La honte la saisit. Elle était Isabel d'Alethorpe, dame de Rossmoor, descendante de Saxons illustres. Et voilà qu'elle se trémoussait comme une gourgandine entre les mains d'un envahisseur. Et un bâtard, qui plus est !

Elle retrouva un peu de sang-froid.

— Lâche-moi, Normand. Laisse-moi tranquille !

Comme il ne bronchait pas, elle adopta une autre tactique.

— Est-ce ainsi que vous me récompensez de mes soins alors que votre ami brûle de fièvre ?

Cette fois, il s'écarta, plongeant ses yeux couleur d'ambre dans les siens.

— Écoutez-moi bien, damoiselle, car j'en ai fait le serment. Notre accord sera respecté. Soyez-en certaine, fit-il avant de s'écarter. Maintenant, allez soigner mon ami.

Il quitta la pièce. Isabel resta un moment figée sur place, sans comprendre pourquoi sa fureur contre cet homme était à ce point submergée par la frustration. Car elle en était consciente : elle regrettait qu'il l'ait abandonnée.

Rohan enleva ses braies, se lava le visage et les mains, avant de se laisser tomber sur le matelas de plumes. Il n'en avait jamais connu d'aussi confortable. Les draps étaient propres et sentaient bon, les oreillers étaient doux. Il avait l'habitude de dormir sur un sol dur ou, dans le meilleur des cas, sur une paillasse dans une salle de garde. Il disposait bien de ses propres quartiers au château de Guillaume à

Rouen, mais il passait l'essentiel de son temps avec ses hommes, soit au combat, soit à s'entraîner.

Roulant sur le dos, les mains nouées derrière la nuque, il contempla les motifs brodés sur le dais. Un faucon entouré par des oiseaux plus petits. Le feu brûlait avec vigueur dans la cheminée, projetant des ombres dansantes dans la chambre et la réchauffant. Mais c'était la chaleur dans ses reins qui le brûlait. Son membre palpitait dès qu'il pensait à la femme de ce manoir.

Une femme ? Une sorcière, oui !

Son audace le stupéfiait. Jamais, au cours de ses pérégrinations, il n'était tombé sur une créature qui avait tant à perdre et qui se comportait comme si elle avait tout à gagner. Comprenait-elle à qui elle avait affaire ? Il avait tué des hommes qui s'étaient montrés bien moins impertinents qu'elle.

Il l'imaginait nue, et folle de lui, au creux de ce même lit. Un homme pouvait se perdre pour les délices d'un corps aussi somptueux, d'une peau aussi douce. Et il n'avait pas souvent affronté un tel caractère, se dit-il en souriant. Oui, la belle avait du cran, mais il en avait plus encore. Et elle ne lui résisterait pas très longtemps. Savourant déjà cette victoire qu'il jugeait imminente, il se leva et s'approcha de l'âtre en boitant pour y rajouter quelques bûches. Oui, bientôt, elle dormirait dans ce lit. Et pas seulement pour une nuit. Peut-être même pendant tout l'hiver.

Il gagna la fenêtre, écartant la tapisserie qui masquait le volet avant de pousser celui-ci. Il contempla la nuit. Malgré la pleine lune, les étoiles brillaient dans le ciel. Son regard se porta sur les forêts au loin, avant de revenir vers le mur d'enceinte et la cour. Les sentinelles effectuaient leurs rondes avec diligence, ombres lentes dans la nuit claire.

Un infime mouvement près des écuries attira son attention. Une petite silhouette longeant la muraille. Son pouls s'accéléra.

Isabel.

Elle expliqua au garde posté à la porte des cuisines qu'elle avait bien récupéré ses sangsues près de la fosse d'aisances, lui montrant le contenu de son seau pour le convaincre, et il la laissa passer. Un peu plus tôt, elle avait eu du mal à obtenir qu'il lui permette de sortir seule. Mais quand elle lui avait rappelé que son maître dormait et qu'il n'apprécierait sans doute pas d'être dérangé pour une histoire de sangsues, il avait cédé. De retour dans la grande salle, elle s'agenouilla auprès de Manhku. Sa jambe avait gonflé et elle n'avait qu'un seul espoir : que les bêtes aspirent le poison de l'infection.

Avant de se mettre au travail, elle balaya la salle du regard, s'attardant sur les nombreuses paillasses qui l'occupaient, notamment près de l'âtre. Par manque de place, certains Normands s'étaient installés aux écuries. Ils étaient nombreux et aguerris. Arlys allait-il pouvoir les chasser ?

Elle enleva les bandages de Manhku, avant de poser avec précaution les créatures visqueuses sur sa cuisse malade. Tout en le soignant, elle s'interrogeait sur son propre sort. Le démon qui s'était installé dans la chambre de son père allait-il causer sa perte ? Allait-il la forcer à écarter les jambes pour lui ?

Elle ferma les yeux. Non, jamais ! Elle lui rappellerait son serment. Quand elle rouvrit les paupières, elle fut satisfaite de constater que les sangsues s'étaient accrochées. Au matin, elles seraient pleines.

Assise sur les talons, elle se nettoya avec un linge. Certes, elle lui rappellerait sa promesse, mais il lui faudrait aussi tenir la sienne... malgré la peur que cela lui inspirait... et le plaisir qu'elle éprouvait dès que Rohan la touchait. Cela pouvait-il être plus intense encore que ce qu'elle avait ressenti dans la cuisine ? Sa main se posa comme malgré elle sur son cou, là où il l'avait embrassée. Ses seins frémirent.

Elle leva les yeux vers l'escalier menant à la chambre du seigneur et réprima un petit cri. Rohan était là sur le palier, à l'étage, la fixant.

Lentement, il descendit les marches, sans jamais la quitter du regard. Il était nu jusqu'à la taille, ne portant que ses braies. Les flammes dans la cheminée faisaient danser des ombres sur la sinistre marque de son torse. Une bosse immense déformait le tissu qui entourait ses hanches. Malgré elle, elle recula, le bas de sa robe frôlant les braises dans l'âtre.

— Damoiselle, vous évitez ma couche.

Ses longs cheveux noirs tombaient sur ses épaules à la manière des Vikings. Son corps puissant portait les témoignages des combats auxquels il avait pris part. Tout en lui évoquait la force et le danger. Et soudain, elle sut que si un jour elle avait besoin d'un champion, ce serait cet homme qu'elle choisirait.

Le tissu autour de ses hanches s'agita comme si un serpent y était logé. Tout à coup, Isabel n'éprouvait plus aucune peur mais un besoin profond et primitif. Sans la moindre honte, elle continua à le regarder.

— Vous ne pourrez échapper à votre destinée, damoiselle, déclara Rohan d'une voix étonnamment douce en venant vers elle tel un loup qui traque une biche.

Elle leva le menton.

— Vous n'êtes pas ma destinée.

Il éclata d'un rire insensé, rauque, profond, moqueur.

— Ce soir, je le suis.

— Je ne vous céderai pas.

— Ce n'est pas nécessaire.

Isabel secoua la tête, terrifiée à l'idée de ce qu'il pourrait provoquer en elle. S'il continuait à la harceler, Dieu lui vienne en aide, elle ne ferait pas que lui céder : elle s'abandonnerait tout entière. Elle voudrait qu'il la prenne comme il avait commencé à le faire tout à l'heure dans la cuisine. Elle serait sa compagne attitrée, sa concubine. Sa fierté n'y survivrait pas. Sans compter que cet homme n'aurait aucun scrupule à la quitter dès qu'une nouvelle conquête – terres ou femme – l'appellerait.

Comme si cela pouvait l'arrêter, elle tendit la main devant elle.

— Messire chevalier, je vous en supplie, laissez-moi mon honneur. C'est tout ce qu'il me reste.

Il continua à avancer. Prenant la main qui lui faisait barrage, il la porta à ses lèvres. Surprise et encore une fois affolée par les sensations qu'il savait éveiller en elle, Isabel eut envie d'aller se cacher au plus profond de la forêt.

— Il n'y a aucun déshonneur à respecter sa parole. Mais la briser serait indigne. Êtes-vous prête à cela ?

Elle secoua la tête, furieuse qu'il ait si facilement balayé son argument. Elle était femme de parole et quand elle la donnait, c'était sans la moindre restriction.

— Je vois qu'il y a au moins un point sur lequel nous sommes d'accord.

Il posa ses lèvres sur le bout de ses doigts. Leur chaleur et leur douceur l'étonnèrent. Mais il n'y avait rien de doux dans l'éclat de son regard.

— Je souhaite garder mon innocence, messire.

Rohan sourit.

— Dame Isabel, vous plaisantez si vous vous imaginez que je vous crois innocente.

— Butor !

Elle voulut lui arracher sa main, mais il ne la laissa pas faire. Au contraire, il l'attira vers sa bouche. Ses lèvres retrouvèrent sa peau et, soudain, sa langue jaillit, venant caresser sa paume. Elle faillit s'évanouir. Quand il planta les dents dans la partie charnue de sa main, elle poussa un cri. Qui n'était pas de douleur.

L'éclat dans ses yeux d'ambre devint insoutenable.

— Il semble bien que votre corps ne partage pas vos réticences.

Elle voulut répliquer, mais ne trouva rien à dire. Comment nier la vérité ?

Il la relâcha.

— Oui, vous avez envie de moi.

Humiliée comme elle ne l'avait jamais été, Isabel le gifla. En un éclair, il la saisit par la taille et la plaqua contre lui, son membre dur se moulant sur son ventre. Cette fois-ci, ce fut lui qui gémit à ce contact. Il fouilla ses hanches pour la presser plus fort contre son sexe.

— Souviens-toi de ça, Isabel. Bientôt, tu me supplieras pour que je te le donne.

Elle leva sa main libre pour le frapper à nouveau, mais il ne se laissa pas surprendre. Il l'attrapa au vol avant de la repousser sans ménagement. Il montra Manhku.

— Remerciez-le du répit que je vous accorde ce soir. À vrai dire, je suis fatigué de votre caractère ombrageux, et la nuit est bien avancée. J'ai besoin de mon sommeil pour m'occuper de ces Saxons demain.

Comme il s'éloignait, elle ne put se retenir :

— En effet, messire, nous verrons bien qui remportera la victoire finale !

Il se retourna pour lui faire face.

— Maudissez le jour où je trouverai un traître ici. Il connaîtra la fin d'un traître, de mes propres mains.

La jeune femme se mordit les lèvres. Avait-elle éveillé ses soupçons ?

— Priez le Ciel, Isabel, de ne pas tomber vous-même dans ce piège. Dénaturer une telle beauté serait un gâchis. Mais, croyez-moi, je le ferais sans hésiter.

La saisissant par la nuque, il l'attira à nouveau contre lui avec une telle force que les pieds d'Isabel quittèrent le sol.

— Soyez sûre, cependant, que je prendrais avant ce que vous protégez avec tant d'obstination.

Elle entrouvrit les lèvres pour tenter de respirer, et la bouche de Rohan frôla la sienne. Malgré elle, elle s'humecta les lèvres, le bout de sa langue effleurant celles de Rohan. Elle le sentit se raidir.

— Dieu, gronda-t-il avant de la rejeter si violemment qu'elle faillit tomber dans le feu.

Vif comme l'éclair, il attrapa ses poignets, lui évitant la chute.

— Disparaissez, femme, si vous ne voulez pas que je vous prenne ici et maintenant !

Elle ne se le fit pas dire deux fois.

6

Un coup de tonnerre la réveilla. L'aube pointait à peine.

— Ouvrez cette porte, femme !

Les yeux lourds de sommeil, elle enfila une tunique sur sa chemise avant d'aller tirer l'imposant loquet. Le battant fut violemment poussé de l'extérieur. Le visage furieux de Rohan n'augurait rien de bon.

— Mon ami est réveillé et hurle Dieu sait quoi. Allez le soigner.

Des rugissements gutturaux montaient de la grande salle. Sans ménagement, Rohan la traîna derrière lui.

— Dépêchez-vous avant qu'il ne détruise tout le mobilier.

Elle dissimula un sourire, amusée de le voir si inquiet pour quelques meubles. Et elle faillit éclater de rire en découvrant ses compagnons debout devant la cheminée, aussi désemparés que de frêles jeunes femmes.

Mais elle retrouva son sérieux quand elle s'approcha du géant. Il avait arraché ses bandages et la plupart des sangsues. Le cataplasme gisait à terre.

Comme l'Africain faisait mine de se lever, elle s'exclama d'une voix calme :

— Halte !

Doutant qu'il comprenne l'anglais, elle s'était exprimée en français.

Le géant écarquilla les yeux, avant de les plisser en deux fentes dangereuses. Il retroussa ses lèvres sur des dents aussi pointues que celles d'un loup, au point qu'Isabel se demanda s'il ne les avait pas aiguisées. Il émit un grondement sourd. Nullement intimidée, elle s'avança vers lui et tapa la main qui tentait d'arracher un dernier bandage.

— Fou que vous êtes ! Rallongez-vous !

Il ne broncha pas.

Ce qui excéda Isabel.

— J'ai sacrifié une de mes meilleures chemises pour sauver votre jambe, j'ai pataugé dans la fosse d'aisances au beau milieu de la nuit pour trouver des sangsues, et j'ai très peu dormi. Je ne suis pas d'humeur à supporter vos caprices.

Elle dénoua le pansement en lambeaux. Elle allait devoir tout recommencer, bandages et cataplasme.

— Est-ce ainsi que vous me remerciez ? demanda-t-elle au géant.

Si elle n'avait pas été aussi furieuse, elle aurait ri devant la mine ahurie qu'il affichait. On ne devait pas souvent le traiter ainsi, se dit-elle en lançant un regard à Rohan. Celui-ci paraissait tout aussi surpris, comme ses autres hommes qui restaient plantés là, abasourdis. Les ignorant, elle reporta son attention sur le Sarrasin.

Qui avait récupéré de sa stupeur et semblait prêt à donner libre cours à sa rage.

— Souhaitez-vous marcher sans devoir vous appuyer sur une canne ? questionna Isabel.

Un nouveau grondement retentit.

— Je vais prendre ça pour un non. Maintenant, rallongez-vous et laissez-moi réparer ce que vous avez détruit.

Comme il ne faisait pas mine de lui obéir, elle lâcha un soupir et s'avança. Plaquant les deux mains sur sa poitrine, elle le repoussa. Il ne bougea pas d'un centimètre. Elle poussa plus fort, grimpant pratiquement sur lui. Quelques ricanements lui parvinrent. Elle leva les yeux vers Rohan qui n'avait pas bronché, le visage solennel mais le regard amusé. Quant à ses chevaliers, certains rigolaient franchement.

— Vous êtes des hommes sans honneur, grommela-t-elle, excédée, avant de planter un solide coup de poing dans la poitrine du géant. Permettez-moi de faire mon travail.

Il plissa les yeux : une mimique qui en aurait effrayé plus d'un… Mais elle ne se laissa pas impressionner, malgré le fait qu'elle se trouvait à présent dans une situation indigne d'une dame.

Comme l'Africain refusait toujours de céder, elle changea de tactique.

— Très bien, dit-elle en l'abandonnant, avant de tendre la main vers Rohan. Votre hache, messire.

Il haussa un sourcil. Ses hommes ricanèrent. Le géant grogna.

— Et que comptez-vous en faire ? s'enquit Rohan qui avait du mal à garder son sérieux.

— Séparer la jambe de ce corps. La cause est perdue et je n'ai pas de temps à perdre avec un patient récalcitrant.

Rohan se tourna vers son ami, qui gronda à nouveau en tentant encore une fois de se lever.

— Ma dame ? fit Thorin en s'avançant.

Son unique œil d'azur brillait dans la lueur du feu. Elle scruta son visage, se demandant combien d'autres cicatrices cachaient ses habits. Elle songea à la douleur qu'il avait dû endurer quand on lui avait infligé cette blessure. Quelle terrible expérience ces hommes avaient-ils partagée ?

— Messire chevalier ? répondit-elle.

— Faut-il que je tienne la brute quand vous la découperez ? s'enquit-il, l'air parfaitement sérieux.

— Maudit Viking ! rugit Manhku.

Tous les chevaliers étaient pliés de rire, maintenant.

— Vous plaisantez avec la jambe de cet homme, fit Isabel. S'il en est ainsi, je vais vous laisser vous en occuper.

— Des cavaliers ! annonça la vigie depuis la tour.

Le cœur d'Isabel manqua un battement. Son père était-il de retour ?

Les Morts portaient déjà leur cotte de mailles et leur épée, prêts au combat. Isabel se demanda s'ils dormaient ainsi, avant de se souvenir de Rohan descendant les marches torse nu hier soir. Non, ils ne devaient pas tous dormir ainsi, se dit-elle en faisant mine de suivre les chevaliers dehors pour voir qui arrivait à Rossmoor à une heure aussi matinale.

— Restez ici et occupez-vous de Manhku, lui ordonna Rohan avant de franchir la porte.

Comment osait-il ?

Isabel se tourna vers le blessé.

— Je vous accorderai peut-être une seconde chance, lui dit-elle. Mais d'abord, je veux voir qui vient.

Flanqué par ses hommes, la main sur la garde de son épée, Rohan attendait la vingtaine de chevaliers normands que ses guetteurs avaient repérée. L'étendard noir et rouge arborant l'image d'un sanglier flottait avec orgueil dans la froidure de l'hiver anglais. Le même blason brillait au soleil sur le bouclier du cavalier de tête.

Une colère qu'il croyait enfouie depuis longtemps s'empara de Rohan. Il serra avec force la garde de son épée.

— À le voir chevaucher ainsi, on dirait que ton frère se prend pour le roi, dit Thorin derrière lui.

— Oui, Henri s'est toujours cru plus haut qu'il ne l'est, répliqua Rohan.

Le grand destrier bai d'Henri s'immobilisa à quelques centimètres de Rohan. Celui-ci ne broncha pas. D'un geste arrogant, Henri enleva son casque orné d'un panache rouge. Un visage très semblable à celui de Rohan lui rendit son regard. Mais une immense différence se remarquait sur-le-champ : il ne portait aucune cicatrice. Celui des deux frères qui était né d'un couple convenablement uni devant Dieu avait un visage parfaitement lisse.

Affichant son dédain, Henri toisa d'abord Rohan puis chacun des hommes qui se tenaient à ses côtés. Il descendit de selle, ricanant au moment où ses pieds touchèrent le sol.

— Une belle bande de fils de catins.

— Prends garde à qui tu qualifies de catin, Henri. Si je ne déborde pas d'amour pour la femme qui m'a porté, Guillaume adore sa tante.

Henri s'esclaffa, puis contempla le manoir. Son examen fut long et minutieux.

— Donc, en tant que scrviteur du bâtard, tu crois avoir droit à des terres ?

— J'obéis aux ordres de mon suzerain, répliqua Rohan.

Encore une fois, Henri ricana.

— Ton suzerain veillera à offrir les titres et les terres de ce pays pluvieux à ses nobles, et non à ceux qui n'ont que leur épée et leur cheval.

Rohan dégaina son épée. Le soleil dansa sur la lame aiguisée.

— Je n'ai jamais eu à me plaindre des services que me rend mon Épée rouge, Henri, rétorqua-t-il avant de montrer les chevaliers qui le flanquaient. Mais si je suis immunisé contre tes insultes, ce n'est pas le cas de mes compagnons. Sers-toi de ta langue avec prudence si tu ne veux pas qu'ils l'offrent aux chiens.

— Me menacerais-tu, bâtard ?

Rohan s'approcha, la pointe de son épée dirigée droit vers le cœur d'Henri.

— Je ne menace jamais, frère. Tu devrais le savoir.

Henri voulut écarter la lame, mais celle-ci ne bougea pas d'un centimètre. Les hommes de Rohan se déployèrent. Ceux d'Henri s'agitèrent, nerveux, sur leurs selles.

— Je n'aurais aucun chagrin si tu insistais, fit Rohan avec douceur.

Henri recula d'un pas.

— Je ne discuterai pas avec toi, frère. D'ailleurs, ce manoir est un taudis. Il y a dans ce pays des domaines plus dignes d'un noble. D'un vrai seigneur qui n'a pas été désavoué par son père. Je vais te laisser à tes prétentions, frère, mais souviens-toi de mes paroles. Tu ne seras jamais seigneur, ni ici ni…

Il se tut soudain, les yeux écarquillés et braqués au-delà de Rohan. Celui-ci devina aussitôt ce qui le captivait à ce point. Il recula vers la porte ouverte où Isabel venait d'apparaître.

— Je vous ai dit de rester à l'intérieur.

— Et j'ai choisi de sortir, déclara-t-elle en le dépassant pour s'avancer vers Henri.

Elle contempla le chevalier qui souriait, puis celui qui affichait une mine sinistre.

— On jurerait des jumeaux, dit-elle.

Prenant la main d'Isabel, Henri s'inclina :

— Henri de Monfort. Second fils du comte de Moraine et Bellevue et seigneur de Moreaux. Pour vous servir, damoiselle.

Elle exécuta une révérence.

— Dame Isabel d'Alethorpe, fille aînée d'Alefric, seigneur d'Alethorpe, Wilshire et Dunleavy. Il me plairait que vous défendiez mon honneur.

Rohan l'arracha à son frère. Ses hommes dégainèrent leurs armes.

— Va-t'en, Henri.

— De quoi la dame parle-t-elle ?

— De rien qui te concerne.

Henri examina attentivement son frère. Celui-ci était visiblement excédé.

Et Rohan avait de bonnes raisons pour cela : Isabel ignorait tout de l'homme à qui elle demandait protection. Malgré ses titres, Henri n'avait rien de noble. Une fois qu'il aurait assouvi – d'une façon bestiale, s'il fallait en croire certaines – ses envies avec elle, il l'offrirait à ses soudards.

— Je devrais adresser une requête à Guillaume de sa part, mon frère. Il n'apprécierait guère que ses chevaliers, qui ont juré de protéger les faibles, traitent une dame de façon indigne.

— Raconte ce que tu veux à Guillaume, Henri. La dame est en de bonnes mains.

Henri se tourna vers Isabel en souriant.

— Avez-vous des parents ?

— Mon frère Geoff et mon père, messire.

— Résident-ils ici avec vous ?

— Non, ils ne sont pas encore rentrés de Hastings.

Le regard d'Henri s'adoucit. Il fit mine de s'approcher d'Isabel, mais Ioan lui bloqua le passage.

— Dégage, maudit Irlandais !

Wulfson grogna et s'avança à son tour, ses épées brandies. Rohan le retint.

— Il n'en vaut pas la peine, Wulf. Inutile de souiller un bon acier avec le sang d'une fripouille.

Pour la deuxième fois, il posa la pointe de son épée sur la poitrine d'Henri.

— Comme à ton habitude, tu sèmes le chaos dans ton sillage. La dame est sans nul doute l'héritière du domaine, mais celui-ci se trouvant désormais sous la bannière de Guillaume, c'est à lui et non à nous qu'il revient de décider ce qu'il fera du manoir ou de la dame. Tant qu'il n'a pas rendu sa décision, frère, ne reviens pas ici. Car si tu te montres une autre fois, je ne retiendrai pas mes hommes.

Henri battit en retraite, le regard toujours fixé sur Isabel. Avec sa chevelure dénouée et ses pieds nus visibles sous l'ourlet de sa robe, elle offrait une vision fort appétissante. Et s'il la prenait, le plaisir serait double, car à celui de savourer un tel fruit, s'ajouterait celui de faire enrager son frère.

Soudain, Rohan saisit Isabel par le bras pour l'attirer contre lui.

— Elle m'appartient, Henri. Trouve-toi une autre femme pour passer l'hiver.

Isabel se raidit, et il la serra plus fort pour la dissuader de protester. Il retint son souffle, priant pour qu'elle lui obéisse.

Henri grimpa sur sa selle et se tourna encore une fois vers elle, lui donnant le temps de nier les prétentions de Rohan. Elle avait dû percevoir la noirceur qui habitait cet homme, car elle ne dit rien.

Finalement, Henri hocha la tête.

— J'ai pris possession de Dunsworth et Sealyham au nom des de Monfort, frère. J'en retiens les nobles en otages pour Guillaume. Je ne doute pas qu'il m'offre ces titres. Il me faudra alors une épouse digne de mon rang. Et puisque notre père a offert un tribut considérable au duc pour l'aider dans sa cause, il m'accordera celle sur laquelle mon choix se portera...

Il balaya à nouveau Isabel du regard.

— Et je choisirai la plus belle fleur d'Angleterre, frère. Protège-la bien, y compris de toi-même, jusqu'à ce que je vienne la cueillir.

Il fit faire une volte à son destrier et repartit au galop dans un bruit de tonnerre.

Rohan était figé par la fureur. Henri avait toujours su lui faire sentir que, malgré tous les exploits qu'il avait accomplis, il n'était pas digne de nettoyer ses éperons. Il se décida enfin à baisser les yeux vers Isabel. Ses joues étaient roses. Ses lèvres pleines légèrement entrouvertes laissaient échapper une haleine que le froid transformait en infime nuage. Ses grands yeux violets le scrutaient. Le cœur de Rohan battit plus fort. Même si elle devait finir par épouser cette canaille d'Henri, elle passerait dans son lit d'abord.

Avec colère, il l'entraîna sans ménagement dans le manoir. Ses hommes les suivirent, gardant leur distance.

Isabel tenta en vain de se libérer de l'étau d'acier qui lui enserrait le bras. Quand ils arrivèrent à la table du seigneur, il se tourna vers elle. Elle ne l'avait encore jamais vu dans un tel état de rage.

— Occupez-vous du repas.

Elle jeta un regard rapide en direction de Manhku. Enfin calmé, celui-ci s'était rallongé sur sa paillasse, mais ses yeux ne quittaient pas Rohan. Elle donna les ordres nécessaires pour qu'on serve la nourriture. Les chevaliers convergèrent vers leur chef, parlant haut et fort, signifiant l'un après l'autre leur mépris pour son frère. Nul ne prêtant attention à elle, Isabel en profita pour se rendre dans sa chambre, enjoignant d'un signe discret à Enid de la suivre.

La femme de chambre trottina derrière elle, imitée par Lyn et Mari. Dès qu'elles furent dans la pièce, Enid poussa le lourd loquet et s'adossa au battant, tremblant comme une feuille. Une vague de colère s'empara d'Isabel quand elle vit Lyn et Mari s'étreindre avec des yeux écarquillés de peur avant de s'effondrer sur un banc.

— Cessez de vous comporter comme des souris terrifiées !

— Milady, les Normands nous font peur, et celui qui vient de partir ! Il porte la marque du diable ! gémit Lyn.

Enid agitait la tête comme un poulet, et Mari renifla pour signifier son approbation.

Isabel se radoucit. Elle n'était pas en colère contre elles. Elle était furieuse parce que l'Angleterre était aux mains d'un bâtard normand. Parce que son père et son frère avaient peut-être perdu la vie ou bien étaient si gravement blessés qu'ils n'avaient pu lui faire parvenir de leurs nouvelles. Elle était furieuse parce que les pillards avaient ravagé ses terres et décimé les villageois. Elle enrageait à cause de cet autre Normand, de Monfort, qui s'imaginait qu'elle allait tomber dans ses bras simplement parce qu'il possédait un titre. Et elle en voulait encore davantage à son frère arrogant, celui qu'on appelait la Lame noire, car il la terrorisait.

Donc, si elle avait peur, il était normal que ses servantes soient effrayées. Mais il leur fallait se dominer. Elle regarda sévèrement Lyn et Mari.

— Ne vous êtes-vous pas offertes sans la moindre honte aux Normands, hier soir ?

Les yeux marron de Lyn s'ouvrirent tout grands.

— Je faisais simplement semblant de les apprécier, ma dame. J'avais peur de provoquer leur colère en montrant mon mépris.

Un coup frappé à la porte les fit toutes sursauter. Isabel réagit la première et tira le loquet. Elle eut la surprise de découvrir Russell sur le seuil.

— Russell ! Que fais-tu là ?

Il chancelait légèrement, vêtu d'une ample tunique et d'un pantalon grossier.

— Je n'allais pas rester allongé à pleurer comme une femme, ma dame.

Isabel réprima un sourire.

— Oui, je vois ça. Pourquoi es-tu là ?

— Le chevalier bâtard vous demande pour le repas.

— Dis-lui… commença-t-elle avant de s'interrompre.

Ce manoir était le sien et elle en était encore la dame. Le protocole exigeait qu'elle l'invite. Mais inviter l'envahisseur à rompre le pain ? Pas après la brutalité dont il avait fait preuve avec elle devant son frère et ses hommes.

— Dis-lui que je me présenterai quand je serai prête, répondit-elle à Russell.

Il pâlit. Un tel message risquait de valoir des désagréments à celui qui le portait. Mais le garçon tenait plus que tout à se comporter en homme.

— Bien, cela ne lui fera pas de mal de vous attendre.

— Va, Russell, et ne t'attarde pas plus que nécessaire, une fois que tu lui auras répété mes paroles.

Lorsque la porte se referma sur le garçon, elle se tourna vers ses servantes.

— Qu'on me prépare un bain chaud. La puanteur des Normands est tenace.

Enid versa le dernier seau d'eau chaude dans le baquet de cuivre et Isabel se laissa glisser dans la chaleur bienfaisante, savourant l'odeur d'eau savonneuse. En temps normal, elle ne se baignait pas le matin, mais ces temps n'avaient rien de normal. À vrai dire, ils étaient de l'étoffe dont on fait les cauchemars. Elle renvoya sa servante et ferma les yeux. Elle avait besoin de rassembler ses pensées. Le bruit de la porte se refermant doucement lui indiqua qu'elle pouvait enfin jouir d'un instant de solitude.

Poussant un soupir, elle s'enfonça plus profondément dans l'eau. Les événements de la matinée lui revinrent aussitôt à l'esprit. Henri était très différent de son frère bâtard. Il semblait mû par des forces beaucoup plus sombres. Son regard était aussi vide et froid que celui d'un serpent. Elle frissonna, malgré la chaleur qui l'enveloppait. Elle ne consentirait jamais à être sa dame. Mais elle n'aurait peut-être pas son mot à dire en la matière : seule comptait désormais la volonté de Guillaume.

Qu'en était-il de celle de Rohan ? Il avait affiché ses prétentions sur elle devant tout le monde. Une belle démonstration d'orgueil masculin. Et si le duc favorisait son frère, il ferait en sorte de la déshonorer, elle n'avait aucun doute sur ce point.

Le bâtard !

Oui, le terme lui convenait à la perfection.

Elle se redressa brusquement. À la seconde où ses seins émergèrent à l'air froid, leurs pointes se durcirent. Mais elle comprit très vite que ce n'était pas seulement à cause de la fraîcheur régnant dans la chambre. Deux yeux fauves la fixaient. Adossé au mur, les bras croisés, Rohan la contemplait, un sourire étirant ses lèvres.

— Ne vous arrêtez pas pour moi, damoiselle. La vue est splendide.

— Regarde tant que tu veux, Normand, car tu n'auras rien de plus.

7

Rohan sourit. Ils savaient tous les deux qu'elle ne disait pas la vérité. Mais, pour l'heure, il préférait se concentrer sur la vision qu'elle offrait. Et qui lui coupait le souffle.

Sa peau rosit sous son regard. Ses seins pleins et mûrs tremblaient juste sous la surface de l'eau. Il sentait son propre sang battre violemment dans ses veines.

L'émoi qu'il éprouvait chaque fois qu'il posait les yeux sur la Saxonne était comparable à celui qu'il ressentait avant de se lancer au combat. Chacun de ses sens, tout son instinct, la moindre parcelle de son corps et de ses pensées étaient à l'affût, l'anticipation aiguisant son appétit.

Jusqu'à l'engagement.

Et finalement, le frisson de la victoire.

Le ricanement d'Henri s'infiltra en lui. *Guillaume me l'accordera.*

Pendant un instant, un voile rouge de fureur tomba devant ses yeux. La haine qu'il éprouvait pour son jeune frère lui poignarda les entrailles. Il cligna des paupières, rejetant cette vile émotion. Les Épées

rouges étaient les meilleurs et les plus fidèles chevaliers de Guillaume. Même Henri ne pouvait prétendre le contraire. Leur loyauté était sans défaut. Tout
comme l'était celle de Guillaume envers ses sujets. Il
chassa les paroles de son frère. Ce fief lui reviendrait.
Avec dame Isabel.

Laissant tomber les bras le long de ses cuisses, il
s'avança lentement, tel un chasseur qui s'apprête à
assener le coup de grâce à sa proie.

— Halte, murmura-t-elle.

— Je ne suis pas Manhku.

Il s'approcha encore. Tandis qu'elle s'enfonçait
dans le baquet comme pour s'y réfugier, il entreprit
d'en faire le tour, voulant l'admirer de tous côtés
mais aussi la troubler. Il sourit, savourant ce petit
jeu. Elle était tout ce qu'il désirait, mais elle lui résistait. Un délicieux défi à relever...

Croisant les bras pour cacher sa poitrine, Isabel se
tortillait dans la baignoire, le guettant d'un air
méfiant. Le sourire de Rohan s'élargit et il s'accroupit. Il vit le pouls qui battait, affolé, sur son cou si
blanc. Du bout du doigt, il effleura sa clavicule, suivant sa courbe délicate. Elle frémit. L'eau autour
d'elle en fit autant.

— Admettez-le, damoiselle, la curiosité vous
dévore. Vous voudriez que j'apaise cette brûlure que
je suscite en vous.

Elle chassa sa main d'une claque, le geste faisant
osciller ses seins. Elle les recouvrit aussitôt. Le violet
de ses yeux était en fusion.

— Je ne veux rien de vous, sinon voir votre dos
s'éloigner une fois pour toutes et un bateau vous
ramener chez vous.

Il resta imperturbable. Cela faisait trop longtemps
qu'il n'avait pas couché avec une femme. Et, tout au

fond de lui, les sarcasmes d'Henri n'avaient fait qu'aiguiser sa nature possessive.

Il posa les bras en travers du baquet. Isabel se tortilla de plus belle et de l'eau passa par-dessus bord, éclaboussant Rohan et le sol.

— D'ici là, vous êtes à moi. Maintenant, rallongez-vous et baissez les bras. Je veux un avant-goût de ce qui sera mon festin ce soir.

Elle écarquilla les yeux.

— Il n'en est pas…

Il glissa les mains dans l'eau pour les enrouler autour de sa taille et l'attirer contre lui tout en se relevant. Elle hurla et se débattit, la peau glissante à cause du savon. Il serra plus fort. Ses seins s'écrasèrent contre sa poitrine… et les mouvements de ses hanches tandis qu'elle tentait de lui donner des coups de pied ne firent qu'accroître le feu qui le consumait. Incapable de résister, il referma la bouche sur un mamelon impertinent.

Isabel poussa un cri et se figea dans ses bras.

Il raffermit encore son étreinte. Un désir brûlant ravageait son ventre. Ses doigts s'enfonçaient dans une peau si lisse et si douce qu'il était persuadé de n'avoir jamais rien touché d'aussi soyeux. Il enfouit le visage dans le sillon qui séparait ses seins, ses dents mordillant sa chair pendant que ses mains pétrissaient ses fesses, la plaquant contre son érection.

À la façon dont son corps se tordait, il la sentait céder, s'enflammer elle aussi. Il glissa une main sur son ventre puis vers le petit mont plus bas. Isabel laissa échapper un long soupir avant de mollir entre ses bras. Il sourit.

Elle avait trouvé son maître.

Il leva la tête avec l'intention de lui dire que, pour ce qui allait suivre, il ferait preuve de douceur. Mais les mots n'eurent pas le temps de franchir ses lèvres. Le poing d'Isabel s'écrasa sur sa mâchoire. Le coup le stupéfia, d'abord parce qu'il ne s'y attendait pas et aussi en raison de sa force étonnante pour une femme. Il relâcha légèrement son étreinte. C'était tout ce dont elle avait besoin pour lui échapper. Aussi agile qu'un chat, elle s'extirpa du baquet et bondit vers la porte.

— Mes hommes vont apprécier le spectacle, damoiselle.

Elle se retourna, consciente de sa nudité. La vague de chaleur qu'elle ressentait lui évitait de souffrir du froid de la pièce. Elle essaya de se couvrir, mais ses bras et ses mains ne pouvaient la protéger efficacement du regard de Rohan. Il la détaillait lentement, de la tête aux pieds puis retour, s'attardant sur ses hanches, sur ses seins où elle sentait encore le contact de ses lèvres.

Un lent sourire étira ses lèvres tandis qu'il massait l'endroit où elle l'avait frappé. Elle n'avait pas eu le choix : un homme tel que lui ne comprenait que la violence. Cette constatation lui fit prendre conscience d'un autre fait. C'était un guerrier, mais aussi un mercenaire qu'on payait pour tuer, un soldat dont l'allégeance était à vendre. En dehors de l'argent, il ne respectait que le courage.

Elle se redressa de toute sa hauteur et laissa tomber les bras le long de son corps. Elle était décidée à faire front. Il était peut-être capable de s'imposer par la force physique, mais il ne dominerait jamais sa volonté, ni son cœur.

Elle éprouva une certaine satisfaction à voir son sourire céder la place à une expression plus méfiante.

— Quel nouveau tour mijotes-tu, femme ?

Elle secoua la tête.

— Je n'ai aucun tour, messire. Vous venez de me prouver, et les paroles de votre frère le confirment, que vous êtes un rustre. Vous n'êtes pas un noble chevalier, mais un mercenaire dont la loyauté s'achète. Alors prenez ce que vous voulez de moi, mais sachez que cela ne vous sera jamais donné librement.

— Si j'étais de noble naissance, votre opinion serait-elle différente ?

Isabel prit le temps de réfléchir avant de répondre.

— La valeur d'un homme n'a rien à voir avec le fait que ses parents se sont ou non mariés devant Dieu. La valeur d'un homme ne dépend que de ses actes.

Indéchiffrable, il s'avança vers elle. Elle haussa encore le menton. Et, Dieu lui vienne en aide, un frisson brûlant la parcourut de la tête aux pieds. Cette étrange sensation entre ses cuisses s'était éveillée quand ses lèvres avaient touché ses seins dans la baignoire. Quand il l'avait léchée en lui pétrissant les... Isabel ferma les yeux.

Lorsqu'elle les rouvrit, Rohan se tenait juste devant elle. Lentement, il tendit une main pour la placer sur son sein. Son cœur bondit à la rencontre de sa paume, et elle fut sûre qu'il le perçut. Comme si cela ne suffisait pas, elle constata, mortifiée, que son mamelon se dressait. Il sourit doucement.

— Un corps ne ment pas, Isabel.

Glissant à nouveau un bras autour de sa taille, il la plaqua contre lui. Elle sentit ses jambes défaillir. S'il ne l'avait pas tenue, elle se serait sans doute écroulée.

— Soyez-en certaine, quand je vous prendrai, ce sera pour notre satisfaction mutuelle.

Il baissa la tête, reniflant le parfum de sa gorge. Il inspira longuement.

— Votre odeur m'accompagnera aujourd'hui comme le rappel de ce qui nous attend ce soir. Soyez là.

Il la lâcha et s'en fut.

Isabel serra les dents pour les empêcher de claquer. Tout son corps tremblait. Elle se retourna vers la porte que Rohan venait de franchir et resta à la contempler, incapable de faire le tri dans ses émotions.

Quand elle pénétra dans la grande salle un peu plus tard, elle dut affronter les regards. Avec ses cheveux trempés et ses joues empourprées, il n'était pas difficile pour ces gens de tirer certaines conclusions. D'autant que les vêtements de Rohan étaient mouillés, eux aussi.

Assis à la table du seigneur, il la fixait et, sans la quitter des yeux, piqua un morceau de viande froide avec sa dague qu'il entreprit de mâcher lentement. Elle décida de l'ignorer. Ses compagnons affichaient le même air arrogant, impoli et grossier que leur chef. Tous, y compris Rorick, la considérèrent avec ironie avant de reprendre leur repas. Elle se détourna et, cette fois, tomba sur le regard de l'Africain.

Il ricana lorsqu'elle haussa un sourcil de défi. Hautaine, elle passa devant lui pour filer aux cuisines. Quand elle en émergea plusieurs minutes plus tard avec un tranchoir modestement rempli, elle trouva celui qui se dénommait Warner en train de tripoter les bandages de Manhku, les mêmes linges souillés

116

que celui-ci avait arrachés un peu plus tôt. L'Africain grogna et le repoussa.

— Bougre de tête de mule, ces bandages puent la charogne ! Vas-tu me laisser te soigner ? Ou faut-il que je sépare ta jambe de ta fesse ?

Rohan éclata de rire.

— Et si tu lui montrais ta hache, pour qu'il comprenne que tu ne cherches qu'à l'aider ?

— Il est capable de couper la mauvaise jambe, grommela Manhku.

Warner secoua la tête.

— Soigne-toi seul, dans ce cas. Je n'ai plus aucune envie de m'intéresser à ton sort. Dame Isabel avait bien raison.

Refusant d'écouter cet échange, Isabel cherchait une place libre. Malheureusement, la seule se trouvait à la table du seigneur, près de l'âtre. Et de Rohan. Elle s'y installa de mauvaise grâce.

Il se tourna vers elle tandis qu'elle grignotait un bout de pain.

— Il faut changer les bandages de mon ami.

Elle haussa les épaules et continua à mâcher. D'un air éloquent, elle contempla sa mâchoire sur laquelle un bleu commençait à apparaître.

— Votre mâchoire est peut-être abîmée, mais vos mains ont l'air en bon état. Faites-le vous-même.

Warner flanqua une claque dans le dos de Rohan.

— Ah ! Frappé par une femme !

Rohan sourit.

— Une diablesse, tu veux dire.

— Un homme approche !

Le cri provenait de la tour.

Rohan hésita avant de se décider à sortir dans la cour, tandis que ses hommes l'imitaient. Isabel ne tarda pas à les suivre. Déjà, le même espoir insensé renaissait en elle : et si c'était enfin son père ou son frère ?

La vision qui l'accueillit dans la cour l'horrifia. Abel, le bailli de son père, les vêtements en lambeaux couverts de sang, un moignon à la place du bras droit, titubait. Finalement, à bout de forces, il tomba à genoux avant de s'effondrer, son visage cognant durement la pierre.

— Abel ! s'écria-t-elle en se frayant un chemin à travers le rempart formé par les chevaliers côte à côte.

Avec l'aide de Rohan, elle retourna le malheureux. Son visage était livide. Son bras bandé saignait. Isabel était déchirée : Abel avait toujours été un homme bon et loyal.

— Abel, murmura-t-elle en posant la main sur son front couvert de boue et de sang. Qu'est-il arrivé ?

Ses paupières frémirent puis, avec une énergie qui la surprit, il lui prit la main pour la presser contre sa poitrine.

— Les pillards, ma dame.

Elle poussa un petit cri.

— Où, Abel ? Où ?

Il ne réagit pas. Sous sa paume, elle sentait son souffle oppressé. Elle le saisit par la tunique et le secoua.

— Où ? hurla-t-elle.

— Les marais, près de la rivière.

Rohan se redressa.

— Vous savez où se trouve cet endroit ?

— Oui, à plusieurs lieues d'ici.

Il se tourna vers ses hommes.

— Aux armes.

Tandis qu'ils se préparaient et sortaient leurs montures, Rohan demanda à Isabel :

— Parlez-moi de ces pillards.

— Ils sont arrivés il y a environ deux semaines, juste après que nous avons appris la défaite de Harold. Ils ne cherchent qu'à détruire. Ils prennent ce dont ils ont besoin et le reste, ils le ravagent. Deux jours avant votre arrivée, ils ont eu l'audace de venir jusqu'au village. Ce sont sans doute eux qui ont blessé votre ami.

— Portent-ils un étendard ?

— Non. Pour commettre leurs forfaits, ils se couvrent le visage d'une capuche. Ils n'ont aucun étendard. Je pense qu'il s'agit de Vikings qui ont survécu à leur défaite contre Harold à Stamford Bridge et qui désormais ne songent qu'à se venger.

— Aujourd'hui, nous saurons qui ils sont.

Elle se leva pour lui saisir le bras.

— Laissez-moi vous montrer le chemin du marais. J'ai une solide jument.

Une lueur passa dans le regard de Rohan.

— Vous ne cessez jamais de me surprendre, damoiselle. Mais vous resterez ici.

— Ces marais sont nombreux. Je sais…

— Je peux vous montrer la route, déclara Russell en s'avançant.

Rohan le toisa.

— Et ton dos ?

— Il ne me fait plus souffrir.

Rohan ricana, mais acquiesça.

— Trouve-toi une monture. Va voir Hugh, mon écuyer. Il te fournira l'équipement nécessaire.

Rohan pivota vers Isabel qui s'était à nouveau agenouillée près du bailli. Elle leva des yeux embués de larmes.

— Abel a accompli son dernier sacrifice pour mon père.

Elle baissa les paupières du mort et se signa plusieurs fois. Rohan l'aida à se relever.

— Restez à l'abri du manoir, Isabel. Il se peut que ces pillards cherchent à nous attirer dehors. Je vais laisser ici assez d'hommes pour vous défendre, mais il serait dangereux de quitter la grande salle.

Elle le scruta et crut déceler de la douceur dans ses yeux. En dépit de ses mots et de ses actes, éprouvait-il une certaine affection pour elle ? Elle hésita, ne sachant que répondre. Il se durcit aussitôt :

— Pas de discussion. Pour de nombreuses raisons, je ne souhaite pas devoir payer une rançon pour vous.

Avant qu'elle ne puisse rétorquer quoi que ce soit, il était parti.

Quelques minutes plus tard, ces diables de Normands s'éloignaient de Rossmoor au galop. Isabel contempla la troupe d'hommes et de destriers qui disparut dans l'épaisse forêt. La présence de Rohan avait au moins une conséquence positive : les pillards y regarderaient à deux fois avant de lancer un raid sur le village. Et puis, elle devait admettre qu'elle préférait être aux mains de Rohan qu'à celles d'Henri de Monfort. Car si c'était ce « noble » chevalier qui était arrivé ici le premier, elle ne posséderait déjà plus cette mince membrane entre les jambes qui faisait d'elle une vierge. Elle frissonna.

Une rafale de vent la rappela à la réalité du moment. Plusieurs villageois se trouvaient là et la contemplaient. Elle montra Abel.

— Rendez son corps à sa femme et veillez à ce qu'on l'enterre dignement.

Le pas lourd, elle regagna la grande salle.

8

— Ma dame !

Elle se retourna pour voir Ralph le forgeron courir vers elle d'une façon maladroite. Les épaules tassées, il longeait le mur de pierre tout en lançant des regards craintifs autour de lui.

Plusieurs hommes de Rohan le considéraient d'un air mauvais et Warner, le chevalier, fronçait les sourcils. Isabel vint à la rencontre du forgeron.

— Fais comme si tu venais tous les jours au manoir, Ralph. Avec tes airs de lièvre effarouché, tu attires l'attention.

Elle tourna les talons pour se diriger vers la grande salle. Il la suivit, d'un pas plus normal.

— Pardonnez-moi, dame Isabel, fit-il, hors d'haleine. Mais je n'ai pas l'habitude de voir des étrangers faire la loi chez moi.

Elle acquiesça.

— Je comprends, mais tant qu'ils sont là, ne leur donnons pas le moindre prétexte pour faire plus de mal encore.

Ralph cracha à terre.

— Si j'avais une épée !

D'un geste, elle lui intima le silence alors qu'ils pénétraient dans la grande salle, s'arrêtant près du second feu qui réchauffait le fond de l'immense pièce : l'endroit où les villageois mangeaient et se tenaient quand ils venaient consulter leur seigneur, et où l'on attachait les chiens. La partie supérieure de la salle, avec la table du seigneur, était réservée aux nobles. Et, se dit Isabel, aux Normands qui se comportaient comme si tout cela leur appartenait. Alors que Guillaume n'était même pas couronné !

Elle s'accroupit pour libérer quelques chiens. Ralph fit mine de l'aider et en profita pour chuchoter :

— Milady, beaucoup des nôtres se sont réfugiés dans la forêt, près des grottes. Ils ont faim et il y a de nombreux blessés. Vous êtes leur seul espoir.

Elle se tourna vers lui et faillit pousser un hurlement : Warner se tenait tout près d'eux. Les yeux plissés, il jouait avec la garde de son épée. Il s'approcha encore.

— Les conversations privées sont-elles interdites par la loi normande ? demanda-t-elle volontairement en anglais.

Warner afficha un air perplexe.

— Il me serait agréable, dame Isabel, que vous parliez ma langue, répondit-il en français.

Ses soupçons confirmés, Isabel acquiesça. Warner ne parlait pas l'anglais.

— Je vous prie de me pardonner, messire chevalier. Je ne faisais que demander si les conversations privées sont désormais interdites par la loi normande.

Warner sourit. C'était un homme séduisant que, dans des circonstances différentes, Isabel aurait pu apprécier. De tous les compagnons de Rohan, il semblait celui qui désirait le plus ardemment combler le fossé qui séparait Normands et Saxons.

— Non, dame Isabel.

Elle exécuta une petite révérence.

— Si vous voulez bien m'excuser, Ralph m'apporte des nouvelles du village. Il ne parle pas votre langue.

Warner hocha la tête, mais ne s'éloigna pas. Au lieu de cela, il s'adossa au manteau de la cheminée et se mit à gratter un des chiens derrière l'oreille.

— Je ne vous empêcherai pas de discuter de vos affaires, ma dame.

Isabel réprima un sourire devant tant d'arrogance. Elle s'adressa à Ralph en anglais.

— Il ne nous comprend pas. Tu peux parler librement, mais fais-le de manière qu'il croie que nous discutons des affaires quotidiennes du domaine.

Ralph acquiesça, mais ne put s'empêcher de lancer un regard craintif vers le chevalier. Celui-ci le considéra avec dédain.

— Au plus profond de la grande forêt de Menloc, un groupe venu de Wilshire se rassemble et ils ont été rejoints par nombre de gens de notre village. Ils redoutent les Normands. Ils sont fatigués et affamés. Beaucoup souffrent de blessures qui s'infectent.

Du bout du pied, Isabel repoussa une braise qui avait bondi hors du foyer.

— Je ne puis leur apporter des vivres, Ralph. Quoique…

Elle se mordit la lèvre.

— … en y réfléchissant, il y a peut-être un moyen d'agir sous le nez du Normand. Je vais aller chercher mon panier d'herbes. Retrouve-moi derrière l'écurie près du mur sud.

— Aux gravats ?

Elle acquiesça. Warner continuait à les fixer comme s'il comprenait chacun des mots qu'ils prononçaient. Isabel sentit la chaleur lui monter aux joues. Comment garder son calme alors qu'elle était sur le point de passer outre aux ordres de Rohan ?

— Le Normand ne vous lâche pas. Comment allez-vous faire pour vous débarrasser de lui ?

Elle sourit.

— Laisse-moi m'occuper de ça.

Elle tourna un visage serein vers Warner et lui dit en français :

— Je souhaite vous demander une petite faveur, messire Warner.

Sceptique, il lui fit signe de poursuivre.

— Ralph vient de m'expliquer que de nombreux villageois sont souffrants et n'ont pas mangé depuis plusieurs jours. Nos réserves sont pleines. Je vous demande la permission de m'y servir afin de nourrir mes gens.

Warner hésita, visiblement suspicieux.

Elle posa une main sur son bras.

— Messire, le peuple a besoin de nourriture pour survivre.

Il continuait à la fixer d'un air sombre. Il était clair qu'il ne lui faisait pas confiance.

— Est-ce les autres chevaliers et vous-même qui allez vous occuper des champs et des moutons quand il n'y aura plus personne ?

L'argument fut décisif.

— Très bien, dit-il. Je vais demander à l'un de nos hommes de s'en occuper.

Elle pressa son bras.

— Ce n'est pas nécessaire. Vous autres, Normands, vous effrayez mes gens. Permettez à Ralph de leur apporter des vivres afin qu'ils puissent se nourrir sans crainte.

Il ne répondit pas.

Elle lui sourit en effectuant une petite révérence.

— Merci, messire Warner, fit-elle comme si son accord était acquis, avant de s'adresser à Ralph : Donne des vivres à plusieurs familles et, dès que tu ne te sentiras plus surveillé, retrouve-moi à l'endroit prévu avec la charrette.

Dès que Ralph s'éloigna, Isabel se rendit auprès du Sarrasin, Warner sur les talons.

Le géant dormait. Sa plaie était béante mais elle ne semblait plus aussi infectée. Elle se mit à la tâche. À plusieurs reprises alors qu'elle nettoyait, soignait et bandait la jambe, l'Africain s'agita. Tandis qu'elle achevait de nouer le dernier bandage, il ouvrit les yeux.

— Restez tranquille, Manhku, si vous ne voulez pas perdre votre jambe.

Il grogna doucement, plus comme un chiot que comme une bête féroce, puis il referma les paupières et, bientôt, ses ronflements sonores retentirent dans la salle. Au moment où Isabel se releva, Warner lui offrit sa main pour l'aider.

— Merci, messire. Maintenant, si vous voulez bien m'excuser, j'aimerais me changer et me rafraîchir. J'ai encore beaucoup à faire aujourd'hui.

— On m'a confié votre protection, damoiselle. Ne me faites pas passer pour un idiot aux yeux de Rohan.

Isabel chassa le petit sentiment de culpabilité qui venait de la saisir. Mais les siens passaient en premier.

— Je doute, messire Warner, que Rohan vous considère jamais comme un idiot.

Elle s'empara de son panier d'herbes et gravit en hâte le grand escalier pour se rendre dans ses appartements, où elle revêtit une tenue plus adaptée.

Peu après, avec son panier rempli d'herbes, de baumes et de linges propres, elle rouvrit la porte. Un regard prudent lui apprit que Warner se tenait au sommet des marches, au bout du couloir. Il lui tournait le dos. Silencieuse, elle se glissa dans le corridor et se mit à reculer dans la direction opposée. Soudain, Warner pivota vers elle. Elle s'enfonça dans une alcôve, le cœur battant. La pierre était froide et dure contre son dos.

Au bout d'un moment, n'entendant aucun bruit, elle osa risquer un œil. Warner lui tournait à nouveau le dos. Elle fila vers l'autre bout du couloir. Qui se terminait par un cul-de-sac. D'un côté, se trouvait une épaisse porte en bois qui menait aux anciennes chambres du manoir et à un escalier descendant aux cuisines. Ces pièces servaient surtout à entreposer des vivres et du matériel. De l'autre côté, il n'y avait qu'un mur de pierre. Apparemment.

Isabel se dressa sur la pointe des pieds pour tâter le dessus d'une petite corniche grossièrement taillée. Elle sentit le levier, qu'elle manœuvra aussitôt. En entendant le petit déclic, elle sourit. Plusieurs blocs pivotèrent, révélant l'entrée d'un passage secret.

Son sourire s'éteignit quand elle songea à son frère. Geoff avait découvert ce passage par accident. Plus d'une fois, lorsque par exemple leur père se ruait dans la grande salle en demandant où étaient ces sales gosses qui avaient encore accompli quelque méfait, ils s'étaient cachés dans cet escalier humide et sombre.

Elle se languissait de son frère. Quand il était parti se mettre au service de Harold, elle avait été dévastée. Mais Geoff était souvent revenu à Rossmoor.

Elle se glissa dans l'étroite ouverture. L'odeur qui l'assaillit faillit lui faire lâcher son panier. La

126

conduite qui menait à la fosse d'aisances courait le long de l'escalier. Au bord de la suffocation, elle s'engagea sur les marches glissantes, se servant du mur comme guide.

Retenant toujours son souffle, elle arriva enfin sur le palier et chercha le levier qui manœuvrait la porte donnant sur l'extérieur. L'air frais la frappa. Elle l'avala à grandes goulées. Le soleil filtrait à travers le gros buisson de ronces qui dissimulait le passage aux regards.

Isabel se signa rapidement en adressant des remerciements silencieux à son arrière-grand-père, Leofric. En bâtissant Rossmoor, il avait fait en sorte qu'en cas de visite inopportune de la part de la famille de son épouse, il bénéficie d'une issue de secours.

Désormais, il lui suffisait de suivre le mur du manoir jusqu'à la muraille qui l'encerclait. Cachée parmi un autre bouquet de ronces, s'y trouvait une porte qui menait aux abords de la forêt. À nouveau, elle manœuvra un levier et se glissa de l'autre côté pour y trouver Ralph qui l'attendait, non loin d'un éboulis.

— Tu n'as pas croisé de Normands ? lui demanda-t-elle, surprise de le trouver déjà là avec la petite charrette remplie de vivres.

— Les Normands ne supportent pas l'odeur qui règne dans la maison du tanneur. C'est la troisième dans laquelle je me suis rendu. Ils doivent être encore en train de vomir leur repas du matin.

Elle sourit et se mit en route vers l'abri des arbres, Ralph poussant la charrette à son côté.

— Nous n'avons peut-être pas les armes ni les chevaux de ces Normands, mais nous sommes rusés. Espérons que les autres Saxons le sont aussi, Ralph.

En selle sur Mordred, Rohan contemplait la forêt sombre autour de lui. Tel un loup, ses narines frémissaient dans l'air frais de novembre. La proie était proche : il sentait l'odeur de la peur.

Il ne restait plus rien du petit camp qu'avaient improvisé les villageois. Rien que de la terre arrosée de sang et des braises froides qui racontaient une sinistre histoire.

Rohan fixa le sommet des arbres. Un pâle soleil s'insinuait à travers les branches dénudées, répandant une lueur blafarde. Un lourd silence régnait.

— Ils nous observent, Rohan, dit Thorin à sa droite.

Rohan acquiesça, plissant les yeux pour fouiller les fourrés. Le terrain leur était défavorable. Ses hommes, montés sur leurs destriers, ne seraient pas à leur aise parmi les arbres. Ses chevaliers auraient du mal à y manier leurs grandes épées et leurs haches de guerre. Leurs montures se gêneraient.

De toute son existence, il n'avait jamais reculé devant une bataille, mais son instinct de guerrier lui disait que, s'il ne voulait pas subir de lourdes pertes, il fallait obliger ces pleutres à sortir de leur tanière.

— Oui, ils nous observent et ils attendent qu'on s'enfonce parmi les arbres.

— Nous y serions en fâcheuse posture, mon ami.

Rohan acquiesça.

— Mais ils ont tort de nous sous-estimer, déclara-t-il avec un sourire.

Thorin ricana à son tour.

— Oui, mes flèches s'impatientent.

Rohan sortit son arc de l'étui de cuir fixé à sa selle. Puis, au lieu d'une seule, il tira trois flèches de son carquois qu'il encocha ensemble.

Ses hommes suivirent son exemple. En raison de l'épaisseur de la forêt où se terraient les pillards,

Rohan visa selon l'angle qui assurerait un maximum d'impact et de pénétration.

Quand, imité par les autres, il décocha ses traits, les sifflements déchirèrent le ciel. Quelques secondes plus tard, des hurlements retentirent parmi les fourrés. Les Morts tirèrent de nouvelles flèches.

La forêt se mit à frémir tandis que les corps des pillards tombaient et que d'autres tournaient les talons pour s'enfuir. Rohan n'avait aucune intention de les suivre. Il lâcha une nouvelle salve de trois flèches, visant plus haut, de façon que les mortelles pointes d'acier retombent sur les fuyards. Ses hommes en firent autant. Un nouvel orage de fer et de bois tomba des cieux, impitoyable. Si Rohan était avant tout un chevalier dont la main était faite pour l'épée, ses compagnons et lui étaient aussi experts dans le maniement de l'arc. Un talent qui, maintes fois, leur avait été utile. Parfois, l'épée ou la hache n'étaient pas les instruments adéquats.

De nouveaux hurlements retentirent, plus loin dans les bois.

Ils lâchèrent encore plusieurs volées de flèches, jusqu'à ce que celles-ci ne provoquent plus le moindre cri. Satisfait, Rohan était néanmoins conscient qu'ils n'avaient pas éliminé tous les pillards, mais ceux-ci avaient subi assez de pertes pour ne pas lancer d'attaque avant un bon moment.

Il se tourna sur sa selle vers l'écuyer de dame Isabel.

— Tu vois, petit, les chevaliers normands sont versés dans tous les arts de la guerre.

Russell déglutit avec peine et hocha la tête.

Rohan fit faire une volte à Mordred et leva la main vers ses hommes.

— Il n'y a plus rien ici pour nous. Rentrons à Rossmoor.

Son sang s'échauffait quand il prononçait ce nom. Mais ce n'était pas à cause de l'impressionnant édifice. À sa grande surprise, la dame du manoir suscitait chez lui une excitation qui dépassait maintenant celle du combat.

Une pensée qui l'emplissait de dégoût pour lui-même. Elle n'était après tout qu'une femme parmi les autres.

Tandis que Ralph la conduisait dans la forêt, Isabel remarqua le silence qui régnait autour d'eux. Elle avait l'impression de marcher dans un immense cimetière. L'air ici était plus froid, les couleurs plus ternes. Le givre matinal couvrait encore les plantes et le sol. Leurs pas y laissaient des empreintes. Les oiseaux qui d'ordinaire pépiaient gaiement dans les rayons du soleil étaient muets. Comme si on les avait dépouillés de leur joie de vivre.

Un sentiment qu'elle partageait. En moins de deux mois, la vie de tous les Saxons avait été bouleversée. Un étranger prétendait au trône d'Angleterre. Son père et son frère partis à la guerre étaient peut-être morts, leurs terres et ses gens avaient été attaqués par des pillards et subissaient maintenant le joug des Normands.

Frissonnant, elle resserra sa fourrure autour d'elle. Un triste sourire étira ses lèvres. Ce manteau était fait d'un excellent vison scandinave, doublé d'un luxueux velours. Un cadeau de son père. Il l'avait commandé pour elle comme faisant partie de son trousseau de mariage. Il avait insisté pour qu'elle l'accepte à l'avance.

Elle grimaça. La date de son mariage avait été fixée pour l'arrivée du printemps. Arlys viendrait-il la chercher ? Exigerait-il qu'elle lui soit rendue pour honorer la promesse faite par son père ?

Il avait été patient, pendant toutes ces années. Elle avait été promise au comte à l'âge de douze ans. Mais sa mère étant morte au moment où les noces auraient dû être célébrées, son père n'avait pu supporter de perdre sa femme et sa fille la même année. Il avait insisté pour qu'elle reste au manoir jusqu'à ce que Geoff se marie. Arlys n'en avait pas été ravi et avait même insisté auprès du roi pour qu'il force Alefric à respecter le contrat.

Mais Alefric bénéficiait de soutiens solides à la cour. Arlys avait donc été débouté de sa demande. En témoignage de sa bonne foi, Alefric lui avait offert une portion des terres de sa dot en Mercie. Le reste suivrait le jour des noces. Isabel esquissa une grimace. Si seulement elle possédait encore ces terres ! Mais, au moins, elle savait que le trésor de son père était bien caché au plus profond de la forêt. Alefric, en homme sage et prévoyant, avait déménagé le grand coffre du château. Une montagne de pièces attendait son retour dans les grottes de Menloc.

Isabel n'aimait guère ces cavernes sombres et humides. Elles étaient infestées de chauves-souris, et les légendes d'âmes perdues qui y erraient la terrifiaient depuis l'enfance.

Chaque saison, les murmures sur la sorcière qui résidait là-bas devenaient plus insistants. On prétendait que c'était elle qui avait capturé ces âmes, qu'elle était plus puissante que le plus terrible guerrier et que ses vêtements étaient tissés avec les cheveux de ses victimes. Isabel avait vivement protesté quand son père avait décidé de cacher son argent dans les grottes.

— Mais, père ! s'était-elle écriée. La sorcière va planter ta tête sur une pique pour l'ajouter à sa collection !

— Non, mon enfant. Je sais ce que je fais.

Au moins, se dit-elle, si ses fiançailles avec Arlys étaient annulées, elle pourrait agiter ce trésor sous le nez d'un éventuel nouveau mari. Elle laissa échapper un long soupir. Elle se rendait compte qu'elle ne serait pas malheureuse de ne pas épouser Arlys. Elle n'aurait su dire exactement pourquoi... Peut-être parce qu'il était plus âgé et qu'il avait passé plus de temps à la cour qu'à s'occuper de ses terres, mais c'étaient là des raisons stupides. Arlys était un bon parti pour elle. À eux deux, ils auraient formé un noble couple. Parmi les plus puissants d'Angleterre.

Elle soupira à nouveau et regarda son haleine se transformer en petit nuage glacé. Mais Arlys ne remuait pas son cœur. Et son contact ne provoquait pas la chaleur que suscitait Rohan. Oui, Rohan la troublait et, que la Sainte Mère lui pardonne, il lui arrivait fréquemment de songer à son corps... nu.

Elle trébucha.

— Doucement, ma dame, dit Ralph en l'aidant à retrouver l'équilibre. Nous y sommes presque.

9

Une clairière émergea de l'épais bouquet d'arbres. Un grand feu était allumé en son centre. Dressées en demi-cercle autour du brasier, quelques huttes de fortune se tassaient aussi près que possible des flammes. Plusieurs personnes levèrent les yeux, leurs visages émaciés aussi pâles que le sol couvert de givre. Isabel reconnut ceux qui venaient d'Alethorpe, mais il y avait aussi des gens de Wilshire, qui se trouvait à deux jours de cheval de Rossmoor.

Dès que les villageois la virent, le désespoir qui figeait leurs visages se transforma en joie manifeste.

— Ma dame ! Ma dame ! s'écrièrent-ils avant de se précipiter au-devant d'elle : une masse d'humains effrayés et épuisés.

Les larmes aux yeux, Isabel en étreignit plusieurs. Puis, s'efforçant de cacher son émotion, elle s'exclama :

— Gardez la foi ! Ayez confiance ! Lord Alefric et sir Geoff ne tarderont plus. D'ici là, laissez-moi vous soigner. Mais je vous enjoins de tous revenir à Alethorpe.

Des voix terrifiées s'exclamèrent :

— Il y a les Normands !

Elle acquiesça.

— Oui, les Normands sont chez moi, mais ils ne se livrent pas aux mêmes excès que les pillards. Pour l'instant, ils nous protègent. Ici, vous n'avez personne.

— Ma dame, les Normands nous trancheront la gorge dans notre sommeil, dit Ralph avec mépris. Je préfère rester ici.

— Et tu serais prêt à laisser ta femme et tes filles seules au village ? répliqua-t-elle.

Le regard dur, il secoua la tête.

— Non, je les ferai venir ici avec moi.

— Ce serait pure folie. Les pillards rôdent toujours et ils sont nombreux. Ils vous attaqueront. De plus, sans nourriture, vous ne tiendrez pas longtemps.

— J'ai une lance solide. Les autres ont des arcs.

— Oui, et vous savez vous en servir. Mais si je vous autorise à chasser deux jours par mois dans les forêts, les Normands ne seront peut-être pas aussi généreux. Les caves et les greniers à grain sont pleins à Rossmoor. Leur chef m'a promis qu'il remplirait le fumoir à viande.

Ralph secoua la tête.

— Vous seriez-vous ralliée aux Normands, ma dame ?

L'accusation la révolta.

— Non ! Je ne pense qu'à votre sécurité. Ici, au milieu des bois, vous êtes des proies faciles pour les pillards et la famine. À Rossmoor, vous avez une chance de passer l'hiver.

Elle tira la lourde toile qui recouvrait la charrette.

— Mildred, dit-elle à la vieille sage-femme, Blythe et toi, distribuez les vivres. Mais soyez économes, je ne sais pas quand je pourrai en apporter d'autres.

La femme hocha la tête et se mit à la tâche. Isabel se tourna vers Ralph.

— Montre-moi les blessés.

Elle le suivit vers une hutte plus grande que les autres, bâtie un peu en retrait. Quand elle franchit le tissu en lambeaux qui servait de porte, la puanteur qui l'assaillit lui fit monter la bile à la gorge. Elle s'immobilisa.

— Certaines blessures sont restées trop longtemps sans soins, ma dame. Elles ont pourri. Je crains qu'on ne puisse plus rien pour certains.

Elle acquiesça avant de faire signe à Brice, le robuste petit-fils de Mildred, de la suivre dehors.

— Qu'on porte les paillasses près du feu. Et qu'on fasse bouillir deux grands chaudrons d'eau.

Il s'apprêtait à partir pour exécuter ses ordres quand elle le retint par le bras.

— Et, Brice, il me faudra aussi une hache et une dague bien aiguisées.

Le garçon pâlit, mais il hocha la tête.

— Vous en serez capable, ma dame ? demanda Ralph derrière elle.

Se redressant, elle le fixa droit dans les yeux. Mais elle ne lut dans son regard qu'une réelle inquiétude à son égard.

— Oui, je pense, répondit-elle. Pour certains, il leur faudra perdre un membre pour ne pas perdre la vie. Je leur donnerai le choix.

L'horreur commença par Paul, le propre frère de Ralph. Quand on l'amena, il s'évanouit de douleur simplement parce que son bras avait bougé. Isabel dut forcer pour arracher le tissu crasseux resté collé dans la profonde plaie sur son avant-bras. La puanteur qui s'élevait de la blessure était terrible. Isabel se força à respirer par la bouche. La chair autour de l'entaille était noire. Un pus épais et verdâtre en suintait.

Elle lui toucha le front. Il était brûlant de fièvre. Il ouvrit des yeux faibles et désespérés.

— Paul, je ne puis sauver ton bras. Mais tu auras la vie sauve si tu me permets... de le couper. C'est la seule façon d'empêcher le poison de l'infection de se répandre.

En guise d'acquiescement, il baissa doucement les paupières. Isabel se tourna vers Ralph qui s'agenouilla auprès d'elle.

— Je vais avoir besoin de toi. Pour trancher proprement, il faudra plus que mes maigres forces.

— Dites-moi ce qu'il faut faire.

Elle se mit à l'ouvrage, formant un tourniquet plusieurs centimètres au-dessus des chairs noirâtres et lui laissant le temps d'engourdir la partie du bras empoisonnée. Puis elle demanda de la corde, dont elle se servit pour attacher les chevilles et les poignets de Paul. Elle expliqua ensuite à quelques hommes robustes comment le tenir en lui étirant les membres, de façon qu'il ne bouge pas au moment où Ralph frapperait. Enfin, elle ramassa une branche solide et la donna au blessé pour qu'il la morde.

— Pardonne-moi, Ralph, de te demander une telle chose. Si j'en avais la force, je le ferais moi-même, dit-elle.

— C'est un honneur pour moi, ma dame.

Elle contempla à nouveau Paul qui, malgré son état, était tout à fait conscient. La peur sur son visage faillit lui faire détourner les yeux, mais elle tint bon. Se signant, elle fit une prière silencieuse pour lui.

— Il vaut mieux qu'il en soit ainsi, Paul. Je vais cautériser le moignon et la douleur s'apaisera, ainsi que la fièvre.

Il baissa à nouveau les paupières.

— Faites ! Vite !

Isabel donna le signal aux hommes qui l'immobilisèrent. Ralph leva sa hache pour l'abattre violemment, sectionnant le bras comme on fend une bûche.
Les hurlements de Paul déchirèrent le calme de la
forêt. Isabel s'empara de la dague chauffée au rouge.

À mesure que l'après-midi s'étirait, elle perdit le
compte des membres, doigts ou orteils amputés. Elle
ne compta pas non plus les visages livides de ceux
qu'elle ne put sauver. Ni le nombre de fois où elle
crut qu'elle allait vomir.

Quand, enfin, le dernier de ses gens fut soigné, elle
leva les yeux vers Ralph qui semblait aussi épuisé
qu'elle.

— Ralph, à voir ces blessures, j'ai l'impression que
ces pillards cherchaient plus à mutiler qu'à tuer.
Quelle sorte d'hommes est-ce là ?

Le vieux forgeron contempla longuement le feu
avant de répondre. Ses grosses mains noueuses semblaient lutter l'une contre l'autre.

— Ces hommes étaient bien armés et se battaient
comme des soldats. Je jurerais que certains avaient
du sang viking, mais ils ne portaient aucune couleur.

Isabel posa la main sur son bras.

— Beaucoup de nos gens ont du sang viking,
Ralph. Pourraient-ils être des nôtres ?

Le forgeron fronça les sourcils et secoua la tête
avec véhémence.

— Quel misérable tuerait les siens ?

Isabel réfléchit à cette question.

— Par les temps qui courent, ce n'est pas si difficile à imaginer. Le propre frère de Harold a tenté de
l'assassiner pour lui prendre sa couronne. Maintenant que les Normands ont réussi à nous envahir, je
crains que beaucoup ne soient prêts à tuer pour

s'approprier un bout de nos terres. Même le frère de du Luc l'a menacé.

En songeant à Rohan, elle frémit. Absorbée par sa tâche, elle n'avait plus pensé à lui depuis son arrivée dans cette clairière. Elle leva les yeux vers le ciel qui s'obscurcissait. Il devait être de retour au manoir, maintenant. Et avoir découvert sa disparition.

Elle adressa un sourire résigné au forgeron. Elle était prête à subir la colère du Normand. Elle n'avait aucun regret d'être venue ici.

— Je prie pour que ce chevalier Rohan accomplisse au moins une bonne chose : débarrasser nos forêts de ces pillards.

Se redressant, Ralph ricana avec mépris avant de cracher à terre.

— Ce porc de Normand ! Et qui est ce Guillaume ? Il ne coule en lui aucun sang qui le relie à cette terre. Il n'est rien d'autre que le petit-fils bâtard d'un tanneur.

Elle se leva avec son aide et brossa sa robe pour la débarrasser des feuilles mortes.

— Oui, il est bien tout ce que tu dis, Ralph, mais prends garde. La Lame noire qui prétend s'approprier nos terres est lui aussi le petit-fils de ce même tanneur. Je te conseille de te montrer prudent tant que cette guerre n'est pas terminée. Soyons patients et voyons ce que l'avenir nous réserve. Ainsi qu'à eux : il peut arriver beaucoup de choses à ces deux bâtards.

Une lueur de défi s'embrasa dans le regard de Ralph.

— Le seigneur Arlys est tout près, dame Isabel. Il rassemble des hommes. Je veux bien attendre et observer, mais nous finirons par gagner cette guerre.

À ces mots, une sensation étrange envahit Isabel.

— Parle-moi de lord Arlys. Où est-il ?

— J'ai simplement entendu dire qu'il n'avait pas assez de troupes pour contrer l'assaut sur Dunsworth, mais il a réussi à s'échapper. Le château a été réduit en cendres et dame Elspeth est retenue en otage. Le jeune lord Edward a disparu, paraît-il.

Isabel sentit son cœur se serrer. Pauvre Elspeth ! La sœur d'Arlys n'avait que dix ans. Et ce pauvre Edward si gentil, où pouvait-il bien être ? Arlys avait-il réussi à cacher le garçon ? Tout en se signant, elle se dit qu'en fin de compte, elle avait plus de chance que beaucoup de Saxonnes. Rohan était un guerrier brutal, mais il ne l'avait pas violée et n'avait détruit ni Rossmoor ni le village. À vrai dire, seul un idiot aurait commis une telle bêtise. Car, ensuite, il aurait fallu tout rebâtir.

Elle contempla le campement autour d'elle. Les gémissements des blessés qui avaient survécu s'estompaient. Elle remarqua une jeune mère assise beaucoup trop près des flammes avec son nouveau-né à qui elle tentait vaillamment de procurer un peu de chaleur. Isabel ramassa son manteau de fourrure qu'elle avait abandonné au pied d'un arbre pour la rejoindre. Un regard accablé se leva vers elle. Isabel sourit puis, s'agenouillant, drapa le manteau autour de ses épaules et de l'enfant.

— Vous aurez plus chaud, ainsi.

Des larmes apparurent dans les yeux de la fille. Le sourire d'Isabel s'élargit tandis qu'elle refoulait sa propre envie de pleurer.

— Dieu veille sur toi et sur ton bébé.

Elle se releva et se retourna, pour découvrir Ralph et Mildred qui la fixaient avec un air choqué.

Elle haussa les épaules.

— Nous sommes tous ensemble face à cet enfer. J'espère que, si je devais en avoir besoin, quelqu'un viendra apaiser mes craintes.

Elle se frotta les bras.

— Ralph, as-tu des nouvelles du père Michael ? Nous avons trop de tombes qui ont besoin d'être bénies.

— Personne n'a plus vu le bon père depuis le premier raid sur Alethorpe.

— Crois-tu qu'il ait été tué ?

— Je ne sais pas, milady.

Elle réfléchit à ce problème. Si le père Michael avait disparu, il lui faudrait se rendre à l'abbaye de Dunleavy pour demander qu'un des frères vienne bénir les tombes. C'était un voyage de deux jours vers l'est, qu'elle ne pourrait accomplir sans escorte. Rohan accepterait-il de la lui donner ? Se soucierait-il même que ses gens soient enterrés dans une terre consacrée ? Elle aurait son prêtre, même s'il lui faudrait pour cela quitter le manoir en cachette au cœur de la nuit.

Habité par un sentiment de victoire, Rohan galopait le long de la route de Rossmoor. Ils avaient mis les pillards en déroute et, grâce à cela, il allait pouvoir convaincre ceux des villageois qui avaient trouvé refuge dans la forêt de revenir se placer sous sa protection.

Une nouvelle bonne journée qui exigeait d'être fêtée. Il sourit sous son casque. Et une bonne nuit qui s'annonçait, au cours de laquelle il goûterait mieux aux douceurs de dame Isabel. Il lui serait difficile de ne pas plonger entre ses cuisses, mais il était capable de se contrôler. Et puis, il existait d'autres moyens de trouver le soulagement. Il comptait bien enseigner chacun d'entre eux à la gente dame.

Quand l'épaisse brume lui permit enfin de contempler Rossmoor, la fierté l'envahit. Le manoir en pierre était une belle bâtisse. Le confort qui régnait entre ses murs était le meilleur qu'il ait jamais connu. Les terres environnantes étaient riches. Oui, Alethorpe était un véritable joyau sur la couronne d'Angleterre.

Avec un peu de chance, tout cela et tout ce qui s'y rattachait serait à lui un jour.

Dès qu'il franchit le portail menant à la cour, son instinct de guerrier se réveilla et son humeur changea du tout au tout. Quelque chose n'allait pas. Warner semblait inquiet. Rohan sauta de selle et jeta les rênes de Mordred à Hugh, tout en scrutant la cour à la recherche d'Isabel.

— Pourquoi n'es-tu pas avec elle ? demanda-t-il en enlevant son casque.

Dès que Warner leva son regard vers lui, il devina que la femme avait disparu. Un tourbillon d'émotions contradictoires bouillonna en lui. Car si Warner montrait de la peur, c'est que le pire était arrivé. Était-elle tombée sous les coups d'un pillard ?

Ou pire encore, se dit-il tandis que son sang se glaçait dans ses veines, Henri était-il revenu ?

— Où est-elle ? gronda-t-il en s'approchant de Warner.

Jamais de sa vie, Rohan n'avait porté la main sur un homme à cause d'une femme, mais si Warner...

— Elle m'a trompé, Rohan. Elle s'est enfuie !

Le saisissant par les épaules, Rohan le secoua violemment.

— Où est-elle ?

Thorin les rejoignit et saisit Rohan par le bras, tentant de le calmer.

— Elle m'a dit que les villageois avaient besoin de vivres, expliqua Warner. Elle m'a demandé la permission d'en prélever dans les réserves. Je la lui ai donnée. Puis elle m'a dit qu'il lui fallait prendre des herbes dans sa chambre. Je l'ai suivie dans l'escalier, Rohan. Je suis resté sur le palier en haut des marches à attendre son retour. Elle ne s'est jamais montrée ! J'ai fouillé ce château de fond en comble. On dirait qu'elle s'est évaporée. Son homme, Ralph, qui devait l'aider à transporter la nourriture, a disparu lui aussi.

Un voile passa devant les yeux de Rohan. Il avait rarement éprouvé une telle fureur. Au prix d'un terrible effort, il se maîtrisa.

— As-tu fouillé les environs ? Elle a dû franchir le mur d'enceinte d'une manière ou d'une autre.

— Oui, derrière les écuries, j'ai trouvé des traces de pas : deux personnes, et celles d'une charrette. Mais j'ai perdu la piste dans la forêt.

Rohan siffla pour rappeler Hugh qui menait son cheval aux écuries.

— En selle, lança-t-il à Warner avant de se tourner vers Thorin. Monte la garde ici, mon ami. Je reviendrai, si Dieu le veut, avec la dame.

Il sauta en selle avec une énergie surprenante pour un homme qui, quelques instants plus tôt, ne songeait qu'à reposer son corps harassé. Thorin l'étudiait avec intérêt. Rohan surprit son regard. Il sourit d'un air sinistre.

— Ne te fais aucune idée saugrenue, Thorin. La dame est un pion de valeur dans le jeu mortel qui nous met aux prises, mon frère et moi. J'ai besoin d'elle ici pour accroître mes chances.

Thorin hocha la tête.

— Si tu le dis, Rohan.

Celui-ci fit faire volte-face à sa monture tout en criant à Ioan et à Stefan qui étaient eux aussi remontés en selle :

— Allons chercher la dame, et nous pourrons nous offrir un autre festin !

10

Tandis qu'Isabel chargeait quelques maigres affaires sur la petite charrette, elle redoutait la longue marche de retour vers Rossmoor dans le froid de ce début de soirée. Ralph avait bien confectionné plusieurs torches, mais il y avait peu de chances qu'elles suffisent pour leur permettre d'atteindre le manoir. Le soleil s'était couché, laissant la place à un épais brouillard. Ils auraient du mal à voir où ils mettraient les pieds.

— Ma dame, dit Mildred, peut-être feriez-vous mieux de renoncer. Les loups sont aussi affamés que nous le sommes. C'est trop dangereux. Attendez l'aube.

Elle avait raison. Mais Isabel savait qu'il lui fallait rentrer à Rossmoor aussi vite que possible, si elle ne voulait pas que ses gens subissent la colère de la Lame noire.

— Non, je...

Elle s'interrompit. Le sol sous ses pieds s'était mis à gronder. Un bruit de tonnerre approchait. Elle leva les yeux et, à travers la brume, distingua des lueurs mouvantes.

Le tonnerre devint de plus en plus assourdissant et les lumières plus brillantes. Elle se tourna vers les villageois, mais ceux-ci avaient déjà disparu dans la forêt. Elle était seule dans le camp. Seule face à l'enfer qui arrivait.

C'est alors qu'ils émergèrent : quatre cavaliers noirs, chacun brandissant une torche, montés sur quatre chevaux noirs. En armure et prêts au combat, ils déferlèrent dans la clairière. Celui qui les menait, le plus grand et, elle le savait, le pire d'entre eux, immobilisa son effroyable monture à quelques centimètres d'elle.

À cet instant, Isabel sut ce qu'être une proie signifiait. Une terreur absolue la saisit jusqu'aux os. Sous le casque noir, un regard doré la clouait sur place tandis qu'un vent impitoyable et glacé la giflait, comme pour déjà la punir.

Elle frissonna de tout son corps et serra les dents pour les empêcher de claquer.

Tandis qu'il continuait à la toiser, elle retrouva enfin l'usage de la parole.

— Faut-il que vous me suiviez partout ?

— Vous aviez ordre de rester à Rossmoor ! rugit-il.

— Je n'ai pas d'ordre à recevoir de toi, Normand.

Rohan jeta sa torche à Warner. L'expression de celui-ci montrait un soulagement extrême auquel se mêlait la plus noire fureur. Elle lui sourit en effectuant une petite révérence.

— Mille mercis, messire Warner, pour les vivres.

D'un geste vif, Rohan la saisit et la souleva comme un vulgaire sac d'avoine. Un hurlement déchira l'air.

Telle une flèche, Brice jaillit de la hutte la plus proche et fonça droit sur Rohan. Warner le cueillit en pleine course d'un coup en revers avec une des torches. Le jeune homme s'écrasa à terre en poussant un cri de douleur. Pendant ce temps-là, toujours suspendue entre ciel et terre, Isabel se débattait. Rohan la déposa sans ménagement à plat ventre sur l'encolure de son destrier. À force de se démener, elle parvint à passer d'une position indigne à une position gênante : à califourchon face au chevalier furieux.

Qui ne l'était plus, semblait-il, ses lèvres se retroussant en un sourire amusé. Sans son casque, elle l'aurait frappé. Comme pour lui faciliter la tâche, Rohan s'en débarrassa et le lança à Ioan qui s'était approché. Puis il se mit à la fixer d'un air si féroce qu'elle en trembla. Il la saisit par les épaules et la secoua.

— Tu recevras de moi tout ce que je voudrai bien t'accorder, Isabel. Tu m'appartiens. Je t'avais interdit de quitter le manoir. Et pourtant, tu m'as défié.

— Je ne suis l'esclave de personne, murmura-t-elle.

Une lueur dangereuse passa dans le regard de Rohan.

— Tu es la mienne et plus tôt tu l'accepteras, mieux tu t'en porteras.

Elle se raidit quand son regard descendit vers ses lèvres. Malgré elle, elle les humecta.

Rohan poussa un grognement.

— Oui, vous m'appartenez, damoiselle, et je vais le proclamer en public sur-le-champ afin que tout le monde le sache !

Sa bouche s'écrasa sur la sienne. Choquée, pétrifiée, elle ne réagit pas tandis que sa langue écartait ses lèvres, que sa grande main se posait sur sa poitrine, semant un feu dévastateur. La pression sur ses seins s'accentua et son corps se tordit de plaisir. Elle ouvrit les yeux. Sous elle, le cheval cogna la terre dure avec son sabot. Le baiser prit fin aussi vite qu'il avait commencé. La honte étala le rouge sur ses joues.

Et elle se vengea de la seule façon qu'elle connaissait, avec des mots :

— Je ne serai jamais la concubine d'un bâtard !

— En tant qu'esclave, tu n'as pas le choix.

Comme si elle ne pesait guère plus qu'un enfant, il la souleva à nouveau dans les airs, la fit pivoter pour l'installer devant lui de façon qu'elle lui tourne le dos. Il désigna Brice qui gisait toujours à terre.

— Qui est-ce ?

— B... Brice.

— D'où vient-il ?

— D'Alethorpe.

Rohan étudia les huttes.

— Quel est cet endroit ?

Elle se raidit, scrutant la lisière de la forêt. Ses gens n'étaient sûrement pas allés bien loin, et tous les blessés se trouvaient encore dans les huttes.

— Un refuge, dit-elle doucement.

— Un refuge contre les pillards, ou contre moi, damoiselle ?

— Les deux, répondit-elle, honnête.

Rohan tira sur les rênes et, dans une impeccable volte, le destrier pivota sur ses pattes arrière et partit au galop. Isabel poussa un cri au moment où ils allaient plonger parmi les branches de l'épais sous-bois. Mais Rohan arrêta sa monture. Lentement, pour assurer son effet, il la fit se retourner. Isabel percevait sa fureur. Nerveuse, elle scruta la clairière. En dehors de Brice, nul n'avait osé se montrer et le garçon, terrorisé, restait aux pieds de Warner.

S'ils demeuraient invisibles, elle savait que les villageois observaient. L'étalon caracola jusqu'à la hutte des blessés. Elle se raidit. Que comptait-il faire ? Abréger leur souffrance ?

Rohan immobilisa à nouveau le destrier, face à la forêt.

— Venez rencontrer votre nouveau maître, Saxons ! lança-t-il aux ténèbres.

Seuls lui répondirent quelques oiseaux qui s'agitèrent dans les arbres et le hululement d'une chouette. Rohan attendit encore un peu avant de rugir :

— Allez, un peu de courage, que diable ! Sortez de vos cachettes et venez m'entendre.

Encore une fois, rien.

— Et si on brûlait les huttes, Rohan ? proposa Ioan.

— Non ! hurla Isabel.

Elle se tourna autant qu'il lui était possible sur la selle.

— Je vous en prie, ils ont peur de vous. Je vous en prie, répéta-t-elle, ne versez plus le sang.

Le bras de Rohan se durcit autour de sa taille.

— Encore une fois, vous m'implorez pour quelque chose qui ne vous appartient pas, sans rien donner en échange.

Les larmes montèrent aux yeux d'Isabel. Elle ne supporterait pas de voir ces Normands détruire tout ce qu'elle avait tenté de sauver aujourd'hui.

— Épargnez mes gens, messire Rohan. Épargnez-les et vous pourrez me prendre ici, tout de suite, sur cette selle !

Il plissa les paupières.

— Vos gens sont les miens maintenant, Isabel, et je ferai de mon mieux pour les protéger. Mais vous êtes trop têtue pour vous en rendre compte.

Elle en eut le souffle coupé.

— Vous ne comptez pas leur faire de mal ?

— Seulement s'ils cherchent à m'en faire.

Il montra Brice qui gisait à terre, aussi rigide qu'un cadavre.

149

— Quel châtiment mérite-t-il pour avoir voulu m'attaquer ? demanda-t-il.

— Aucun. Il ne cherchait qu'à me porter secours.

— Je ne vous aurais fait aucun mal. En vérité, pourquoi pensez-vous que je suis ici ?

— Pour récupérer votre femme pour la nuit !

Il éclata de rire.

— Vous vous moquez de moi, messire, grommela-t-elle. Ce n'est pas sage devant *mes* gens.

— Je ne les crains pas, mais eux craignent mon épée.

— Dites-leur que vous ne leur voulez aucun mal.

Il la toisa.

— Je leur dirai ce que j'ai envie de leur dire.

À nouveau, il s'adressa à la forêt.

— Montrez-vous, Saxons, et écoutez-moi ! Je suis Rohan du Luc. Je réclame ces terres et ceux qui les habitent au nom de Guillaume, duc de Normandie, qui sera bientôt couronné roi d'Angleterre. Jurez-moi fidélité et vous bénéficierez de la protection du duc et, avec elle, de la mienne !

Brice fut le premier à prêter allégeance. Il fut bientôt imité par plusieurs autres villageois, la plupart de Wilshire. Quand Ralph s'avança avec Mildred, Isabel se raidit. Le regard du forgeron n'était que mépris et elle sentit derrière elle le corps de Rohan devenir aussi dur que l'acier. Beaucoup restaient encore cachés dans les fourrés. Étaient-ils désespérés au point de tenter une attaque ? Soudain, une idée terrifiante lui traversa l'esprit. Que se passerait-il si ce chevalier, un des préférés de Guillaume, tombait sous les coups de Saxons révoltés ?

— Ralph, dit-elle depuis la selle. S'il te plaît, assez de sang a été versé.

L'homme hocha la tête, avant de se tourner vers Rohan.

— Je suis Ralph, forgeron d'Alethorpe. Je prête serment à Guillaume, mais en retour j'attends qu'aucun mal ne soit fait à ma famille.

Rohan acquiesça.

— J'accepte tes conditions, Ralph le forgeron. Mais veille à ce que ta famille ne fasse rien qui justifie qu'on s'en prenne à elle.

À mesure que chaque homme et femme valide venait à son tour s'agenouiller devant le chevalier, la tension qui habitait Isabel se dissipait. Mais, à chaque fois qu'elle tentait de mieux s'installer sur la selle, elle butait contre la poitrine et les cuisses de Rohan. À plusieurs reprises, elle le sentit se raidir.

Enfin, le dernier villageois offrit son allégeance. Elle se détendit contre la cotte de mailles derrière elle. Glissant une main autour de sa taille, Rohan l'attira un peu plus contre lui.

— Messire Warner, appela-t-il.

Celui-ci était en train de jeter un gourdin grossier sur la modeste pile d'armes qu'il avait trouvées dans les huttes. Il pivota vers son chef.

— Puisque ton imprudence nous a menés ici ce soir, je te propose de veiller sur ces rustres jusqu'au matin. Je t'enverrai des renforts qui vous escorteront à Rossmoor.

Ioan ricana grassement. Warner grimaça. Rohan se tourna à moitié sur sa selle.

— Il aura besoin de compagnie, Ioan. Tu es bon de te porter volontaire.

— Mais…

Rohan éclata de rire et se pencha pour récupérer sur le sol la torche que Warner avait éteinte. Puis, faisant avancer son cheval jusqu'au feu, il la plongea dans les flammes. Elle s'embrasa aussitôt et il s'adressa à Stefan.

— Prends ta torche et partons.

Avant cela, il jeta une de ses sacoches de selle à Warner qui se tenait, l'air morose, au centre de la clairière.

— Bonne nuit, mon ami.

Il éperonna sa monture qui partit au galop.

Après plusieurs lieues, il sentit Isabel se détendre contre lui. Plus par épuisement que par recherche de confort. Il la serra un peu plus fort. Il avait déployé son manteau pour envelopper son corps frissonnant, et maintenant il avait l'impression qu'une braise était posée sur sa poitrine et ses cuisses. Malgré sa propre fatigue, il n'avait envie que d'une chose : arrêter Mordred sur le bord du chemin et étaler son manteau sur le sol pour eux deux.

Il repensa à l'exaltation qu'il avait éprouvée quand, en pénétrant dans cette clairière, il l'avait vue debout seule, couverte de sang, une lueur de défi dans le regard, exactement comme la première fois en pénétrant dans Rossmoor. Une fois encore, ses gens avaient fui et, une fois encore, elle avait tenu tête aux plus féroces guerriers de Guillaume. Les Morts n'avaient pas gagné leur surnom en menant une vie paisible.

Après avoir sauvé Guillaume alors qu'il tentait de mater une rébellion en Bretagne, Rohan et ses compagnons chevaliers avaient reçu le suprême honneur de devenir sa garde personnelle. C'était avec une immense réticence que le duc les avait envoyés écumer la campagne anglaise après la bataille de Senlac Hill. Le Conquérant n'avait pas confiance en grand monde, il avait donc soigneusement pesé le pour et le contre avant de se séparer de Rohan et de sa troupe. En fin de compte, seuls les Morts lui avaient paru capables d'éteindre toute envie de révolte chez les Saxons jusqu'à son couronnement. Une fois roi, il pourrait rappeler ses hommes les plus loyaux, et ensemble ils décideraient de l'avenir de l'Angleterre et du sort de chacune des Épées rouges.

Isabel bougea contre ses cuisses. Elle s'était endormie, à moitié tournée vers lui. Soudain, elle posa une main beaucoup trop près de la zone la plus douloureuse de son anatomie. En dépit de la torture plaisante – ou du plaisir torturant – qu'elle lui infligeait, il pressa son corps souple contre lui. Tenant la torche d'une main et de l'autre la jeune femme, il laissa Mordred libre de ses mouvements, sachant que l'animal les ramènerait à bon port. L'appel d'une stalle chaude et d'une mangeoire pleine était le seul guide dont il avait besoin. Devant eux, Stefan montrait le chemin.

À chaque impulsion du corps puissant de la bête, les hanches de Rohan se projetaient contre la damoiselle. À chaque fois, ses muscles se contractaient et à chaque fois, le besoin de se soulager entre ses cuisses devenait plus impérieux.

Ses doigts s'étalèrent sur son ventre, effleurant le renflement de sa poitrine. Quand elle se tortilla sur la selle, frottant ses fesses contre son sexe gonflé, il gémit.

Il soupesa la plénitude d'un de ses seins. Fermant les yeux, il s'imagina en train de lécher leurs pointes roses. Oui, elle avait les seins d'une déesse. Amples, mûrs, d'une douceur crémeuse. Tout ce qu'il fallait à une main d'homme... et de quoi le contenter. Rohan s'attarda sur cette idée. S'il n'était pas un amant égoïste, il visait le plus souvent à satisfaire ses propres besoins. Surtout pour des raisons de temps. Les batailles ne lui en laissaient guère pour cajoler une femme. Pourtant, il y en avait eu plusieurs à la cour de Guillaume qui s'étaient montrées désireuses de prolonger l'intermède partagé dans sa couche. S'il s'était plié à leur exigence, c'était surtout par courtoisie, mais aucune n'avait retenu son attention plus d'une nuit ou deux. Le plus souvent, il quittait le lit dès la chose faite, n'ayant aucun désir de se lancer dans ces bavardages interminables que les femmes apprécient après l'acte.

Non, il était plus à l'aise avec ses hommes, quand il savait que les mots n'avaient aucun double sens, que nul ne s'exprimait par énigme ou par devinette. Les femmes avaient leur utilité dans une chambre à coucher. Il n'avait aucun désir de les fréquenter ailleurs.

Il pressa ses lèvres sur l'ourlet délicat de l'oreille d'Isabel. Tout en taquinant le lobe, il décida que cet hiver serait peut-être l'occasion pour lui d'en apprendre davantage sur ce sexe qu'on disait faible. Lorsque le corps d'Isabel se cabra et qu'un petit gémissement s'échappa de sa bouche, il prit cela pour un encouragement. Il glissa la langue derrière l'oreille et pressa doucement le sein offert. Le mamelon se dressa entre ses doigts. Il réagit en se frottant de plus belle contre son dos. La main d'Isabel se crispa sur sa cuisse. Puis elle posa son autre main sur l'autre cuisse, la serrant avec force. Il emprisonna son sein tandis que ses lèvres trouvaient un point sensible juste sous l'oreille.

Elle se raidit.

— La Belle au bois dormant se réveille, chuchota-t-il contre sa peau.

154

Elle trembla, mais ne le repoussa pas. Encouragé, il déposa un baiser sur son cou, caressant sa peau avec sa langue.

— Je n'ai jamais touché de femme aussi douce, Isabel. Vous me faites oublier que nous sommes ennemis.

Comme elle ne résistait toujours pas, il fit quelque chose qui le surprit lui-même. Il siffla pour appeler Stefan. Le jeune chevalier se retourna et ralentit pour l'attendre.

— Oui ?

Rohan lui transmit sa torche. Pour ce qu'il avait en tête, il allait avoir besoin de ses deux mains.

— Prends ça et attends-moi un peu plus loin. Je ne tarderai pas.

Stefan regarda Isabel, puis Rohan, avant d'acquiescer. Il s'éloigna au trot, les deux torches perçant la brume d'une étrange lueur. Rohan le suivit un moment des yeux, avant d'ouvrir son manteau. Toujours avec la même déconcertante facilité, il souleva Isabel pour la retourner face à lui, avant de l'envelopper à nouveau dans le manteau.

Il recula sur sa selle pour lui offrir un peu plus de place, tout en étant conscient que la proximité était maintenant requise. Dans la pâle lueur de la lune qui teintait la brume de reflets argentés, Isabel leva vers lui des yeux surpris. La fatigue creusait des ombres sous ses cils.

Glissant un bras autour de sa taille, il l'amena contre lui.

— Ce soir, vous dormirez avec moi, Isabel. Et toutes les nuits qui suivront, jusqu'à ce que j'en décide autrement.

Elle se raidit.

— Jusqu'à ce que vous soyez lassé de moi et que vous m'abandonniez ?

Rohan sourit. Avec ses dents, il enleva le gantelet de sa main droite, qu'il posa sur son sein. Du pouce, il agaça un téton impudent qui luttait contre le tissu de la robe. Elle laissa échapper un soupir et ferma les yeux. Quand il plaça la main sur sa cuisse et remonta sa jupe, elle les rouvrit. La colère y brillait.

— Allez-vous me prendre sur ce cheval ?

— Non, je désire seulement apaiser un peu ma faim.

Il écrasa sa bouche sur la sienne.

11

Si elle n'avait pas été aussi fatiguée, se dit-elle, elle l'aurait repoussé. Mais l'excuse était toute trouvée pour succomber à cet assaut charnel. À vrai dire, au lieu de se sentir harassée, une énergie nouvelle déferlait en elle.

Le bras de Rohan était comme une barre d'acier autour de sa taille, ne lui laissant aucune échappatoire tandis que ses lèvres et sa langue la ravageaient. Il faisait preuve d'une lenteur surprenante, torturante, explorant sa bouche avec une sensualité dévastatrice. L'intimité de ce contact annihilait sa résolution. Sa grande main caressait sa cuisse dénudée, ses doigts semant une traînée de délices.

La sensation inconnue qui se développait dans son ventre effrayait Isabel, mais plus que cela, elle l'exaltait. Tous ses sens étaient en éveil et, dans le même temps, elle était molle et malléable pour lui, comme de la cire d'abeille. Entre ses cuisses, une brûlure était en train de naître, accompagnée par une humidité déconcertante. La main de Rohan glissa plus haut. Quand il pressa sa paume sur son mont de Vénus, elle tressaillit avec une telle violence qu'elle craignit de tomber de la selle. Au lieu de cela, elle se pressa contre lui... et il inséra un doigt dans la fente de son intimité. Elle gémit et s'accrocha de toutes ses forces à ses épaules.

— Jésus ! s'exclama Rohan avant de la repousser brutalement.

Elle ouvrit la bouche pour demander quelle erreur elle avait commise, mais la honte la saisit. Sainte Mère, elle s'était prêtée à son jeu pervers !

Comme déchaîné, il la souleva pour la replacer face au chemin et reprit les rênes, avant d'éperonner son destrier qui partit au galop. Sans un mot, il s'empara au passage d'une des torches de Stefan et fonça vers Rossmoor.

Isabel n'y comprenait plus rien. Ses lèvres étaient gonflées de son baiser, ses seins lourds d'avoir senti sa main, et plus bas... Elle ferma les yeux. Cette brûlure entre ses cuisses était une véritable torture et, malgré son ignorance de ces choses, elle devinait que seul Rohan pourrait la soulager.

Que venait-il de se passer ? Pourquoi était-il en colère contre elle ? C'était plutôt à elle d'être furieuse ! Comment osait-il la toucher comme il l'avait fait, provoquer en elle une telle réaction pour ensuite la rejeter comme si elle avait la rage ?

Avait-elle mal réagi ? Le sang nordique qui coulait dans ses veines était prompt à s'enflammer, mais sa bonne éducation savait compenser cette ardeur. Pourtant, il semblait bien que, dans ce domaine aussi, elle était une femme passionnée.

Sa frustration ne cessait de croître. Si sa réaction le dégoûtait à ce point, il n'aurait pas dû la toucher ainsi ! Elle sourit dans l'air glacé de la nuit. Eh bien, qu'il récolte ce qu'il a semé... Délibérément, elle recula pour se presser contre lui. Son intention était de le frustrer à son tour mais ce qu'elle sentit d'abord, ce fut la chaleur inouïe de son grand corps, comme s'il était en feu. À l'instant où elle le toucha, il se raidit. Elle perçut sa colère qui se déployait comme un essaim d'abeilles autour d'elle. Décidément, elle ne comprendrait jamais les hommes.

Elle voulut continuer à réfléchir à tout ceci, mais la fatigue ne tarda pas à reprendre le dessus. Bercée par les mouvements du cheval, enveloppée par la chaleur de l'homme, elle sombra dans un profond sommeil.

Il entendit la vigie annoncer leur approche bien avant de distinguer les hauts murs de Rossmoor. Quand ils traversèrent le village au galop, plusieurs personnes sortirent de leur maison pour voir le Normand ramener leur dame. Rohan imposa un arrêt brutal à Mordred dans la cour du manoir et lança les rênes à Hugh. Malgré cela, Isabel continua à dormir. Prenant soin de ne pas la réveiller, il la souleva dans ses bras et se laissa glisser à terre. En pénétrant dans la grande salle, il jeta un regard noir à ses hommes qui avaient levé les yeux de leur chope de bière pour les contempler, son fardeau et lui. À leurs mines moqueuses, il n'eut aucun mal à deviner ce qu'ils pensaient. Ils le croyaient ensorcelé par la gueuse. Ils se trompaient. Oui, il la voulait, inutile de le nier, mais surtout, Isabel symbolisait ce qu'eux tous désiraient. Une dame avec un titre et des terres. Elle était l'Angleterre et, en la possédant, il posséderait ce qui était à elle.

Il était digne d'un seigneur. Et avec une épouse comme Isabel, sa lignée pourrait commencer. La prophétie d'A'isha le hantait. Elle exigeait qu'il tue un parent de la femme qui porterait ses fils. Il contempla son visage endormi. En réalité, cette part de la prophétie s'était déjà réalisée. Et elle ne le lui pardonnerait jamais. Quelles que soient les circonstances.

Sans un mot, il passa devant les Épées rouges et gravit le grand escalier. Sur le palier, il tomba sur Enid à qui il fit signe de le suivre. Il déposa Isabel avec délicatesse dans le lit seigneurial.

— Occupe-toi de ta dame.

Là-dessus, il tourna les talons et redescendit dans la salle, où il fut accueilli par quelques hochements de tête et des sourires entendus.

Thorin lui tendit une chope bien remplie. Rohan but longuement la robuste bière. Il s'en servit une autre. Avant de prendre place à la table, il lança un regard à Manhku qui dormait profondément. Il grimaça. Encore une âme sauvée par Isabel. Nul doute qu'on allait bientôt la déclarer sainte.

— Stefan nous a dit que la dame et toi vous êtes offert un petit arrêt galant sur la route du retour, commença Rorick.

Rohan lui lança un regard dur.

— Il a dit ça ?

Avec un large sourire et en s'attaquant à un morceau de venaison, Stefan lui répondit :

— Tu n'imaginais quand même pas que je n'allais pas regarder ?

Thorin le gratifia d'une formidable claque dans le dos.

— Ah, ah, le garçon préfère regarder !

Stefan plongea un morceau de pain dans l'épaisse sauce où la viande avait cuit.

— Non, je préfère agir. Mais, à la façon dont tu fais le siège de dame Isabel, regarder est tout ce qu'il nous reste, pas vrai, Rohan ? J'ai la nette impression que celle-ci, tu ne voudras pas la partager.

Rohan dévisagea ses hommes. Qui, tous, lui rendirent son regard, attentifs. À son tour, il plongea du pain dans la sauce et mâcha longuement. Il prit le temps de déglutir et de boire une autre rasade de bière. Il choisit ses mots avec soin. Un homme qui se laisse mener par son dard n'est pas digne de mener d'autres hommes.

— J'admets que la dame a retenu mon attention. Mais croyez-moi quand je vous dis que c'est seulement l'excitation de la chasse qui me motive. Une fois que je l'aurai prise et si elle n'est pas rebutée par des rustres tels que vous, vous serez libres de la pourchasser à votre tour.

Face à lui, Thorin écrasa sa main sur la table. Debout, un pied posé sur le banc et un bras sur la cuisse, il fixa son ami.

— Isabel est une dame de noble naissance, Rohan. Dans ses veines coule le meilleur sang de Saxe, de Scandinavie et même de Normandie. Tu ferais mieux de la laisser tranquille. Souille-la, et c'est nous tous que tu déshonoreras.

Rohan faillit s'étrangler avec son morceau de viande. Rorick lui flanqua une tape dans le dos. Il prit le temps de boire avant de répondre.

— Et c'est toi qui dis ça ? Un homme qui a défloré plus de pucelles que n'importe qui, depuis la Norvège jusqu'ici en passant par Constantinople ?

— Nous ne sommes pas en train de discuter de mes méfaits, Rohan, mais de la façon d'empêcher qu'un autre se commette ici. Trouve-toi qui tu veux pour assouvir tes besoins, mais laisse dame Isabel intacte.

Ce fut au tour de Rohan d'écraser sa chope sur la table. Sous la violence du choc, elle se brisa.

— J'en ai assez de tes conseils ! Tu n'es pas mon père. Stefan vous donnera les détails de ce qui s'est passé ce soir. Préparez-vous à partir dès l'aube avec plusieurs chariots pour ramener les villageois.

Il se leva avant de s'incliner avec raideur.

— Je vous souhaite une bonne nuit, messires, par cette nuit glacée sur vos paillasses gelées.

Il gravit l'escalier avec colère et pénétra dans sa chambre, dont il claqua la porte. Ce qui eut pour effet de réveiller Isabel.

Les yeux écarquillés, les lèvres rouges entrouvertes, ses longs cheveux dorés flottant autour d'elle, elle offrait une vision à damner tous les saints. Entamant le long processus qui consistait à se débarrasser de son attirail de chevalier, il s'approcha du lit. Il remarqua le tranchoir de nourriture sur une table et le grand chaudron d'eau fumante au-dessus du feu dans la cheminée, ainsi que la pile de linges propres posée non loin. Hugh savait qu'il ne se couchait jamais sans s'être débarrassé de la crasse de la journée.

— Ce n'est que moi, Isabel, rendormez-vous.

Il fronça les sourcils quand elle secoua la tête et se glissa hors du grand lit.

— Il faut que je me change et que je me lave. Je sens encore sur moi cette odeur de mort.

Elle se dirigea vers la porte, avant de se retourner.

— Puis-je aller dans ma chambre ? demanda-t-elle.

Ayant enlevé sa cotte et son haubert, il vint vers elle.

— Je ne suis pas Warner. Je vous accompagne.

Une lueur de colère dansa dans les yeux violets, mais elle se retint de le contredire. Une fois dans sa chambre, elle récupéra quelques vêtements propres.

— J'aimerais bénéficier d'un peu d'intimité pour me baigner et me changer.

— Non, vous avez renoncé à tous vos droits en vous moquant de Warner ce matin. Désormais, vous serez surveillée partout et en permanence.

L'air hautain, elle passa devant lui pour regagner la chambre du seigneur. Comme s'il n'était pas là, elle transféra de l'eau du chaudron dans un petit baquet. Elle y ajouta un peu d'eau froide. Un linge en main, elle se tourna enfin vers Rohan qui la contemplait, silencieux. Malgré sa fatigue et sa chevelure en désordre, elle restait la plus belle femme qu'il ait jamais vue. Cette pensée lui fit plisser les paupières. Oui, mais plus que sa beauté naturelle, c'était son courage qui l'attirait avant tout.

Son regard quitta celui d'Isabel pour descendre lentement vers sa poitrine. Il sourit en la voyant se raidir. Il continua à baisser les yeux vers sa taille, son ventre. Oui, c'était vraiment une belle femme, ses hanches étaient assez larges pour porter plusieurs fils. Il se décida à revenir vers ses yeux, où un regard glacial l'accueillit. Son sourire s'élargit.

— Occupez-vous de vous d'abord, Isabel. J'ai tout mon temps.

Un temps, ne tarda-t-elle pas à découvrir, qu'il comptait passer dans le fauteuil de son père à boire de la bière en la regardant se déshabiller et se laver devant la cheminée. Elle n'avait pas le choix. Il n'y avait ici aucun endroit où elle aurait pu se cacher. Elle se décida donc à faire ce qu'elle avait à faire.

Quand elle approcha le linge mouillé de ses seins, elle ferma les yeux. Ses pointes durcirent, et elle baissa les bras. Rohan marmonna un juron. Jetant sa chope dans le feu, il quitta la pièce en claquant à nouveau la porte derrière lui.

Comme plus tôt sur son cheval, cette réaction la surprit. Pire, avec son départ, elle avait l'impression que toute chaleur avait déserté la chambre. Frissonnant, elle acheva sa toilette, enfila une chemise propre et se glissa sous les fourrures du lit.

Rohan fut satisfait de constater que ses hommes s'étaient couchés. Seules quelques torches restaient allumées et la pénombre régnait dans la grande salle. Il rejoignit Manhku qui dormait près du feu. Aussi agité qu'un loup solitaire, il se mit à faire les cent pas devant l'âtre.

— Bon sang ! gronda-t-il, écrasant son poing dans sa paume ouverte.

Ne savait-elle pas l'effet qu'elle avait sur un homme ? Comment pouvait-elle espérer qu'il resterait assis là, transformé en chaise ? Elle lui avait fait un serment ! Il pouvait jouir de son corps. Elle lui en avait donné la permission.

Alors, pourquoi diable se trouvait-il dans cette salle avec ses hommes, et non dans le lit du seigneur comme c'était son droit ?

D'un air mauvais, il contempla Thorin qui ronflait bruyamment non loin de Manhku. Sa diatribe chevaleresque était tombée dans l'oreille d'un sourd. À la guerre, il n'y a qu'une seule règle : survivre. Sans cela, il aurait péri dans cet infect trou à rats à Viseu.

Décidé, il fit volte-face et gravit l'escalier quatre à quatre pour retourner dans la chambre des tortures.

Il poussa la porte avec plus de force que nécessaire. Ses yeux cherchèrent la jeune femme. Elle avait disparu ! Il faillit pousser un hurlement qui aurait sans doute réveillé le château et même le village, quand il remarqua une infime bosse dans le

164

grand lit. Dieu qu'elle était minuscule : il la distinguait à peine sous les fourrures. Mais ses cheveux dorés formaient une mare de lumière autour d'elle.

Rohan ferma la porte, se débarrassa de ses affaires et effectua une rapide toilette. Avant de se glisser nu auprès de la jeune femme, il ajouta quelques bûches dans le feu. Qui s'embrasa avec une ardeur renouvelée, comme son sexe dressé.

Isabel fournit un vaillant effort pour garder un souffle régulier. Quant aux battements de son cœur, cela faisait longtemps qu'elle ne les maîtrisait plus. Lorsque Rohan était entré dans la chambre, elle avait cru que sa poitrine explosait. Elle avait prié le Ciel pour qu'il ne lui fasse aucune avance. Voilà pourquoi elle feignait de dormir. Elle crut avoir gagné la bataille, car quand il se coucha, il n'esquissa pas le moindre geste vers elle. Il restait allongé, rigide, à l'autre bout du lit. Encore une fois, son comportement la désorientait. Lui répugnait-elle à ce point ?

Elle le sentit bouger, se mettre sur le côté pour l'observer.

— Je sais que tu ne dors pas, Isabel, dit-il doucement.

Serrant les paupières, elle tenta de prolonger sa ruse. Il s'approcha. Maintenant, sa chaleur l'enveloppait. Elle continua à respirer le plus calmement possible. Rohan saisit les fourrures et les baissa, la découvrant.

Il posa la pulpe d'un doigt sous un de ses tétons. Qui se dressa aussitôt. Rohan s'approcha encore. Son souffle caressa son cou.

— Vous ne pouvez échapper à votre propre serment, damoiselle.

Ses lèvres remplacèrent ses doigts. Isabel se raidit et ferma les yeux de toutes ses forces, luttant contre la folle envie de prendre sa tête pour la presser contre sa poitrine.

Les lèvres de Rohan voyagèrent lentement de ses seins lourds à sa gorge. Du bout de la langue, il lécha une veine qui palpitait.

— Qu'est-il arrivé à la provocatrice qui chevauchait avec moi ? chuchota-t-il contre sa peau.

Des frissons délicieux parcouraient chaque centimètre de sa peau. Elle serra les dents... et se mordit la lèvre pour ne pas hurler de plaisir.

— Dis-moi, Isa, où est-elle allée ? ajouta-t-il en lui léchant la lèvre.

Une vague déferla en elle en l'entendant prononcer ce diminutif. Personne, pas même son père, ne l'avait jamais appelée ainsi. Et elle trouvait très belle la façon dont il sonnait, prononcé d'une voix aussi rauque.

— Elle... elle est partie, murmura-t-elle.

— Fais-la revenir.

Isabel secoua la tête, refusant toujours d'ouvrir les yeux.

— Non. Elle ne reviendra jamais.

Il s'écarta. Elle sentit son regard sur elle.

— Pourquoi ?

Cette fois, elle ouvrit les yeux... et retint son souffle. Sa chevelure noire lui tombait sur les épaules. Ses yeux dorés brillaient avec un éclat qui rivalisait avec les flammes dans la cheminée. Dans les ombres dansantes, il ressemblait à un dieu guerrier.

— Elle... Je... Parce qu'elle vous déplaît !

Voilà, elle l'avait dit. Et en l'avouant, elle admettait que lui déplaire la troublait.

Il parut surpris. Ses sourcils se rejoignirent.

— Je ne suis pas sûr de comprendre, Isabel. En dehors de ta langue acerbe, de ton caractère impossible et de ta tendance à me désobéir, il n'y a rien chez toi qui me déplaise.

— Alors, pourquoi m'avoir repoussée ?

Pendant un bref instant, il parut plus perplexe encore puis, fronçant les sourcils, il s'éloigna davantage. Ce qui la ravagea. Du coup, furieuse contre elle-même plus que contre cet homme, elle lui tourna le dos.

— Isabel, dit-il, rien de ce que tu as fait ne m'a déplu. C'était ma propre frustration.

Elle se retourna.

— Vous parlez par énigmes.

Il afficha son sourire arrogant et une corne d'avertissement retentit dans la tête d'Isabel. Il se rapprocha et posa sa main balafrée sur sa hanche.

— Vous êtes mouillée pour moi, dame Isabel.

Elle rougit violemment et voulut se libérer. Il la retint.

— Non, dit-il, vous avez demandé, vous allez donc m'entendre.

Il lui prit la main pour la poser sur son propre torse. Encore une fois, la chaleur de son corps la surprit. La sensation que provoquait l'immense cicatrice ne lui fut pas aussi désagréable qu'elle l'avait craint. Rohan poussa sa paume vers son ventre si plat et dur. Elle frémit quand il la força à descendre encore. Il lui maintenait le poignet dans une étreinte de fer. Lorsqu'elle frôla la tête de son pénis, il laissa échapper un long soupir avant de déclarer d'une voix méconnaissable :

— C'est douloureux, Isa, et s'il existe bien des manières de se libérer de cette douleur, il n'y en a qu'une dont j'ai envie.

Elle scruta son visage.

— Qu'êtes-vous en train de dire ?

Il serra les dents et secoua la tête.

— Je n'arrive pas à croire que vous soyez aussi innocente. Que vous ignoriez à ce point ce qui se passe entre un homme et une femme, Isabel.

Elle arracha sa main.

— Je sais très bien ce qu'un homme désire d'une femme et ce que cela implique. Et si je ne vois pas pourquoi on en fait tout un plat, je sais que les hommes ont tendance à mal se comporter quand une femme agite son derrière sous leur nez.

Rohan roula sur le dos en se mettant la main sur les yeux.

— Pardieu, femme ! Parfois, c'est bien plus que cela.

— Je ne me suis pas jetée à votre cou, messire !

Il baissa la main et la contempla.

— Oh si, vous avez fait cela et bien plus encore.

Elle s'étrangla d'indignation.

— Comment pouvez-vous dire une chose pareille ! C'est un mensonge !

Il sourit.

— Je vous fais réagir, Isabel. Votre corps est prêt pour moi. Il a envie de moi.

— Non !

— Dès que je vous touche, vous réagissez. Vous devenez mouillée. C'est ainsi qu'un homme sait qu'une femme le désire.

À nouveau, le rouge lui monta aux joues. Elle sentit la chaleur se répandre depuis son cou jusqu'à la racine de ses cheveux.

— Rustre !

Elle le frappa. Son poing s'écrasa douloureusement sur les muscles durs de son torse. Il ne parut pas sentir le coup.

Il porta à nouveau la main à ses yeux pour les frotter comme s'ils lui faisaient mal.

— Damoiselle, vous tenteriez saint Michel lui-même avec vos charmes. Je ne suis qu'un simple mortel, et je souffre à chaque fois que je vous touche. Pardonnez-moi si mes actes vous déplaisent.

— Vous me tenez pour responsable de votre propre débauche ? Je ne vous ai pas demandé de venir chez moi pour me traiter comme une vulgaire fille de salle ! Ce n'est pas ma faute si vous êtes incapable de contrôler vos pensées lubriques. Allez donc chercher quelqu'un qui saura les apprécier !

Elle le repoussa.

Il lui saisit le bras et, d'un geste vif comme l'éclair, la bascula sur le dos pour se positionner entre ses cuisses. Elle sentit la masse impressionnante de son membre contre son ventre. La seule barrière qui l'empêchait de la pénétrer était une très mince couche de tissu. Isabel se figea.

Les yeux aux reflets d'ambre brillaient plus que jamais. Et il serrait les mâchoires dans un terrible effort pour se maîtriser.

La jeune femme osait à peine respirer.

— Laissez-moi, murmura-t-elle.

— Impossible, maugréa-t-il d'une voix rauque avant de l'embrasser.

Il était partout autour d'elle, au point qu'elle eut l'impression de se noyer en lui. Ses doigts lui fouillaient les cheveux, la clouant sur l'oreiller. Ses cuisses s'étaient frayé un chemin entre ses jambes.

Quand elle se tordit contre lui dans un nouvel effort pour le repousser, Rohan grogna, et elle crut lui avoir fait mal. Elle recommença et comprit enfin qu'elle ne faisait que l'exciter davantage. Il s'écarta à peine pour arracher sa chemise. Ses seins jaillirent, et il se jeta aussitôt sur un mamelon pour le gober.

La respiration saccadée, Isabel tenta de se maîtriser. Chacun de ses gestes, quel qu'il soit, n'avait pour effet que d'exacerber un peu plus son désir.

Si elle ne bougeait pas, il la prendrait sans coup férir. Si elle résistait, la lutte ne ferait que renforcer sa détermination. Il semblait avoir perdu tout contrôle.

La panique s'empara d'elle. Sous ses baisers enflammés et ses caresses, son corps réagissait et cette humidité dont il avait parlé revenait comme pour la narguer. Oui, son corps était prêt pour lui, même si son cœur ne l'était pas. Son ventre voulait l'accueillir.

Soudain, une nouvelle idée la glaça jusqu'aux os. Et s'il lui donnait un bâtard ?

— Non ! hurla-t-elle de toutes ses forces. Laissez-moi ma virginité !

La bouche de Rohan avala ses cris et elle perçut un contact épais et chaud à l'entrée de sa fente.

— Rohan, je t'en supplie ! s'écria-t-elle, désespérée. Je t'en prie, tu m'as donné ta parole !

Il se raidit et, pendant un long moment, ne bougea plus. Quand il s'écarta d'elle, son regard était aussi vitreux que celui d'un dément. Il secoua la tête tandis qu'il retrouvait lentement sa lucidité. Il haletait comme après une longue course.

Puis il lui toucha doucement la joue.

— Pardonne-moi, Isabel. Je ne sais pas ce qui m'a pris.

Cette excuse formulée si simplement la stupéfia. C'était bien la dernière chose à laquelle elle s'attendait.

Il roula sur le dos et resta ainsi, le regard fixé sur le dais. Isabel réunit les bouts de sa chemise déchirée pour se couvrir tant bien que mal, avant de contempler l'homme qui avait failli la violer. Au lieu de ressentir de la peur et de la colère à son égard, elle était prise d'une folle curiosité. Qui était-il donc ?

— Rohan, quels sont ces démons qui vous poursuivent ?

Sans bouger, il éclata d'un rire cassant.

— Qu'est-ce qui vous fait croire que de tels démons existent ?

Elle tendit la main vers son torse. Sans la regarder, il la saisit, interrompant son geste.

— Cette cicatrice sur votre poitrine, dit-elle avant de tourner lentement sa main dans la sienne pour toucher la balafre sur sa paume. Et toutes ces autres. Dites-moi ce qui vous est arrivé.

Il se tourna légèrement vers elle. Et ce qu'elle vit alors la bouleversa. Ses yeux avaient perdu leur éclat, même les reflets fauves semblaient avoir disparu. On aurait dit des puits sans fond, uniquement habités par une douleur insondable. Cette expression disparut aussi vite qu'elle était apparue. Isabel comprit alors que cet homme avait connu les pires tortures et qu'il avait survécu. Mais comment ressortait-on d'une telle épreuve ? Et avait-il perdu autre chose ? Une femme aimée, par exemple ? Soudain, un élan de jalousie la saisit. Puis elle se souvint qu'il était aussi un bâtard. Ce qui signifiait que son père ne l'avait pas reconnu, mais qu'en était-il de sa mère ? Elle était quand même la tante du Conquérant.

— Avez-vous dû renoncer à une dame chère à votre cœur ? demanda-t-elle d'une voix douce.

Il semblait regarder à travers elle.

— Non.

Le mot était à peine audible.

Elle éprouva soudain l'envie de se rapprocher de lui, mais elle craignait que tout contact ne réveille sa passion.

— Votre mère est-elle encore en vie ?

Il se raidit aussitôt.

Elle reprit la parole avant qu'il ne réponde.

— Pardonnez-moi, Rohan. Ce n'est que de la curiosité. Je ne voulais pas réveiller de vieilles blessures.

Il roula sur le côté, lui présentant son dos.

— Si elle est encore en vie, cela ne me concerne pas.

12

Des cris suivis par des secousses ébranlant l'épais matelas tirèrent Isabel d'un profond sommeil. Le manoir était-il attaqué ? Elle se redressa sous les chaudes fourrures dans l'intention de réveiller Rohan. Mais c'était lui qui braillait ainsi et s'agitait dans son sommeil, les poings serrés le long des flancs, le corps pétrifié comme si un géant invisible le clouait au lit.

La sueur perlait sur son front dans la pièce à nouveau froide. Il avait repoussé les fourrures et gisait nu. Des mots gutturaux prononcés dans une langue qu'elle ne connaissait pas s'échappaient de sa bouche. Les tendons sur son cou saillaient.

— Je te reverrai en enfer, Tariq ! s'écria-t-il en levant les bras devant son visage comme pour se protéger.

Elle posa une main apaisante sur son épaule.

— Rohan...

Il chassa sa main comme si elle était en feu et ouvrit les yeux, la fixant d'un regard égaré.

— Rohan, ce n'est qu'un cauchemar.

Il la saisit par les épaules.

— A'isha ?

Le cœur d'Isabel se serra.

— Non, Rohan. C'est moi, Isabel.

La folie quitta enfin ses yeux. Ses mains se détendirent et il la lâcha, avant de se laisser retomber sur le matelas.

Isabel se glissa hors du lit pour ajouter quelques bûches sur les braises agonisantes, puis elle versa du vin dans une chope. Revenant vers Rohan, elle la lui tendit. Sans un mot, il l'accepta et la but d'un trait. Quand il la lui rendit, il la dévisagea.

— Je vous ai fait du mal ?

— Non. Vous m'avez juste réveillée. Vous criiez et vous vous débattiez.

— D'anciens combats qui resurgissent parfois dans ma tête.

Elle contourna le lit pour se glisser à nouveau sous les fourrures.

— Cela arrive souvent ?

Il se laissa aller contre l'oreiller en fermant les yeux.

— Dieu merci, non.

Rohan se réveilla bien avant le chant du coq. L'envie qui le tenaillait pour la femme allongée contre lui était trop inconfortable pour qu'il continue à dormir. Sa petite main délicate s'était posée sur sa poitrine. Son haleine tiède effleurait sa peau. Serrant les dents, il fixa le dais. Il avait encore eu un de ces cauchemars. Et le fait qu'Isabel en ait été témoin le troublait. Pourtant, elle lui avait apporté un réel réconfort. C'était la première fois qu'il retrouvait le sommeil aussi facilement. Généralement, après un de ces épisodes, il devait se lever et redoutait même de s'endormir la nuit suivante. C'était toujours le même rêve. Il se retrouvait dans cette cellule immonde. Et le cauchemar se terminait toujours par la mort d'A'isha.

Isabel se blottit un peu plus contre lui. Dans la manœuvre, sa main descendit vers son ventre. Rohan se figea. Elle l'avait posée sur son sexe gonflé. Jésus ! Dans un lent mouvement, ses hanches se mirent en mouvement pour savourer ce contact. Elle serra les doigts, et le cœur de Rohan manqua un battement. Décidément, elle le mettait au supplice. Cette nuit, alors qu'ils n'avaient pas connu l'intimité qui peut unir un homme et une femme, il s'était passé quelque chose. Ils avaient franchi une étape ensemble. Et cela l'énervait. Surtout parce qu'il ne comprenait pas très bien cette nouvelle intimité qui n'avait rien de physique. Plus que cela, il craignait que ses hommes ne perçoivent ce lien émotionnel et l'accusent de faiblesse. Avec précaution, il échappa à sa main et se glissa hors du lit. Peut-être ferait-il mieux de retrouver son fiancé afin que celui-ci la reprenne. Mais l'idée de la perdre était difficile à accepter.

Il se tenait nu au centre de la chambre, contemplant la silhouette d'Isabel endormie, sans percevoir le froid qui régnait dans la pièce. Tout en lui était tendu vers cette femme qui sommeillait à un mètre à peine. Cette femme qui ne cessait de le hanter nuit et jour. Cette femme qui, s'il continuait à se comporter de la sorte, provoquerait sa perte.

C'était la guerre. Il ne pouvait se permettre le luxe d'être distrait de son but.

Il secoua la tête. Quand Isabel était-elle devenue son talon d'Achille ? Il l'ignorait, mais il allait désormais lui faire comprendre qu'il n'attendait qu'une chose de sa part : qu'elle se comporte en esclave docile.

Gagnant la cheminée, il y ajouta plusieurs bûches. Au bout du compte, cela vaudrait mieux pour eux deux.

Le matin arriva beaucoup trop tôt pour Isabel. Dès qu'elle se réveilla, elle sut sans même ouvrir les yeux que Rohan n'était plus là. Pendant un long moment, elle ne bougea pas, réfléchissant. C'était un homme complexe qui éveillait en elle des sentiments partagés... et des sensations aussi étranges que délicieuses, malgré le fait qu'il avait failli la violenter. Elle ouvrit les paupières. Le creux dans l'oreiller indiquait l'endroit où sa tête avait reposé. Elle tendit la main. Froid. Mais quand elle s'approcha de l'oreiller, elle respira son odeur, si masculine, si particulière. Et, encore une fois, son corps y réagit aussitôt.

Elle se tourna alors vers le feu qui crépitait joyeusement et elle sourit, savourant sa prévenance. Malgré les épaisses tapisseries au sol et aux murs, il faisait froid à l'intérieur du manoir si on oubliait d'y entretenir les feux.

Isabel se leva et effectua très vite sa toilette matinale sans attendre Enid. Elle était en train de boucler sa ceinture en cuir tressé quand sa servante arriva.

— Tu as trop tardé, Enid, la gronda-t-elle gentiment. J'ai fini.

— Mille pardons, ma dame, mais Astrid avait besoin d'aide aux cuisines. Les Normands sont encore plus affamés que d'ordinaire, ce matin.

— Ils sont encore là ?

— Certains, oui, mais la plupart sont partis chercher les villageois aux marais.

Isabel se demanda si Rohan était de ceux-là. Mais elle se retint de le demander. De toute manière, elle ne tarderait pas à le savoir. Elle trouva la grande salle déserte, mis à part l'Africain qui lui adressa un regard mauvais dès qu'elle se tourna dans sa direction. Quelle brute ingrate. Elle remarqua aussi qu'aucun garde n'était présent. Rohan avait-il déjà perdu tout intérêt pour elle ? Ou bien l'homme désigné pour cette tâche était-il paresseux ? Ou, pire encore, s'imaginait-il qu'il avait désormais barre sur elle ?

Elle haussa les épaules. Peu lui importait. S'emparant d'un bout de pain et de fromage, elle se dirigea vers Manhku qui continuait à la considérer d'un sale œil.

— Tu peux me regarder comme si j'étais responsable de ta blessure, Sarrasin, lui dit-elle en français. Mais si tu ne surveilles pas mieux tes manières, en te réveillant un matin, tu retrouveras ta jambe dans la paille à ton côté.

Il émit un grondement avant de détourner la tête. Elle décida de le laisser patienter un peu avant de le soigner.

Elle venait tout juste de s'asseoir à la grande table lorsque la porte s'ouvrit avec une telle force qu'elle sursauta. Rohan surgit, enveloppé par des tourbillons de brume matinale. Son souffle se transformait en nuage. On aurait dit un dragon. Quand il posa le regard sur elle, elle se tortilla sur son siège. Il fronça les sourcils. Plusieurs de ses hommes entraient derrière lui. Tous armés jusqu'aux dents. Ces Normands étaient ainsi. En dehors de ces quelques fois dans la chambre, elle avait toujours vu Rohan en cotte de mailles.

Elle lui adressa un sourire timide. Sa réaction ne fut, encore une fois, pas du tout celle qu'elle attendait.

— Je vous donne la chambre du maître, j'assouvis vos appétits charnels, et maintenant vous vous prenez pour la reine du domaine qui se lève après tout le monde ?

Isabel avala de travers et faillit s'étouffer. Rorick se tourna, indigné, vers Rohan, tout comme Thorin. Wulfson se figea sur place, bouche bée. Rhys et Stefan secouèrent la tête mais continuèrent à marcher vers la cheminée.

Furieuse et humiliée, Isabel se dressa avec une telle rage que sa chaise tomba à terre. Menton haut, dos raide, elle s'avança vers Rohan, ne s'immobilisant qu'à quelques centimètres de lui.

— Ne me parlez pas des choses que vous m'offrez, cracha-t-elle. Depuis que vous êtes ici, vous n'avez fait que *prendre*. Si je ne vous avais pas rappelé votre serment, je pourrais fort bien en cet instant porter votre enfant…

Elle ajouta de façon que tous l'entendent :

— … Et je vous assure, messire, que cela serait une plaie !

Quelque chose passa dans le regard de Rohan et, en le voyant blêmir, elle sut qu'elle avait été trop loin.

— J'ignore si vous êtes capable de porter un enfant, répliqua-t-il.

Elle le gifla.

— Vous êtes une brute et un rustre. Je ne voudrais même pas de vous pour m'essuyer les pieds.

Elle voulut le frapper à nouveau, mais cette fois il lui saisit le poignet.

— Attention, dame Isabel, personne ne me frappe impunément.

Elle tenta, en vain, de se libérer.

178

— Je ne laisserai personne ternir ma réputation, rétorqua-t-elle, encore moins sous mon propre toit !

— Peu m'importe votre volonté, damoiselle. Vous n'êtes qu'une esclave.

Il ne lui aurait pas fait plus mal s'il l'avait frappée avec son poing. Sidérée, elle chercha sur son visage un signe montrant que ce n'était là qu'une sinistre plaisanterie. Elle n'en trouva aucun.

— Vous êtes cruel, Rohan. Que le Seigneur vous épargne la douleur que vous infligez aux autres.

Se rendant compte qu'il l'avait lâchée, elle tourna les talons pour se diriger vers l'escalier.

— Halte, esclave.

Isabel se raidit, avant de se retourner.

À travers ses larmes, elle vit les hommes de Rohan qui la fixaient, tous avec ce même regard de pierre que leur maître.

— Messire ?

— Vous n'avez pas reçu la permission de partir.

Elle exécuta une révérence.

— Puis-je être autorisée, messire, à m'occuper des affaires du manoir ?

— De la fumée dans la forêt !

C'était la vigie qui venait de donner l'alerte.

Oubliant Isabel, Rohan se rua vers la tour tandis qu'un soldat apparaissait au sommet des marches.

— De la fumée, messire Rohan, noire et dense, à deux lieues vers le sud en direction de Wilshire.

— C'est le hameau de Siward, expliqua Isabel. Les familles qui extraient le calcaire des grottes vivent là-bas. Leurs huttes sont en pierre mais avec des toits de chaume. Ils brûlent facilement.

— Aux armes ! cria Rohan.

Il baissa les yeux vers elle comme pour lui dire quelque chose, mais il plissa les lèvres et fit volte-face pour se ruer dans la cour. Là, Isabel fut surprise de voir Russell tenant les rênes de son grand destrier. Il portait le même équipement que les chevaliers.

Avant de tendre ses armes à Rohan, Russell adressa un rapide sourire à Isabel. En proie à la plus totale confusion, elle vit le regard du jeune écuyer se poser sur la Lame noire avec une expression qui ressemblait fort à de l'adoration. Russell enfourcha ensuite une monture un peu moins imposante que celle de Rohan et se mêla à la horde qui traversa le village dans un bruit de tonnerre.

N'était-ce pas ce même chevalier qui avait failli lui arracher la peau du dos ? Isabel secoua la tête, encore une fois mystifiée par le comportement irrationnel des hommes, et surtout de l'un d'entre eux. Furieuse, elle flanqua un coup de pied dans un caillou et ne réussit qu'à se faire mal. Poussant un juron, elle pivota vers la salle, remarquant que plusieurs soldats la suivaient du regard. Il la faisait donc toujours surveiller. Eh bien, elle fausserait compagnie à ceux-là comme elle l'avait fait avec Warner. Non parce qu'elle devait se rendre quelque part, mais juste pour leur prouver qu'elle en était capable.

Claquant la porte derrière elle, elle se rendit aux cuisines. Les villageois n'allaient pas tarder à arriver avec Ioan et Warner, et ils seraient affamés. Il faudrait aussi les loger. Une fois qu'elle eut distribué les tâches à ses serviteurs, elle revint dans la grande salle. Celle-ci était déserte, à l'exception de l'Africain, bien sûr. La colère s'empara à nouveau d'elle quand elle vit que cet idiot s'était levé en s'aidant d'une lance et tentait de marcher. Le bois pliait sous son poids. Une tache écarlate grossissait sur ses bandages. Exaspérée et cherchant un moyen de se venger de Rohan, Isabel saisit l'occasion qui lui était offerte.

Elle rejoignit l'homme et flanqua un coup de pied dans la lance, lui faisant perdre l'équilibre. Il s'effondra en arrière vers sa paillasse… mais, dans le même temps, son bras jaillit pour la saisir à la gorge. Son étreinte était si puissante qu'elle lui coupa la respiration, ainsi que le hurlement qu'elle avait commencé à pousser.

Pour atténuer sa chute, Manhku fit en sorte de s'écrouler sur le côté, sans cesser de la tenir. Il roula sur elle, une lueur meurtrière dans ses yeux injectés de sang. Sa deuxième main rejoignit la première autour de sa gorge, et il serra. Elle essaya de se débattre, mais c'était peine perdue. Déjà, ses forces déclinaient. Un voile noir tombait devant ses yeux. Elle sentit un bout de bois sous sa paume : la lance ! Elle s'en empara. D'une chiquenaude, Manhku la fit sauter de sa main. Et soudain, il la lâcha et s'écarta. Isabel réussit à se mettre à genoux. Elle resta quelques secondes ainsi, à tousser et à suffoquer. Sa gorge la brûlait et elle avait l'impression que l'air ne passait plus. Les larmes aux yeux, elle s'éloigna à quatre pattes du géant, aussi vite que possible.

Le coin de la table l'arrêta. Craintive, elle releva les yeux et vit le visage de l'homme se métamorphoser : la sauvagerie laissa la place à la plus grande incertitude. Il regardait autour de lui comme s'il venait à peine de comprendre où il se trouvait. Il grimaça en portant la main à sa cuisse, qui se couvrit de sang frais. Il marmonna quelque chose dans sa langue, puis il la regarda.

Pendant un long moment, il se contenta de la fixer. Puis il accomplit un geste des plus étranges : il lui tendit la main. Isabel secoua la tête et recula, toujours à quatre pattes, sous la table.

Elle n'osait toucher sa gorge. Elle essaya de déglutir, mais elle eut l'impression d'avaler des échardes. Les yeux de Manhku se plissèrent dangereusement. Il ramassa la lance. Malgré la douleur, il réussit à se mettre debout. Sa béquille improvisée tremblait, la sueur lui couvrait le visage, mais il ne tomba pas. Elle recula encore sous la table.

Lentement, péniblement, il se traîna vers elle. Quand elle osa enfin croiser son regard, sa panique se dissipa. Malgré une douleur qui devait être abominable, il continuait à avancer. Elle l'avait humilié en le mettant à terre. Et plus encore maintenant, en étant témoin de ses pitoyables efforts pour marcher. Oui, elle, une faible femme, avait couvert ce guerrier de honte.

La lance pliant sous son poids, Manhku se pencha vers elle pour lui offrir une nouvelle fois sa main. Isabel scruta son visage. En silence, les yeux de l'Africain insistèrent. Elle se décida à l'accepter, glissant la sienne, minuscule, dans cette énorme paluche. Il la mit debout sans le moindre effort.

Gentiment, il l'accompagna jusqu'au banc, avant de retourner toujours aussi péniblement vers sa paillasse. Il lui fallut s'y reprendre à plusieurs fois pour s'asseoir sans tomber. Elle voulut se précipiter pour l'aider, mais fut aussitôt repoussée d'un grognement.

Il se débrouillerait seul.

Elle attendit.

Quand il fut enfin allongé, elle alla chercher tout ce dont elle avait besoin pour refaire son bandage.

À son retour plusieurs minutes plus tard, avec un panier rempli de linges et d'herbes, il lui lança un regard sévère qu'elle lui rendit. S'éclaircissant la gorge qui commençait à peine à être moins douloureuse, elle s'agenouilla près de lui.

— J'aurais encore plus peur de toi si tu étais un mendiant avec une seule jambe. Maintenant, laisse-moi te soigner.

Manhku acquiesça. Il poussa un long soupir, et elle put se mettre au travail. Sans trop de ménagement, elle nettoya sa blessure et la pansa. En dépit de ce qu'il venait de s'infliger, les progrès étaient satisfaisants. Il lui faudrait des mois avant de récupérer l'usage entier de sa jambe, mais il guérirait. Comme, penchée sur lui, elle achevait de nouer le dernier bout de bandage, il tendit le doigt vers sa gorge.

— Mal ? demanda-t-il en français.

Soudain, les larmes piquèrent les yeux d'Isabel. Elle ne s'attendait pas à cette sollicitude, surtout après la cruauté dont avait fait preuve Rohan à son égard. À vrai dire, elle n'était préparée à rien de tout cela, au sort que ces hommes leur infligeaient, à ses gens et à elle. Ne maîtrisant plus le cours de sa propre existence, elle était soumise aux caprices d'étrangers aux mœurs incompréhensibles.

— Non. Il faudrait quelqu'un de beaucoup plus fort pour me faire mal.

Manhku sourit. Un son très grave monta dans sa poitrine et elle mit quelques secondes à comprendre qu'il s'agissait d'un rire.

— Bien, dit-il avant de se laisser aller sur la paillasse et de fermer les yeux.

Elle se redressa et le contempla un instant. Puis, se disant qu'elle était parfaitement idiote, elle le couvrit avec son manteau. Quelle femme était-elle donc pour choyer ainsi son ennemi ?

C'est alors que la vigie annonça l'approche de cavaliers.

Le cœur battant, elle sortit dans la cour.

13

Quand ils arrivèrent au petit hameau de Siward, Rohan fut pris d'une envie de vomir. D'abord, en raison de la puanteur : celle, trop familière, de chairs carbonisées. Depuis que le Sarrasin avait imprimé cette marque sur sa peau, cette odeur s'était elle aussi comme gravée en lui.

Il immobilisa sa monture. Un empilement de corps nus et démembrés brûlait sur un gros tas de chaume. Apeuré, Mordred hennit et piaffa. Malgré les craquements du sinistre bûcher, Rohan entendit Hugh et le petit Russell rendre leur repas. Il ne leur fit aucun reproche : de toute manière, ils arrivaient trop tard, il n'y avait plus personne à sauver.

Il fit avancer son cheval. Des bras et des jambes émergeaient des flammes et de la fumée, ainsi que des torses tranchés aux entrailles apparentes qui crépitaient dans le feu. Mais pas de tête. Aucune. Elles avaient disparu. Rohan détourna le regard pour scruter les alentours. Des vautours tournoyaient dans le ciel non loin. Il dépassa l'immonde bûcher pour se diriger, au-delà des quelques huttes, vers un bâtiment plus grand qui devait être l'étable.

Les poils sur l'encolure de Mordred se dressèrent. Ils venaient de trouver les têtes : plantées sur une vingtaine de piques. Des hommes, des femmes et des enfants, dont les yeux arrachés et les nez tranchés jonchaient le sol.

Une terrible fureur le saisit. Il fit volte-face. Thorin et les autres étaient descendus de selle.

— Voyez s'il y a des survivants dans les huttes.

Tout en donnant cet ordre, Rohan savait qu'il était inutile. Pendant un long moment, il resta en selle au milieu du hameau à scruter la forêt. Les pleutres étaient partis depuis longtemps. Il le sentait dans ses os. Ils n'étaient pas encore débarrassés de cette vermine.

Il se mit à parcourir lentement la zone dévastée, cherchant des indices pouvant révéler l'identité des coupables. Ils n'étaient pas venus à pied. De nombreuses traces de sabots s'étaient imprimées dans le sol meuble. Leur taille trahissait des destriers. Et les seuls qu'il connaissait dans la région appartenaient à des chevaliers. Saxons et Vikings combattaient surtout à pied.

Un soupçon le saisit. Un Normand était-il responsable de ce massacre ?

— Regarde, dit-il à Thorin qui l'avait rejoint en montrant les marques de sabots. Ils sont aussi gros que ceux de Mordred.

— Oui, et il y en a d'autres de l'autre côté.

— Des Normands ?

— Peut-être. Ou alors des chevaliers saxons. Il y en avait beaucoup à Senlac. Certains ont peut-être réussi à s'en sortir.

Rohan acquiesça. Son ami disait vrai. Si la cavalerie saxonne n'était guère renommée, elle existait néanmoins. Soudain, une idée lui traversa l'esprit.

— Et si c'était un avertissement lancé par le promis de la dame ?

— Possible. Il ne reste plus rien de valeur ici. Il est clair que ces couards cherchaient plus à détruire qu'à piller.

— Oui, le responsable de cette ignominie devait être enragé.

— Et qui serait plus furieux que celui dont la fiancée a été humiliée en public ? demanda Wulfson.

Rohan se tourna vers son ami en fronçant les sourcils. Thorin soutint son regard, attendant sa réponse.

— Elle est toujours pucelle !

La force avec laquelle il avait prononcé cette phrase fit que tous les autres qui s'étaient éparpillés dans le hameau s'immobilisèrent et se tournèrent vers lui.

— Tu dis peut-être vrai, Rohan, mais nul n'ignore qu'elle dort dans ton lit. Prépare-toi à payer le prix d'un tel péché.

— Elle est mon esclave. Il n'y a ni péché ni prix à payer, gronda-t-il. Assez discuté de cela !

Faisant volter son destrier, il ordonna aux écuyers :

— Descendez les têtes et brûlez-les !

Russell vomit de plus belle et Hugh parut sur le point de l'imiter. Rohan ricana de leur faiblesse.

— La guerre est une affaire d'hommes. Si vous n'en avez pas les tripes, peut-être vaudrait-il mieux apprendre la broderie et vous contenter de la compagnie des femmes.

Furieux, il retourna aux abords du hameau et scruta le sol, jusqu'à ce qu'il trouve la piste qu'il cherchait.

— En selle. Avec un peu de chance, nous pourrons retrouver ces scélérats.

Il n'attendit pas le bon plaisir de ses compagnons et se lança au galop sur l'étroit sentier, bien décidé à apaiser sa rage en plongeant sa lame dans la gorge de l'ennemi.

Isabel courut jusqu'au mur d'enceinte pour voir Ioan et Warner guider les villageois qui revenaient du marais. Ceux qui pouvaient marcher se traînaient derrière les chariots sur lesquels étaient chargés les blessés. Elle fit signe aux deux chevaliers de se diriger vers une grande hutte abandonnée qui servirait d'hôpital de fortune. Quelques minutes plus tard, elle auscultait ceux qu'elle avait soignés la veille. À de rares exceptions, tous se portaient mieux.

Enid, Lyn, Mari et Sarah trouvèrent de la place pour les gens venus de Wilshire. Ceux-là, découvrant un environnement inconnu, étaient encore plus abattus. La plupart d'entre eux n'avaient jamais quitté leur village et très peu s'étaient déjà aventurés jusqu'à Alethorpe. Wilshire était un des plus petits domaines de son père, mais le manoir était solide et la terre riche de minerais. Les forêts alentour regorgeaient de gibier. Elles avaient été l'un des terrains de chasse préférés des rois Édouard et Harold.

Quand la cour royale s'arrêtait à Rossmoor, c'était toujours un moment pénible. Les préparatifs étaient innombrables et les courtisans exigeants. Pourtant, son père ne protestait jamais devant le coût de telles visites. Il piochait sans compter dans son trésor et se montrait toujours le plus gracieux des hôtes. La dernière visite de Harold remontait à juillet. Elle avait été brève et n'avait pas eu pour objet de profiter des plaisirs de la chasse. Harold était venu chez son plus loyal féal, Alefric, pour lever des fonds et accroître son armée. Son père ne l'avait pas déçu. Il avait envoyé près de trois cents hommes avec Geoff à la bataille de Stamford Bridge contre les Vikings, et cent autres l'avaient suivi à celle de Senlac Hill contre le Conquérant. Que seule une poignée d'entre eux fût revenue, sans pouvoir lui donner de nouvelles des siens, mettait Isabel au supplice. Chaque jour qui passait, elle perdait un peu plus l'espoir de revoir son père ou son frère.

Elle reprit sa tâche jusqu'à ce que tous les blessés aient reçu des soins et toutes les familles de Wilshire un abri et de la nourriture. Il y avait un bon nombre d'artisans, et les femmes pourraient lui être utiles au manoir. Mais elle préféra attendre avant de les mettre au travail. En état de choc, égarés, ces gens erraient ici et là comme s'ils marchaient à travers la brume. Ils avaient besoin de temps pour retrouver leurs esprits.

Comme elle n'avait plus aucune blessure à soigner, elle se glissa dans la chapelle.

Elle sourit en remarquant que de nouveaux cierges avaient été allumés. En ce lieu consacré où elle avait toujours trouvé du réconfort, ses muscles fatigués se détendaient. Après s'être signée, elle s'agenouilla et, fermant les yeux, entama une prière silencieuse pour demander un prêtre. Elle pria ensuite pour son père et son frère, puis elle pria pour toute l'Angleterre. Alors qu'elle était sur le point de dire amen, elle pria même pour l'âme noire de Rohan du Luc.

Elle allumait des cierges quand elle entendit la vigie annoncer l'approche d'autres cavaliers. Elle gagna la porte de la chapelle. Son cœur manqua un battement.

Henri !

Il chevauchait droit vers elle. Isabel fit volte-face et regagna la chapelle. S'agenouillant à nouveau, elle se signa plusieurs fois. Il n'oserait pas s'en prendre à elle dans la maison de Dieu.

La porte s'ouvrit avec violence, allant cogner contre la paroi. Elle sursauta et se retourna vers l'homme qui ressemblait tant à Rohan. À la différence que son visage était vierge de toute cicatrice. Lorsqu'il retira son casque et repoussa son capuchon, elle découvrit qu'il avait les cheveux coupés court à la manière des Normands. Ses yeux, plus sombres que ceux de Rohan, brillaient. Mais cet éclat avait quelque chose de glacé.

— Messire, dit-elle dans un souffle, feignant la surprise et avec un calme qu'elle était loin de ressentir, je ne m'attendais pas à vous revoir si tôt. Rohan a dû sortir, mais son retour est imminent.

Il lui prit la main, qu'il porta à ses lèvres. Isabel ne put s'empêcher de trembler. Pas d'excitation comme avec son frère, mais de peur.

— Je ne suis pas ici pour voir mon bâtard de frère, dame Isabel. Mais pour vous. Je ne pouvais plus attendre. Votre beauté hante mes rêves.

Elle tenta de libérer sa main mais il l'en empêcha, avant de l'attirer lentement vers lui. Il sentait la sueur de cheval, le cuir et la bière, mais aussi – en tout cas, elle le crut – la mort. Cette fois, elle lui arracha sa main et recula, mettant un banc de prière entre eux.

— Allons droit au but, déclara-t-elle. Dites-moi ce que vous désirez et s'il est en mon pouvoir de vous le donner, ce sera fait.

Il sourit. Ses dents étaient aussi blanches et régulières que celles de son frère.

— C'est très simple. Je vous veux, vous, répliqua-
t-il doucement.

Et comme elle secouait la tête, il ajouta :

— Oui, Isabel. Je vous veux, et tout de suite. Venez,
nous n'avons pas beaucoup de temps.

N'en croyant pas ses oreilles, elle secoua à nouveau
la tête.

Il enjamba le banc avec une telle rapidité qu'elle
poussa un cri. La saisissant par la taille, il l'attira
contre son torse couvert de mailles d'acier. Elle
ouvrit la bouche pour hurler, mais il l'embrassa. Elle
détourna le visage, luttant de toutes ses forces. Il
ricana avant de la prendre par les cheveux et de tirer
fort en arrière. La douleur fut si violente qu'elle en
eut les larmes aux yeux. Avec un plaisir évident, il lui
tordit les bras dans le dos, lui emprisonnant les poignets d'une seule main. De l'autre, il se mit à lui
pétrir les seins. Isabel hurla et écrasa son talon sur
son pied. Elle poussa un nouveau cri de douleur. Il
portait ses bottes en fer.

Cette pitoyable tentative le fit rire. Glissant un genou
entre ses cuisses, il remonta ses jupes.

— Sacrilège ! s'écria-t-elle. Nous sommes dans la
maison de Dieu.

— Le vôtre, damoiselle, pas le mien.

Il l'entraîna vers l'autel, dont il repoussa tous les
ornements d'un revers de bras. Il la hissa sur la table
de pierre. Elle roula sur le côté et implora en silence
le Seigneur de lui pardonner tandis qu'elle s'emparait de la coupe utilisée pour la communion. Henri la
tira sans ménagement et, profitant de cet élan, elle
lui écrasa le lourd objet de métal sur le visage de
toutes ses forces. Il rugit de douleur. Son étreinte se
relâcha, et cela lui suffit. Elle lui échappa et courut
vers la porte.

— Chienne ! s'écria-t-il.

Isabel traversa la cour à toutes jambes, mais au lieu de se réfugier au manoir où il pourrait la piéger, elle courut vers le village. Plusieurs des hommes d'Henri la regardaient foncer vers eux.

— Saisissez-vous d'elle ! hurla celui-ci derrière elle.

Isabel était vive sur ses pieds, contrairement à ces soudards encombrés par leurs cottes de mailles. Elle évita les deux premiers qui se heurtèrent l'un l'autre. En d'autres circonstances, elle aurait trouvé amusant d'entendre leurs ferrailles se cogner ainsi. Elle continua sa course vers le mur d'enceinte. Toutes les personnes présentes dans la cour la regardaient à présent. Quand la vigie annonça l'approche de nouveaux cavaliers, elle accéléra encore l'allure. Elle n'osait espérer des secours. Il s'agissait peut-être d'hommes d'Henri.

Dans sa fuite éperdue, elle entendit des jurons saxons derrière elle. Seigneur Dieu, ses gens combattaient ceux d'Henri ! Ils n'avaient aucune chance. Mais elle ne pouvait les aider. Il fallait qu'elle attire Henri et ses sbires le plus loin possible.

En arrivant au sommet d'une petite pente, elle osa jeter un regard en arrière. Elle hurla. Même vêtu de son pesant haubert, Henri se trouvait tout près derrière elle. Plus loin, plusieurs villageois entouraient deux de ses hommes. Deux autres étaient parvenus à suivre leur maître.

Isabel descendit la colline en zigzag. La ligne des arbres de la forêt était toute proche. Si elle parvenait à l'atteindre… Juste au moment où elle crut y arriver, elle trébucha sur une racine. Perdant l'équilibre, elle tomba lourdement et roula à terre. Elle voulut se remettre aussitôt debout, mais n'en eut pas le temps :

le Normand l'écrasa de tout son poids. Le choc fut si violent qu'un voile noir descendit devant ses yeux. Elle sentit qu'il la retournait. Le voile se dissipa pour révéler le rictus ricanant d'Henri au-dessus d'elle.

— Tu sais courir, Isabel. Une vraie biche, dit-il en empoignant ses cheveux pour la forcer à lever le visage vers lui. Je vais donc te prendre ici, dans les bois, comme un cerf.

La tenant toujours par les cheveux, il se releva pour la traîner vers les arbres. Dès qu'ils furent à couvert, et tout en continuant à la tenir d'une seule main, il ouvrit son haut-de-chausses. Elle ferma les yeux pour ne pas voir ce qui en surgit. Il la jeta à terre.

— Quel plaisir de posséder ce que mon bâtard de frère croyait sien, dit-il en tombant à genoux.

Soudain, il la retourna violemment avec l'intention claire de la prendre par-derrière ! Saisissant les pans de sa jupe, il les souleva, exposant ses fesses.

— Et quel plaisir de te prendre la vie, Henri, dit la voix de Rohan.

Isabel poussa un cri et roula sur le sol pour s'échapper. Vif comme l'éclair, Henri roula avec elle et posa sa dague sur son cou.

— Oui, mais à quel prix, frère ?

Rohan descendit de selle. Il n'était pas seul. Ses chevaliers l'accompagnaient. Tous avaient encoché une flèche et visaient Henri avec leur arc. Ils offraient une vision assez effrayante.

Les hommes d'Henri qui avaient participé à la poursuite se tenaient prudemment en retrait.

— Fais-lui le moindre mal et tu le paieras de ta vie, annonça calmement Rohan.

— C'est aussi simple que ça ? répliqua Henri.

— Oui.

— Guillaume se moque bien de la vie d'une esclave saxonne. Mais de celle du fils d'une des plus illustres familles de Normandie ? Je n'ose imaginer le châtiment qu'il t'infligerait, Rohan.

Celui-ci dégaina son épée et la pointa vers la poitrine de son frère.

— Si tu as envie d'en avoir le cœur net, je suis à ta disposition.

Henri pressa un peu plus la pointe de la dague sur la peau d'Isabel. Il éclata de rire.

— Regarde sa gorge, Rohan. Vois ces marques. Il est clair que la dame apprécie les jeux un peu rudes.

Rohan plissa les yeux. Henri rit de plus belle.

— Elle t'a pris pour un idiot. Quand je l'ai surprise dans la chapelle, elle priait son dieu pour le pardon de ses actes honteux.

— Mensonge ! hurla-t-elle.

Elle croisa le regard de Rohan. Et elle y vit un doute. Pensait-il qu'elle... ?

— Oui, ajouta Henri, elle rencontre son promis non loin d'ici. Elle n'est pas pucelle, frère. Tu as été cocufié ! s'exclama-t-il en la jetant vers Rohan. Prends-la, je n'ai aucun désir de passer après je ne sais combien d'autres.

Isabel atterrit aux pieds de Rohan. Elle se releva d'un bond pour se précipiter sur Henri qui, déjà, lui tournait le dos. Elle se mit à marteler sa cotte de mailles.

— Menteur !

Il pivota, le bras levé pour la frapper. Il n'en eut pas le temps : Rohan lui saisit le poignet.

— Je te le répète, et ce sera la dernière fois : touche-la et tu meurs.

Henri afficha un vilain sourire.

— Je n'aurais jamais cru voir le jour où tu placerais une femme au-dessus des liens du sang, frère. Qu'elle crache le bâtard du Saxon avant de cracher le tien.

Il contourna Rohan pour quitter les lieux, mais s'immobilisa soudain.

— J'étais venu te prévenir, Rohan, il y a des maraudeurs dans la région. Une attaque a eu lieu hier soir tout près de Dunsworth. Ces vermines semblent de la pire espèce. Ils ont massacré mes gens au point de rendre leurs cadavres méconnaissables.

Rohan fixait son frère.

— Oui, j'ouvrirai l'œil. Mais si tu devais les rencontrer avant moi, transmets-leur ce message de ma part...

Il s'approcha d'Henri.

— Quand je les retrouverai, je les brûlerai vifs.

Les lèvres d'Henri se retroussèrent dans un sourire sadique.

— Je paierais cher pour voir ça.

— Il se pourrait même que tu n'aies aucun besoin de payer, répliqua Rohan.

Quelque chose passa dans les yeux d'Henri, et Isabel aurait juré que c'était de la peur. Si elle ne comprenait pas à quoi Rohan faisait allusion, ce n'était apparemment pas le cas de son frère.

Celui-ci fit mine de vouloir répondre, avant de se raviser. Il repartit vers ses hommes qui avaient amené sa monture.

Rohan se tourna alors vers Isabel. Rengainant son épée, il la fixa avec un regard dur, comme pour évaluer la vérité des accusations d'Henri.

Elle fut prise de tremblements.

— Qui a fait ces marques ?

Elle soutint son regard. Quelle punition infligerait-il à Manhku s'il apprenait qu'il l'avait attaquée ? Elle n'aurait pas dû s'en soucier. Ils étaient tous ses ennemis. Qu'ils s'entre-tuent, si tel était leur bon plaisir. Mais elle ne parvenait pas à se résoudre à dénoncer l'Africain. Elle en avait assez de la mort et du sang.

— La journée a été longue et fatigante. Je ne sais pas.

Rohan la saisit par la gorge et serra. Il portait encore son gantelet. La pression était douloureuse. Des larmes jaillirent.

— Vous mentez, dit-il, avant de la relâcher. Et je n'apprécie pas les menteurs.

Il lui tourna le dos pour s'adresser aux villageois qui s'étaient rassemblés à bonne distance derrière ses hommes.

— Occupez-vous de votre dame, ordonna-t-il, avant de sauter en selle pour gagner le manoir au galop.

14

La fatigue prit le dessus, aussi bien sur son esprit que sur son corps. Alors que plusieurs femmes du village la raccompagnaient, Isabel se rendit compte que pour la première fois depuis la mort de sa mère, six ans auparavant, ce n'était pas elle qui veillait sur les besoins des autres.

Jamais elle ne s'était plainte auprès de son père ou de son frère, mais s'ils avaient eu tout le loisir de faire leur deuil, cela n'avait pas été le cas pour elle. Elle avait dû assumer le rôle de dame du manoir alors que le corps de sa mère n'était pas encore froid. Et elle n'en éprouvait ni regret ni ressentiment. C'était ce qu'il fallait faire. Sinon, Alethorpe et ses gens en auraient grandement souffert, car après le décès de sa femme, Alefric était devenu amer et colérique, et elle était la seule capable de l'adoucir. Donc, pour le salut de tous ceux qui dépendaient du bon vouloir du seigneur, elle avait mis ses propres émotions de côté. Il lui suffisait d'en faire autant aujourd'hui... et elle le ferait, à condition qu'on veuille bien lui laisser un bref instant de tranquillité.

Dès qu'elle pénétra dans la grande salle, elle fut accueillie par le regard de Rohan qui la fixait depuis l'autre bout de la pièce. Non, se dit-elle, elle ne bénéficierait pas du moindre répit. Levant le menton, elle resta impassible. Qu'il pense ce qu'il veut. Dans son cœur, elle connaissait la vérité et cela lui suffisait.

Il continua à la suivre du regard tandis qu'elle s'engageait dans l'escalier. Ses hommes, silencieux, l'observaient eux aussi, comme pour évaluer la véracité des accusations d'Henri. Elle réprima une folle envie de leur crier à tous d'aller au diable.

Percevant sa détresse, Enid la prit par le coude. Au lieu de la chambre du seigneur, elle préféra conduire Isabel vers ses propres appartements.

Dès qu'elle eut verrouillé la porte derrière elles, elle s'exclama :

— Ces Normands sont des porcs !

Isabel se laissa tomber sur le petit banc placé au pied du lit.

— Je vais vous préparer un bain, ma dame. Pour vous débarrasser de la puanteur du frère du bâtard.

Quelque peu hébétée, Isabel se laissa déshabiller.

— Ces vêtements sont souillés, grommela Enid avant d'en faire un tas qu'elle jeta dans le feu.

Elle enveloppa Isabel dans un épais tissu et l'installa de son mieux contre des coussins.

— Reposez-vous, milady, pendant que je prépare votre bain.

Isabel lui obéit. Dès qu'elle ferma les yeux, la douleur à son cou lui rappela les épreuves de la journée. À vrai dire, elle songeait moins à l'agression d'Henri qu'au regard de Rohan après les accusations de son frère, comme si elle n'était pas digne de nettoyer son pot de chambre. Croyait-il vraiment Henri ?

Comment pouvait-il le croire ? Il savait à quel point elle tenait à sa vertu.

Un violent sanglot l'ébranla et, malgré tous ses efforts, elle fut incapable de retenir ses larmes.

Rohan voulait qu'on le laisse seul. Ses hommes, ayant senti son humeur morose, s'étaient tous retirés vers l'autre bout de la salle. Oui, il voulait être seul. Il voulait aussi étriper son frère qui avait touché Isabel mais, plus encore, il voulait arracher la vérité à cette femme. Pourtant, il n'en faisait rien et restait planté là à ingurgiter de la bière. Il en était à sa quatrième chope.

Encore une fois, sa fierté livrait un terrible combat contre des sentiments qu'il ne comprenait pas. Quand Henri avait soulevé les jupes d'Isabel, une rage inexplicable s'était emparée de lui. Il ne voulait pas que ses hommes ou quiconque voient le corps dévoilé d'Isabel. Et maintenant, les mots de son frère ne cessaient de le hanter. Avait-il menti ? Isabel avait-elle rencontré son fiancé ? Attendait-elle un enfant ?

L'idée qu'elle ait pu coucher avec un autre le mettait hors de lui. Mais il n'y croyait pas. Au fond de lui, il savait qu'elle n'avait pas de son plein gré abandonné sa vertu, qu'elle n'était pas enceinte. D'ailleurs, elle n'avait cessé d'être surveillée.

Sauf hier, se dit-il, le cœur glacé. Qu'avait-elle fait de tout son temps dans la forêt ? Elle y était restée jusqu'à la tombée de la nuit. Ce qui lui avait amplement laissé le loisir de retrouver Arlys. Elle avait sans mal échappé à Warner. Ce manoir possédait-il un passage secret quelque part ? Oui, c'était plausible. Et si c'était de cette façon qu'ils se rencontraient ?

Il serrait sa chope si fort que ses phalanges blêmissaient. Et ces marques sur son cou ? Elles étaient très récentes, mais nul ici n'oserait la toucher. Alors, qui ? Comment étaient-elles arrivées là ? Isabel appréciait-elle la rudesse, comme Henri le suggérait ? Certaines femmes étaient ainsi. Il en avait même connu quelques-unes. Donc, oui, il était possible que ces vilaines traces aient été infligées dans les élans de la passion.

Il en aurait le cœur net ! Il jeta sa chope dans le feu et grimpa dans sa chambre. Quand il y pénétra pour la découvrir froide et vide, sa colère ne fit que croître.

Il ressortit en claquant la porte. À l'autre bout du couloir, il aperçut Enid qui portait deux grands seaux d'eau fumante. Il la rejoignit, la poussa et se rua dans les appartements d'Isabel. Il se figea sur place quand il aperçut sa petite silhouette recroquevillée sur un banc couvert de coussins. Il s'approcha. Des larmes avaient laissé des traînées luisantes sur ses joues.

Il sentit alors quelque chose remuer en lui. Quelque chose de si profond que cela le terrifia. Il n'avait aucun mot pour expliquer ce que c'était, ou ce que cela signifiait. Il savait juste qu'il y avait plus de courage chez cette femme endormie devant lui que chez dix chevaliers de Guillaume.

Elle toussa dans son sommeil, et tout son corps frémit. Il s'approcha encore. Le tissu glissa sur ses épaules avant d'être arrêté par le renflement de son sein.

Bon sang, qu'elle était belle. Elle bougea encore, à peine, mais cela suffit pour que l'épais voile de ses cheveux retombe en arrière et dévoile sa gorge. Les marques bleuâtres apparurent. Il se sentit idiot.

Il s'accroupit devant elle. Effleurant son cou blessé du bout des doigts, il s'émerveilla malgré tout de sa douceur. Incapable de s'arrêter, il continua vers la blancheur crémeuse de sa poitrine. Il vit la chair de poule apparaître et son téton se dresser sous le tissu. Soudain, ses doutes revinrent, et la colère avec eux. Il serra les dents. Il avait envie de la secouer jusqu'à ce qu'elle lui avoue la vérité. Il voulait relever ces jupes et pénétrer ce corps afin de s'assurer qu'il était intact. Il préféra s'éloigner. Oui, il allait la prendre et enfin être certain. Et il montrerait les draps tachés de sang à tout le comté afin qu'on sache qu'*il* l'avait prise. Pas son fiancé, et encore moins son maudit frère.

Il fit volte-face et faillit renverser Enid. Qu'ils aillent tous au diable ! Après tout, quelle importance si un autre l'avait déjà eue ? Ce n'était qu'une femme...

N'ayant aucune envie de traîner dans la grande salle, Rohan alla s'occuper l'esprit et les mains aux écuries. Tandis qu'il brossait les flancs de Mordred, il contemplait la paille autour de lui. Ce serait plus confortable de dormir ici qu'auprès de la douce damoiselle. Tant qu'à faire, il prendrait aussi ses repas ici. Il était temps de se concentrer sur les tâches qu'il devait accomplir au nom de Guillaume. D'un jour à l'autre, son suzerain ferait appel à lui. Cette pensée en suscita aussitôt une autre : il n'avait aucune envie d'abandonner Isabel. C'était plus fort que lui, il s'inquiétait pour elle. Et si Henri décidait de revenir ?

Jetant la brosse dans un seau, il s'empara d'un racloir à sabots et entreprit d'ôter la boue coincée dans ceux de Mordred. Tandis qu'il coinçait une de ses pattes entre ses jambes, le grand cheval noir tourna la tête et lui lécha le cou.

— Oui, Mordred, tu as de la chance d'être une bête. Tu n'as pas à te soucier des femmes et de leurs mystères. Tu ignores ta chance.

Le cheval hennit. Rohan prit cela pour une approbation.

— Donc, la femme est un mystère pour toi ? demanda Thorin, debout à l'entrée de la stalle.

— Je parlais à Mordred.

— Je n'ai pas pu faire autrement que de vous entendre, ton animal et toi. À vrai dire, Thorvald et moi avions une conversation semblable.

Rohan libéra la patte du destrier et jeta le racloir dans le seau.

— Ah ? Et quel conseil ton cheval t'a-t-il donné ?

— Il est aussi désorienté que nous le sommes. Je n'ai pas la moindre idée de ce qui anime les femmes. Pourquoi elles agissent comme elles le font. Alors j'ai décidé de ne plus y penser.

Rohan s'essuya les mains sur le tablier de cuir qu'il avait revêtu.

— C'est sage.

— Rohan ! appela Wulfson à l'entrée des écuries. Le repas du soir nous attend. Remue-toi. Je meurs de faim !

— Depuis quand te charges-tu du travail d'un page ? répondit Thorin.

— Depuis qu'ils sont rares et redoutent les humeurs du Normand. Venez, allons souper.

— Non, dit Rohan. Je n'ai aucune envie de manger ce soir. Allez-y sans moi.

Wulfson vint rejoindre ses amis. Une lueur espiègle dansait dans ses yeux verts.

— Je dois admettre, Rohan, que les paroles d'Henri aujourd'hui m'ont fait réfléchir.

Il leva la main pour l'empêcher de l'interrompre.

— Laisse-moi parler. Comme je l'ai dit, Henri a été habile, mais tu as bien vu son piège, n'est-ce pas ?

Rohan fronça les sourcils.

Wulfson sourit.

— Allons, mon ami, tu ne peux être aussi aveugle, surtout quand il s'agit de ton frère. Ses accusations n'étaient qu'une piteuse diversion. En accusant la fille, il a évité qu'on ne l'accuse, lui, de son forfait.

— Je... commença Rohan.

— Je n'ai pas terminé. Au bout du compte, que nous importe que la femme soit encore ou non pucelle ? Elle n'est qu'une étape, un pion dans notre jeu, n'est-ce pas ? Prends-la si tu y tiens tant, et qu'on en finisse. J'en ai assez de ton humeur morose.

— J'ai donné ma parole, Wulf, dit Rohan.

— Oui, tu l'as donnée, mais à la condition qu'elle soit pucelle. La seule façon de t'en assurer, c'est de voir les taches de sang par toi-même.

Thorin gratifia Rohan d'une solide claque dans le dos.

— Wulfson n'a pas tort, Rohan. Ton serment était basé sur la croyance qu'elle était vierge. Si elle ne l'est pas, il n'y a plus de serment qui tienne. D'ailleurs, après elle, tu pourras en avoir des dizaines d'autres. Alors, prends-la et peut-être qu'après cela, nous aurons la paix.

Avant de poursuivre, Thorin adressa un clin d'œil à Wulfson.

— Oui, profite bien d'elle, Rohan, que nous puissions la goûter à notre tour. D'après ce que j'ai vu aujourd'hui, c'est très égoïste de ta part de ne pas la partager.

— Ha ! s'exclama Wulfson en flanquant à son tour une claque sur le dos de Rohan. On a toujours partagé. Pourquoi garderais-tu celle-ci pour toi seul ?

Un inexplicable sentiment de jalousie saisit Rohan. C'était la vérité : si la damoiselle en exprimait le désir, ils s'étaient plus d'une fois passé la coupe, pour ainsi dire. Cela n'avait jamais été un problème. Alors, pourquoi cela l'était-il aujourd'hui ?

— Ce n'est qu'une femme parmi d'autres, Rohan, et elle ne signifie rien pour toi, continua à le provoquer Thorin.

— Surtout si elle s'accouple à un Saxon, renchérit Wulfson.

— Assez ! rugit Rohan. Je vous interdis de mettre sa vertu en doute ! Rien ne permet de penser qu'elle n'est pas vierge. Le jour où je croirai le moindre mensonge de mon frère sera celui où vous pourrez m'enterrer avec mon épée.

Thorin le prit par l'épaule.

— Oui, mon ami. Je te retrouve enfin. À toi maintenant d'écouter tes propres mots et d'accorder à la fille le bénéfice du doute.

— Oui, j'en ai moi aussi assez de ton hostilité à son égard, Rohan. Peut-être devrais-tu te soulager ailleurs, suggéra Wulfson. Ou autrement.

— Après tout, tu sais encore te servir de tes mains, non ? ajouta Thorin, hilare.

Wulfson éclata de rire.

— Mais prends garde à ne pas attraper de cals, se moqua-t-il avant de se diriger vers la sortie de l'écurie. Allons manger, les amis ! J'ai un immense appétit ce soir. Peut-être vais-je chercher la jolie Sarah ou cette tentatrice de Lyn. Pardieu, je me sens prêt à les prendre toutes les deux ensemble ! conclut-il, riant de plus belle.

Quand Rohan, Thorin et Wulfson pénétrèrent dans la salle, Isabel éprouva un réel soulagement. Tous trois semblaient de bonne humeur. Elle n'était pas la seule ici à craindre un nouvel orage. Chacun des hommes de Rohan le guettait. Mais celui-ci se comportait comme s'il n'avait pas le moindre souci en ce monde. Il ne la chercha même pas du regard. Et alors que cette attitude aurait dû la rendre heureuse, elle n'en conçut que du dépit et de la colère. Visiblement, il croyait son frère et s'en fichait.

Préférant éviter la table du seigneur, elle alla se réfugier aux cuisines. Jusqu'à ce que retentissent un hurlement de femme suivi par un rire rugissant. Elle se rua dans la salle et se figea en découvrant Wulfson, la tête enfouie dans le corsage de Sarah. Le pire était que celle-ci riait à gorge déployée et l'encourageait avec des paroles indignes. Pendant ce temps, Lyn commit – délibérément ? – l'erreur de déposer un grand plat de viande sur la table devant Ioan. Celui-ci arracha une patte de volaille tout en saisissant l'opulente rousse par la taille pour la percher sur ses cuisses. Il l'embrassa à pleine bouche. Lyn le repoussa pour mordre dans la cuisse de poulet, avant de lui rendre son baiser.

Isabel osa un regard vers Rohan. Son pouls s'affola : il la scrutait. Elle se détourna aussitôt et retourna aux cuisines, où elle trouva un peu de consolation en s'adonnant à ses tâches. Mais, même en travaillant, elle ne pouvait s'empêcher d'entendre les rires stridents des villageoises et les voix plus rauques des chevaliers, tout comme elle ne pouvait empêcher son sang de courir plus vite dans ses veines.

La nuit promettait d'être une vraie débauche. Elle se glissa à l'extérieur pour respirer un peu d'air frais. Elle ne voulait plus entendre les gloussements des filles. S'adossant au mur glacé, elle vit Wulfson passer avec Lyn sur une épaule et Sarah sur l'autre. Il se dirigeait vers les écuries tandis que Ioan et Rhys le suivaient, le traitant d'égoïste et lui demandant de partager. Isabel secoua la tête et, malgré son humeur morose, ne put s'empêcher de sourire. Il était peut-être bon que tous se soulagent de la tension qui les habitait. L'apparition d'Henri aujourd'hui avait projeté une ombre menaçante sur Rossmoor. Comme si une éruption était imminente. Si les hommes et les femmes pouvaient s'accorder un instant de plaisir, ce n'était pas plus mal.

Elle se préparait à rentrer dans le manoir quand elle entendit la voix profonde de Rohan qui s'adressait à un de ses hommes.

— Pour ce que j'ai en tête, cela ne prendra pas longtemps et je suis prêt à en laisser aux autres !

Un gloussement féminin suivit cette annonce.

Le ventre d'Isabel se révolta. Pourquoi ces mots lui faisaient-ils mal à ce point ? Cachée dans l'ombre, elle vit Gwyneth, la toute récente veuve, jetée sur son épaule comme un sac de navets, riant aux éclats et visiblement ravie de ce qu'il lui arrivait. Rohan dut sentir quelque chose, car il se tourna vers Isabel. Elle sut avec certitude qu'il l'avait vue. Pourtant, il continua comme si de rien n'était vers les écuries. Non sans gratifier le postérieur de Gwyneth d'une bonne claque. La femme glapit de joie.

Isabel rentra, traversant la cuisine puis la grande salle où les hommes de Rohan buvaient et chantaient comme une bande d'écuyers devant leur première chope de bière. Gardant la tête baissée, elle monta dans la chambre du seigneur. Elle rassembla rapidement ses maigres effets pour les porter dans sa propre chambre.

Puis elle se mit à l'arpenter, s'interrogeant sur elle-même et sur ce monstre qui venait de bouleverser son existence. C'était un goujat, un rustre, une canaille... un Normand ! Pourquoi donc, dans ce cas, éprouvait-elle ce sentiment immonde qu'il venait de la trahir ? Elle n'était rien pour lui. Et il n'était rien pour elle. Alors, pourquoi cette rage ? Jamais elle n'avait éprouvé une jalousie aussi féroce.

Elle se jeta sur le lit et contempla le dais brodé. Elle se demanda ce qu'il était en train de faire en cet instant même. Touchait-il Gwyneth comme il l'avait touchée ? Le solstice d'été verrait-il la naissance du bâtard de la veuve et de Rohan ? Serrant les poings, elle frappa le matelas de toutes ses forces.

— Jésus !

La jalousie, découvrait-elle, était une potion amère. Elle se releva pour faire à nouveau les cent pas. La fureur et la tristesse se livraient un terrible combat en elle. Jamais encore elle n'avait éprouvé une telle souffrance. Une torture aussi profonde. Et elle n'aimait pas cela. Le pire étant qu'elle n'y pouvait absolument rien...

Non ! Elle se rua dehors. Après avoir dévalé l'escalier, elle jeta un bref regard dans la salle. Bien sûr, il n'était pas là. La nausée la saisit. Elle savait très bien où il se trouvait et ce qu'il faisait. Si elle abandonnait toute fierté, elle irait de ce pas dans l'écurie arracher les cheveux de Gwyneth, mèche par mèche, avant de trucider le Normand !

Guidée par un démon inconnu, elle traversa la salle, poussa violemment la porte du manoir. Un air glacé l'accueillit. La douleur qu'il réveilla dans sa gorge meurtrie lui fit du bien.

15

Rohan se tenait devant l'auge de la stalle qu'il venait de quitter. Il ne supportait plus les halète-ments et les cris de plaisir des hommes et des femmes qui s'élevaient autour de lui. Il avait l'impression qu'une main impitoyable lui broyait le sexe. Serrant les dents, il plongea une seconde fois la tête dans l'eau glacée. Le choc du froid chassa ses pensées lubriques à l'égard de la dame du manoir pendant une ou deux secondes. Un soulagement bienvenu. Il resta sous l'eau jusqu'à ce qu'il ne puisse plus respirer. Puis il se redressa et s'ébroua comme un chien, expédiant des gouttes dans toutes les directions.

La gueuse qu'il avait ramenée de la grande salle gloussait dans la stalle. Il s'essuya le visage avec sa manche et remonta son haut-de-chausses tandis que Thorin profitait du butin de sa chasse. Qui n'avait pas été bien difficile. La femme était tombée sur ses cuisses et dès qu'elle avait senti son sexe gonflé, elle l'avait manipulée pour le transformer en bloc de pierre. Mais il avait été incapable de trouver le moindre soulagement avec elle. Son odeur, son haleine, sa peau rugueuse ne le séduisaient pas. Il l'avait offerte à Thorin. Les laissant à leur accouplement, il retourna vers le manoir.

Tandis qu'il traversait la cour, une petite silhouette filant vers le mur d'enceinte attira son attention. Il leva les yeux pour chercher les sentinelles qui, bien que vigilantes, surveillaient surtout l'extérieur et notamment le village. Tous les bienfaits de l'eau fraîche se dissipèrent. Il connaissait trop bien cette silhouette. Il la suivit.

Isabel rencontra un homme à l'entrée d'une grande hutte. Le sang de Rohan ne fit qu'un tour. Était-ce le Saxon ? Elle entra dans l'habitation. Il s'approcha et tendit l'oreille.

— Comment vont-ils, Ralph ? demandait Isabel.

— La plupart vont mieux, ma dame, mais certains souffrent d'une très forte fièvre. Blythe fait tout son possible pour les rafraîchir avec de l'eau, en vain.

— Ma dame, intervint une voix féminine, c'est terrible !

— Ne t'arrête pas, Blythe. Parfois, il faut des jours avant que la fièvre retombe. Viens, allons chercher de l'eau et montre-moi ceux qui vont le plus mal. Je vais rester avec toi, la réconforta Isabel.

Rohan recula dans l'ombre tandis que les deux femmes sortaient de la hutte. Il envisagea d'exiger qu'elle rentre avec lui au manoir, tout en sachant que cela n'allait pas être facile. D'autant plus maintenant qu'elle le soupçonnait d'avoir profité de Gwyneth. Mais c'était son droit en tant qu'homme, et elle-même n'avait-elle pas exigé qu'il se soulage entre les cuisses d'une autre ? Décidément, cette fille lui avait empoisonné l'esprit ! Pourtant, la blonde avait été accorte. Elle avait de bonnes dents et tout ce qu'il fallait là où il le fallait. Cela ne lui avait pas suffi : il en voulait une autre, une seule autre. Jésus !

Il se comportait comme une chiffe molle ! Tournant les talons, il retourna dans la cour du manoir, où il interpella un soldat qui y patrouillait.

— Veille à ce que dame Isabel soit escortée au manoir quand elle en aura fini avec son travail au village.

— Oui, messire.

— Ne la lâche pas des yeux, Robert, si tu ne veux pas que mon épée te fouille les entrailles.

Le jeune homme tressaillit.

— Je ne la quitterai pas d'une semelle, messire.

Quand Rohan rentra, l'ambiance dans la grande salle s'était considérablement assagie. De nombreuses torches avaient été éteintes et des corps repus gisaient çà et là sur le sol et les paillasses. Une belle bande de chevaliers. Mais il savait que ses hommes avaient besoin de ce répit. Cela faisait très longtemps qu'ils combattaient très dur. Oui, qu'ils profitent de leur nuit. Demain, ils remonteraient en selle pour traquer les misérables qui avaient détruit tout un hameau sans la moindre pitié.

Rohan se tourna vers le feu et Manhku qui l'observait. Nullement d'humeur à entamer une conversation, il lui adressa un petit signe de tête avant de gravir l'escalier.

Une fois allongé sur son lit, l'odeur d'Isabel tourbillonna autour de lui comme une créature vivante. Il ferma les yeux, et des spasmes parcoururent son sexe. Grondant comme un animal, Rohan le prit dans sa main et maudit Isabel, la sorcière.

Réveillé bien avant l'aube, il fit sa toilette et s'habilla. Quand il descendit l'escalier, il sourit. Ses hommes ronflaient joyeusement, rêvant sans nul doute de leurs exploits de la veille.

— Debout ! rugit-il.

Un concert de gémissements et de marmonnements lui répondit.

Il distribua quelques coups de pied.

— Habillez-vous et mangez ! On a du travail !

Au moment où il s'apprêtait à ouvrir la grande double porte, celle-ci fut poussée de l'extérieur. Il fronça les sourcils. On ne l'avait donc pas fermée ?

Une Isabel épuisée apparut. Elle avançait d'un pas lent, tête baissée. Lorsqu'elle le heurta par mégarde, son pouls s'accéléra. Le maigre soulagement qu'il s'était accordé cette nuit n'avait en rien apaisé son désir.

Poussant un petit cri de surprise, elle voulut s'écarter. Il la retint par le bras.

— Qu'est-ce qui vous amène dans la salle, Isabel ?

Malgré son état d'épuisement, elle trouva la force de lui arracher son bras.

— Cela ne vous regarde pas !

Il sourit. Même harassée, la fille gardait son caractère.

— Si, cela me regarde. Pourquoi n'êtes-vous pas couchée ? demanda-t-il, sachant pertinemment où elle avait passé la nuit.

Elle se raidit et haussa le menton. Une lueur dangereuse brilla dans ses yeux violets.

— J'avais peut-être moi aussi un rendez-vous.

Même s'il savait qu'il ne s'agissait que d'une provocation, cela suffit à gâcher son humeur. La vision d'Isabel haletant sous un homme le mit en rage. Il l'attira contre lui.

— Si jamais la preuve m'en était donnée, Isabel, vous sentiriez la caresse du fouet sur votre joli dos.

Au lieu de tenter de reculer, elle s'avança contre lui. Son odeur flotta vers ses narines. Il durcit son étreinte sur son bras.

— Ce qui est bon pour l'homme ne l'est pas pour la femme ? minauda-t-elle.

Il serra les dents.

— Ne jouez pas au plus malin avec moi, Isabel.

Elle se colla carrément contre son haubert, avant de saisir la main qui la tenait pour la placer sur son sein. Rohan retint son souffle. Puis elle la fit remonter vers son cou.

— Quand les marques que m'a infligées mon amant auront disparu, je vous apprendrai comment il s'y est pris.

Une fureur sans nom s'empara de lui, à laquelle se mêlait un désir comme il n'en avait jamais connu. Il ôta sa main et s'écarta.

— Qui a fait ça ?

Elle émit un rire rauque et grave. Celui d'une familière des plaisirs de l'amour.

— Une dame ne divulgue pas ses secrets.

— Vous jouez un jeu que vous allez perdre.

— Vraiment ? Et que vais-je perdre, Rohan ?

— Voulez-vous que je vous prenne ici et maintenant ?

— Je préférerais que vous ne me preniez jamais.

Là-dessus, elle le contourna et se dirigea vers l'escalier.

Furieux, il suivit des yeux le délicieux balancement de ses hanches. S'emparant d'un tabouret en bois, il l'expédia à travers la salle contre le mur.

— Vous allez me dire tout de suite qui vous a fait ces marques ! rugit-il.

Isabel hésita, mais continua à marcher.

Rohan se lança à sa poursuite.

— Halte, damoiselle, et répondez !

Lentement, elle se retourna. Son regard effleura celui de Manhku qui, comme toutes les personnes présentes dans la salle, retenait son souffle.

Elle avait conscience que Manhku s'était assis sur sa paillasse, mais elle n'osait le dénoncer tant que Rohan était dans un tel état de rage. Il risquait fort de le tailler en pièces.

— Du Luc, dit soudain le géant africain.

Elle secoua la tête avec véhémence, mais le Sarrasin l'ignora.

— C'est moi qui ai blessé la fille, ajouta Manhku.

Rohan en resta un instant interdit puis, si cela était possible, il parut plus enragé encore. Thorin surgit soudain de nulle part pour poser une main ferme sur son épaule. Comme s'il demandait son chemin, le Viking déclara :

— Et dis-nous donc, Manhku, comment cela est-il arrivé ?

D'un geste brusque, Rohan se libéra de la main de Thorin.

— Oui, Manhku, dis-nous.

— Ce n'était qu'un malentendu, intervint Isabel en s'interposant entre les deux hommes.

Les muscles des mâchoires de Rohan roulaient furieusement et elle sentit le dilemme qui l'agitait. Manhku avait porté la main sur ce qui lui appartenait. S'il ne le punissait pas, il perdrait la face, et ses hommes le considéreraient comme un faible.

Manhku la dévisagea, avant de se tourner vers Rohan.

— La femme ne dit que la moitié de la vérité.

— Eh bien, dis-nous l'autre moitié, Manhku, cracha Rohan.

— Contre son avis, j'étais en train d'essayer de me lever à l'aide d'une lance. Elle me l'a enlevée. Pour éviter de tomber, je l'ai saisie à la gorge. J'implore son pardon, conclut-il en la fixant droit dans les yeux. Il n'était pas dans mon intention de lui faire du mal.

Ce fut au tour de Rohan de fixer Isabel, paupières plissées. Mais la colère avait laissé la place à une intense perplexité.

— Pourquoi m'avoir caché cela ?

Isabel leva les yeux vers Thorin et, au-delà, vers Ioan, Wulfson et Rorick qui se tenaient silencieux sur le seuil.

— Je... je ne voulais pas que vous vous en preniez à lui.

Secouant la tête, Rohan passa les doigts dans sa chevelure.

— Je ne comprends pas vos méthodes, damoiselle. Vous sauvez mon ami non pas une fois, mais deux. À en juger par ces marques sur votre cou, il a bien failli vous étrangler et pourtant... vous le défendez ?

— Je ne suis pas une barbare, messire Rohan.

— Non, vous êtes...

Il soupira, avant de se tourner vers Manhku puis à nouveau vers elle :

— ... vous êtes un mystère. Bientôt, vous serez ravie d'accueillir Henri et ses sbires à votre table.

Elle esquissa un sourire ironique.

— Mon sens de la civilité ne va pas jusque-là.

Devant tous ses hommes, Rohan effectua alors une galante révérence.

— J'implore moi aussi votre pardon, dame Isabel.

Ces mots la stupéfièrent. En aucun cas, elle ne s'était attendue à une excuse de sa part, encore moins en public. Sous ses dehors rudes et grossiers, se cachait un homme juste... et passionné. Le rouge lui monta aux joues quand elle repensa à son attitude de la veille au soir. Juste peut-être, et passionné sûrement, autant en tout cas qu'un animal en rut. Elle ne deviendrait pas sa nouvelle conquête.

— Je n'ai que faire de votre pardon, messire, répliqua-t-elle.

Wulfson éclata de rire.

— Vous avez raison, dame Isabel. C'est plutôt à Gwyneth qu'il devrait demander pardon.

Ne comprenant pas ce qu'il voulait dire, Isabel fronça les sourcils tandis que Wulfson enchaînait :

— Eh oui, il l'a laissée tomber ! fit-il, hilare, sous le regard courroucé de Rohan. Heureusement que Thorin passait par là. Je t'aurais bien rejoint, mon ami, dit-il au Viking en lui flanquant une tape dans le dos, mais mes deux mains étaient déjà prises.

— Ah ! intervint Rorick. Tu n'es qu'un pingre. Tu aurais pu partager une de tes deux prises avec tes frères d'armes.

Cette succession de plaisanteries fit son effet, et Rohan sourit à son tour en se massant la poitrine.

— À en juger comment ces deux filles le dévoraient hier soir, c'est un miracle qu'il soit encore entier ce matin.

Wulfson afficha un air béat.

— C'est vrai que je suis un peu endolori, dit-il en se servant une chope de bière. Mais pas autant que ces deux-là.

Il but longuement et d'un seul trait. Comme il finissait, Lyn et Sarah apportèrent deux grands plateaux de victuailles. Toutes deux marchaient avec une

raideur inhabituelle, ce qui provoqua des rugissements de rire dans toute la pièce. Les joues des filles
rosirent, et elles lancèrent un regard timide à
Wulfson sous leurs cils baissés. Celui-ci leur sourit
en se frottant la poitrine, à la manière de Rohan.

— Mesdames, si ma compagnie vous inspire, je
suis libre ce soir.

En proie à un soulagement insensé, Isabel en
oubliait son épuisement : Rohan n'avait donc pas
dispensé ses charmes à la veuve. Elle aurait voulu se
retirer pour se laver et se reposer, mais il l'attira à
table à son côté. Affamée, elle mangea. Mais bientôt,
ses paupières se firent lourdes et Enid vint à sa res-
cousse, demandant à Rohan de lui permettre de quitter la table. Il la lui accorda.

Dès qu'elle pénétra dans ses appartements, Enid la
dépouilla de ses vêtements. N'ayant pas la force
d'attendre son bain, elle se coucha nue entre les
draps frais. La dernière image qui traversa son esprit
avant qu'elle ne s'endorme fut celle du sourire de
Rohan tourné vers elle.

Lorsqu'elle se réveilla plusieurs heures plus tard, le
soleil n'avait pas encore atteint son zénith. Elle
s'étira et sourit, heureuse pour une fois de ne pas
sentir le poids du monde sur ses épaules. Enid apparut et l'aida à faire une rapide toilette, puis à s'habiller pour la journée.

Quand Isabel descendit, la grande salle était silencieuse. Manhku était assis, sa jambe blessée posée
sur une chaise. Elle lui sourit. Les lèvres de l'Africain
s'étirèrent elles aussi.

— Bonjour, messire Manhku. Comment va la
jambe ?

— La douleur diminue.

— Bien. Laissez-moi changer le cataplasme et les bandages.

Elle se mit à la tâche. Au moment où elle terminait, il posa une main sur les siennes.

— Vous êtes brave.

Ces mots la surprirent. Elle leva les yeux vers lui.

— C'est très gentil de dire cela, Manhku, mais j'ai fait ce que n'importe qui aurait fait.

— Non, une autre femme se serait enfuie en hurlant dès qu'elle nous aurait vus. Vous êtes restée et vous vous êtes battue.

Elle eut un sourire las.

— Pour le bien que cela m'a apporté !

— Rohan est un homme juste.

— Mais il est d'abord un homme.

— C'est sûr, pourtant vous ne trouverez pas meilleur champion. Donnez-lui sa chance. Mais ne le trahissez pas. Il ne vous le pardonnerait jamais.

Isabel scruta le Sarrasin.

— Pourquoi me dites-vous tout cela ?

— Votre père et votre frère. Ils ne reviendront pas.

Des larmes brûlantes jaillirent des yeux d'Isabel.

— Je ne cherche pas à vous blesser, dame Isabel, reprit Manhku. Je dis simplement ce qui est. S'ils avaient survécu, ils seraient déjà là. La bataille a été terrible à Senlac Hill.

Elle s'essuya les joues.

— Oui, je me suis menti à moi-même ces dernières semaines. Mais je garde encore espoir.

— Vous pouvez continuer à espérer. Mais, un jour ou l'autre, il faudra bien que vous acceptiez le soutien et la confiance d'un autre.

— Et vous me demandez de choisir Rohan ?

— Lui ou n'importe lequel de ses chevaliers à l'épée rouge. Il n'existe pas d'hommes plus dignes de vous.

— J'applaudis votre loyauté, Manhku, mais je n'ai aucun avenir avec aucun d'entre eux. Ils ne sont que de passage ici. Aussi transitoires que le vent. Ils n'ont ni nom ni blason. Aux yeux du monde, ce sont tous des bâtards. Le sang de trois rois coule dans mes veines. J'ai été élevée pour diriger une grande maison. Pour faire un mariage digne de mes ancêtres.

Il écarquilla les yeux.

— Je sais que cela peut paraître égoïste, enchaîna-t-elle. Mais c'est le chemin que j'ai décidé de suivre. Car c'est le seul qui me permettra d'aider les autres. Si j'épousais un chevalier pauvre et sans nom, je survivrais, certes, et je parviendrais sans doute à subvenir à nos besoins, à mes enfants et à moi, pendant que mon époux serait à la guerre. Mais qu'adviendrait-il de nous s'il tombait sur le champ de bataille ?

— Le sang bleu ne fait pas un meilleur époux.

— Peut-être, mais une alliance doit être profitable.

— Si ce que vous dites est vrai, vous devriez préférer Henri à Rohan.

— Jamais ! En aucun cas !

— Quelqu'un vient ! cria la vigie.

Comme à chaque fois qu'elle entendait ces mots, Isabel éprouva d'abord un fol espoir.

Elle se précipita au pied des marches pour appeler la vigie :

— Qui vient ?

— Un chariot. D'autres villageois, peut-être.

Elle sortit et courut jusqu'au mur d'enceinte, pour découvrir une caravane de Saxons visiblement épuisés qui gravissait lentement la côte vers le manoir. Comme le chariot approchait, elle reconnut ses occupants et un sentiment déplaisant l'assaillit. C'était une chose de ressentir de la jalousie à l'idée de Rohan s'accouplant avec une fille du village, mais ce qu'elle éprouvait maintenant était plus puissant. Les nouveaux arrivants étaient lord et lady Willingham de Douvres, accompagnés de leur unique enfant, la très célèbre beauté et favorite à la cour, dame Deirdre.

Isabel lissa sa jupe et les attendit dans le froid mordant. Le seigneur Willingham portait la barbe et les cheveux longs ; assise à son côté, sa dame, Edwina, était rigide et fière. Quant à Deirdre, vêtue d'un manteau entièrement doublé de peau de renard qui s'alliait à merveille à sa sombre beauté, elle semblait furieuse. Comme beaucoup de Saxons, cette famille, devina Isabel, avait été chassée de chez elle. Et elle comprit qu'elle ne pourrait leur refuser l'asile.

— Seigneur et dame Willingham, les accueillit-elle lorsque le chariot s'immobilisa.

Willingham tendit les rênes à Bart.

— Je vous souhaiterais bien une bonne journée, dame Isabel, mais c'est un sombre jour pour ma famille et pour moi-même. Nous n'avons à vous offrir qu'une supplique pour nous accorder l'hospitalité.

Isabel effectua une petite révérence.

— Bien sûr, milord. Soyez les bienvenus, vos dames et vous.

Il descendit du chariot avant de se tourner vers son épouse qui, toujours aussi raide, lui permit de l'aider. Mais à la seconde où ses pieds touchèrent le sol, elle s'arracha à ses bras. Deirdre toisait Isabel. Les deux femmes ne s'appréciaient guère, et Isabel avait toujours fait en sorte d'éviter la cousine d'Arlys dont l'unique préoccupation semblait de se faire admirer en toute circonstance.

Isabel afficha un sourire et, après une brève révérence, déclara :

— Dame Edwina, ma demeure est la vôtre. J'espère que vous vous y sentirez comme chez vous.

— Au moins, Isabel, vous avez un chez-vous, cracha Deirdre.

— Oui, admit-elle avec calme, je me considère comme très fortunée.

Peu après, alors qu'ils pénétraient dans la grande salle, Deirdre ouvrit de grands yeux.

— Les Normands ne l'ont pas brûlée ?

— Non. De toute façon, tout ici est construit en pierre. Mon arrière-grand-père y a veillé.

Deirdre tourna un visage soupçonneux vers elle.

— Comment se fait-il que vous ayez échappé au courroux des Normands ?

L'insinuation était claire.

Isabel sentit la chaleur lui monter aux joues.

Willingham fit un signe apaisant vers sa fille, avant de prendre Isabel par le bras.

— Les Normands nous ont délogés par le feu. Mes terres m'ont été arrachées et nous voilà réduits, ma famille et moi, à la mendicité. Juste avant sa mort, votre père, Alefric, m'a proposé son hospitalité, au cas où le besoin s'en ferait sentir.

À ces mots, Isabel cessa de respirer. Ses genoux menacèrent de céder et si le vieux seigneur ne lui avait pas tenu le bras, elle se serait sans doute écroulée sur place.

Il la prit dans ses bras et lui tapota la tête. Elle se mit à sangloter.

— Pardonnez-moi, dame Isabel. Je croyais que vous saviez.

Il la conduisit vers le premier banc libre, s'agenouilla devant elle et frotta ses mains glacées. La douleur que cette annonce avait provoquée était intolérable. À travers ses larmes, Isabel distinguait à peine sa silhouette.

— Alefric s'est battu avec la vigueur de dix hommes, mon enfant. Un exemple pour tous. Si Harold en avait eu cent comme lui, nous aurions remporté la victoire.

— Co... Comment est-il mort ?

Il fallait qu'elle sache s'il était parti promptement. L'idée de son père agonisant pendant des heures sur le champ de bataille était trop atroce.

Les yeux de Willingham brillaient eux aussi. Il évita son regard.

— Je l'ignore.

— Milord, je vous en prie, dites-moi la vérité. A-t-il souffert ?

Le vieil homme s'éclaircit la gorge avant de se décider :

— Il a été frappé par-derrière. Quand je l'ai trouvé bien plus tard, après la bataille, sa gorge était tranchée.

Isabel poussa un cri d'horreur.

— Quel acte barbare ! Et Geoff ? s'écria-t-elle.

Le vieil homme secoua la tête.

— Il n'est pas ici ?

— Non ! Jusqu'à votre venue, je n'avais aucune nouvelle d'eux. Avez-vous vu Geoff ?

— Oui, plus tôt au cours de cette funeste journée. Il combattait aux côtés d'Alefric. Mais je ne l'ai pas vu parmi les morts.

L'espoir revint.

— Il a donc pu survivre ?

— Peut-être, murmura Willingham, mais son expression disait qu'il n'en croyait rien. Il serait sûrement rentré maintenant, Isabel.

222

Elle pressa à son tour les mains du vieil homme.

— Les tombes ont-elles été bénies ?

Il acquiesça.

— Oui. Il a fallu des jours, mais les prêtres ont fini par venir.

Isabel poussa un long soupir. Le Ciel lui avait au moins accordé cette maigre consolation. S'essuyant les joues avec sa manche, elle se leva.

— Venez, milord.

Les deux femmes se tenaient juste derrière elle, et elle faillit les heurter en se retournant. Deux filles et un serviteur les suivaient avec de lourds ballots et une malle. Non loin de là, Enid contemplait sa maîtresse avec inquiétude.

— Qu'on installe le seigneur et dame Willingham dans la chambre voisine de celle de Geoff, et dame Deirdre dans mes appartements. Venez manger, dit-elle aux nouveaux arrivants. Vous devez être affamés.

Ceux-ci se dirigèrent vers la table du seigneur... jusqu'à ce que, soudain, dame Edwina s'immobilise. Isabel l'entendit retenir son souffle. Bouche bée, la noble dame fixait Manhku assis près de l'âtre. Deirdre, à son tour, renifla bruyamment comme si une déplaisante odeur l'incommodait. Oswin, lord Willingham, leur adressa un petit raclement de gorge désapprobateur.

Isabel sourit. Même si les Normands n'étaient arrivés que depuis moins d'une semaine, elle éprouvait déjà une réelle affection pour ce Sarrasin morose.

— Souhaitez-vous rencontrer Manhku ? proposa-t-elle.

Secouant vigoureusement la tête, les femmes eurent un geste de recul. Le vieil homme, même s'il ne montra aucune indignation, déclina lui aussi la proposition. S'excusant auprès d'eux, Isabel alla rejoindre le chevalier blessé. Elle attisa le feu à son côté en demandant :

— Voulez-vous un tranchoir ?

Il leva les yeux et elle y discerna une lueur moqueuse.

— Messire, leur voyage a été difficile et ils sont fatigués. Gardez votre rancœur pour un autre jour.

Elle attrapa une peau au sommet d'une pile et la drapa sur ses cuisses.

— Je vous en supplie, ajouta-t-elle, montrez-vous diplomate.

Il émit un grondement sourd, et elle ne put retenir un sourire quand dame Edwina se tortilla sur sa chaise.

Après avoir commandé à manger, Isabel se tourna vers le trio.

— Je vous assure qu'il ne mord pas.

Deirdre s'étrangla, et elle précisa :

— En tout cas, pas aujourd'hui.

Dame Edwina miaula, et Manhku éclata de rire.

— Dame Isabel, je vous prie de pardonner l'appréhension de ma femme et de ma fille, déclara Oswin. Quand nous avons entendu dire que les Morts s'étaient installés ici, nous avons failli ne pas venir. Mais Dunsworth n'est plus, semble-t-il, qu'une pile de décombres et le Normand qui s'en est emparé est un fou. Nous n'avions pas d'autre choix.

Isabel hocha la tête et s'occupa de les servir, s'assurant que les plats étaient chauds et bien garnis, mais l'attitude de ces gens l'agaçait. Ils venaient chercher refuge chez elle et, malgré cela, ne se privaient pas d'afficher leur mépris envers ses autres « invités ».

Tant qu'elle serait la dame de ce manoir, toute personne demeurant sous son toit serait considérée comme invitée. Cela valait aussi bien pour les Normands que pour les Saxons.

— Oui, seigneur Oswin, les Épées rouges seront de retour avant le coucher du soleil. Pour la plupart, ils sont beaucoup moins polis que celui-ci. Ne les offensez pas, ou ils vous jetteront dehors.

Dame Edwina poussa un cri indigné.

— Père, déclara Deirdre, je refuse de demander asile auprès d'une bande de voleurs et de meurtriers !

Isabel ne laissa pas le temps à Oswin de lui répondre.

— Vraiment, dame Deirdre ? Eh bien, si vous connaissez un autre château disposé à vous accueillir, fit-elle en tendant la main vers la porte, ne vous gênez pas.

Oswin intima le silence à sa fille, avant de tourner un regard las vers Isabel.

— Je vous prie de nous excuser, nous sommes fatigués et nous craignons pour nos vies. Nous n'avons rien à offrir et beaucoup à demander. Pardonnez notre attitude. Ainsi, ajouta-t-il en adressant un sourire gêné à Manhku, que l'offense faite à votre ami.

Isabel hocha la tête.

— Ce sont des temps difficiles pour tous. Pour le moment, je ne puis vous promettre qu'un bon feu, de quoi vous remplir le ventre et un toit au-dessus de votre tête sans trop de courants d'air. Maintenant, restaurez-vous.

Peu après, elle conduisit ses visiteurs dans leurs quartiers. Après avoir montré leur chambre aux parents, elle accompagna Deirdre dans la sienne. Tandis que sa servante déballait ses affaires, Isabel surprit le regard noir de sa maîtresse. Elle haussa un sourcil.

— Quelque chose vous chagrine, Deirdre ?

— Oui, le fait de partager cette chambre avec vous.

Isabel se sentit rougir. Pas à cause de l'insulte qui venait de lui être faite, mais en raison de toutes celles qui viendraient plus tard, quand Rohan exigerait qu'elle passe la nuit avec lui.

Plus tard, lorsqu'il pénétra dans la salle, suivi par ses compagnons, Isabel retint son souffle. C'était assurément un homme impressionnant. Grand, beau, et dangereux. Il tendit son casque et ses gantelets à Hugh, avant de s'avancer vers elle. Il repoussa sa capuche de mailles. Une lueur dansait dans ses yeux, et une vague de chaleur se répandit en elle.

— Vous semblez reposée, Isabel, dit-il alors qu'elle lui tendait une chope de bière.

Lyn et Sarah en firent autant avec les autres.

— Je me sens reposée. Et vous ? Avez-vous trouvé ces pillards ?

— Non, mais nous en avons trouvé d'autres qui convoitaient ces terres.

— Se sont-ils rendus ? Ont-ils déposé les armes ?

Rohan but longuement, puis reposa sa chope vide sur la table avant de lui répondre :

— Non.

Elle eut du mal à avaler sa salive et ne demanda pas ce qu'il leur était advenu.

Hugh revint dans la salle, suivi par Russell, et se précipita auprès de son maître.

— Messire, je vais préparer votre bain sur-le-champ.

Rohan acquiesça, mais Isabel intervint :

— Le bain de messire Rohan l'attend déjà, Hugh.

Rohan sourit. Isabel aussi.

— Venez, damoiselle, dit-il en lui tendant le bras, gratter cette crasse sur mon dos.

Elle hésita avant de poser la main sur son avant-bras. Ensemble, ils montèrent dans la chambre du seigneur. Près du baquet rempli d'eau fumante, un tranchoir bien garni reposait devant le feu. Et tandis que la nourriture demeurait au chaud, un pichet de bière restait au frais près de la fenêtre.

Comme cela lui arrivait souvent derrière des portes closes, Rohan se mit à boiter légèrement. Sans un mot, elle l'aida à se débarrasser de ses linges intimes. Elle s'écarta alors qu'il se plongeait dans l'eau chaude.

Elle remplit une chope. Il la but en silence avant de se laisser aller, les yeux fermés, contre la paroi du baquet. C'était un moment paisible, comme ils n'en avaient guère partagé depuis qu'ils se connaissaient, et ils le savourèrent tous les deux. Lorsqu'elle le sentit prêt, elle entreprit de savonner un linge. Il se redressa et dit :

— Frotte fort, Isabel.

Ce qu'elle fit. Quand elle en eut terminé avec son dos, il s'adossa à la paroi et elle s'occupa de ses cheveux, les massant à pleines mains. Après les avoir rincés, elle s'occupa de son torse. Levant les yeux, elle trouva son regard fixé sur elle. Il ne l'observait pas avec concupiscence mais avec affection, et cela la troubla davantage encore. Cette complicité qui se développait entre eux semblait, d'une certaine façon, plus intime que leurs caresses, et donc plus dangereuse.

— Nous avons des invités. Je n'ai pas pu faire autrement que de leur offrir refuge.

Les muscles se durcirent sur son torse.

— Qui ?

— Le seigneur Willingham, sa dame et leur fille, Deirdre. Oswin est l'oncle de mon fiancé.

Il la saisit par la main. S'il ne lui faisait pas mal, l'étreinte était ferme.

— Pourquoi sont-ils ici ?

— Ils ont été chassés de chez eux, dit-elle tandis que ses yeux se mouillaient. Lord Willingham m'a annoncé la mort de mon père.

Rohan se redressa aussitôt. Abandonnant sa main, il lui caressa la joue.

— Comment vous sentez-vous ?

Ravalant un sanglot, elle voulut aussi retenir ses larmes mais en fut incapable.

— Pardonnez-moi, dit-elle en se détournant, refusant qu'il la voie pleurer.

Sans comprendre pourquoi il agissait ainsi, Rohan se leva et sortit du baquet. Enveloppant un linge autour de sa taille, il rejoignit Isabel assise près du feu. Il s'accroupit devant elle et posa les mains sur ses cuisses.

— Isabel, je suis désolé.

Il ne savait que dire d'autre.

Elle leva des yeux rougis vers lui. Ses lèvres tremblaient. Il glissa une main le long de son bras, jusqu'à son cou. Encore une fois, la force de cette femme le stupéfiait. Jusqu'à aujourd'hui, elle s'était accrochée à l'espoir du retour de son père... alors qu'il savait, avant même de forcer les portes de Rossmoor, que le vieil homme était mort. Il avait ses raisons pour ne pas le lui avoir dit. Des raisons qu'il ne dévoilerait ni maintenant ni jamais.

Un nouveau sanglot échappa à Isabel. Soudain, elle jeta les bras autour de son cou pour se presser contre lui. Rohan se raidit et esquissa un geste de recul, mais elle s'accrocha à lui. Comme une enfant.

Elle pleurait sans retenue, et il ne savait plus quoi faire. Aussi, il se contenta de la serrer contre lui jusqu'à ce que les larmes se tarissent.

Elle marmonnait des mots qu'il ne comprenait pas. Soudain, elle s'essuya les joues contre sa peau, et la chaleur de ses larmes lui fit l'effet d'une piqûre. Il se raidit à nouveau. Elle se blottit encore un peu plus contre lui et, cette fois, le corps de Rohan réagit. Son membre se gonfla, ses bras se nouèrent et il posa les lèvres sur le sommet de son crâne. Elle leva ses yeux violets et brillants vers lui. Pendant un instant, il s'y perdit.

— Isa, murmura-t-il.

Prenant son visage à deux mains, il l'embrassa. Le goût salé de sa bouche lui rappela son chagrin et sa vulnérabilité. Et il sut alors qu'il était damné car, plus que tout en ce monde, il voulait désormais la confiance de cette femme.

Chaudes et douces, ses lèvres s'ouvrirent sous les siennes. Elle était de la soie liquide entre ses bras et, quand elle lui rendit son baiser, un désir inouï s'empara de Rohan. Ce baiser ne pouvait lui suffire. Il voulait la porter jusqu'au grand lit et lui faire l'amour en prenant tout son temps, en oubliant tout le reste.

Elle continuait à s'accrocher à lui. La chaleur de leurs corps se mêlait et leurs bouches se firent plus exigeantes... leurs langues se caressaient, lentes et gourmandes. Isabel gémit et se tordit contre lui. Il plongea les doigts dans sa chevelure. Si elle n'arrêtait pas...

Il la souleva dans ses bras. Comme il la déposait sur le lit, elle serra les bras autour son cou.

— Ne me laisse pas, implora-t-elle.

— Jamais, souffla-t-il contre sa joue. Jamais.

16

Si intense et douloureux que soit son désir pour elle, son sens du devoir prit le dessus. Isabel avait besoin de faire son deuil et Rohan ne pouvait, en bonne conscience, exiger plus qu'elle ne lui offrait. Il s'allongea donc auprès d'elle et l'écouta pleurer jusqu'à ce que ses sanglots s'apaisent. Son corps si doux était pressé contre le sien, son souffle caressait son torse nu. Sa petite main était posée sur sa poitrine, comme ses joues. Et le sexe de Rohan était dressé sous le linge qui les séparait. Les yeux clos, il essayait de se contrôler.

Avant de céder, il préféra se lever et s'habiller. Enid traînait encore dans le couloir juste devant la porte. Ce qui eut le don de l'agacer.

— Ta dame dort. Laisse-la tranquille.

Tout en attachant son baudrier, il se dirigea vers l'escalier et descendit.

Ses hommes l'accueillirent en levant leur coupe. Il sourit. Eux aussi s'étaient lavés et habillés, mais sans leurs cottes de mailles. Manhku avait même revêtu son caftan et ses pantalons flottants.

— Comment va la jambe, mon frère ? demanda Rohan en lui tendant une chope pleine.

— Mieux.

Sourire aux lèvres, Rhys vint les rejoindre pour s'adosser au manteau de la cheminée.

— Voilà un aveu qui doit te coûter.

Manhku haussa un sourcil, et Rhys expliqua :

— Une fois guéri, tu devras te passer des attentions de la fille.

Rohan ricana.

— Crois-moi, Rhys, Manhku n'est pas de taille face à une furie pareille.

Rhys le salua avec sa coupe.

— Il est vrai que tu nous impressionnes, Rohan, déclara-t-il avant d'englober d'un geste tous leurs amis qui les écoutaient attentivement. Avec n'importe lequel d'entre nous, la vertu de la dame serait depuis longtemps une chose du passé et elle sentirait déjà le poids d'un bâtard. Je n'ose imaginer l'état de tes testicules, et je m'incline devant une telle maîtrise de soi !

Rohan éclata de rire et accepta le toast. Comme si c'était un signal, plusieurs filles du village – dont certaines lui étaient encore inconnues – surgirent. Parmi elles se trouvait Gwyneth, la veuve.

Ioan se mit à échanger des plaisanteries égrillardes avec Rhys et avec Stefan, au tempérament pourtant plus calme. Une fois encore, la bière coula à flots et l'esprit de camaraderie qui unissait les Épées rouges emplit la salle.

Assis devant le feu, Rohan observa ses compagnons se comporter comme les conquérants qu'ils étaient. Son ventre grondait. Il envisagea d'envoyer quelqu'un réveiller la dame du manoir, avant de décider de s'en charger lui-même.

Se dressant, il appela Astrid. Debout devant l'entrée de la cuisine, elle contemplait les hommes d'un regard désapprobateur. Comme toujours.

— Prépare le repas, femme !

Il gravit les marches trois par trois avant de s'immobiliser sur le palier en voyant Isabel apparaître dans le couloir, sa servante sur ses talons. Rohan jeta un regard hostile à Enid qui fila sans demander son reste, avant de s'avancer vers Isabel, un sourire aux lèvres.

— Vous semblez reposée, dit-il avec douceur.

Ses joues rosirent. Ses longues tresses dorées tombaient sur ses épaules et un délicat bandeau doré lui ceignait le front. Le velours écarlate de son manteau soulignait la couleur inhabituelle de ses yeux.

— Je… commença-t-elle timidement.

Comme elle ne trouvait pas ses mots, Rohan saisit son visage en coupe et la poussa gentiment vers le mur.

— Tu, quoi ? murmura-t-il en baissant les lèvres vers les siennes.

Isabel essaya de ralentir les battements de son cœur. Derrière elle, le mur était dur ; devant elle, cet homme l'était plus encore.

— S'il te plaît, chuchota-t-elle, sans savoir pourquoi elle l'implorait.

La tendresse et la compassion dont il avait fait preuve un peu plus tôt l'avaient désorientée. Elle n'avait pas non plus pour habitude de laisser apparaître ses faiblesses, car elle était plutôt celle auprès de qui tout le monde venait chercher de l'aide. Mais cette situation nouvelle n'était pas entièrement déplaisante.

Les yeux de Rohan brillaient dans la lueur des torches. Il l'observait tel un faucon qui guette sa proie. Elle s'humecta les lèvres. Il s'agita contre elle et gronda :

— Isabel, tu me provoques.

Ses lèvres s'écrasèrent sur les siennes, et elle ne le repoussa pas. Au contraire, elle se pressa contre lui, savourant sa force et sa chaleur.

Sa puissance, son désir l'enveloppaient. Son ardeur nourrissait la flamme qu'il avait allumée dès la première fois qu'il l'avait touchée. Elle s'y abandonna.

Elle ne pensait plus à ce qu'elle avait perdu, mais uniquement au sentiment de sécurité qu'elle éprouvait en cet instant dans les bras de cet homme. Elle ouvrit la bouche, comme elle l'avait fait un peu plus tôt, et toucha sa langue avec la sienne. Rohan gronda, prenant ce qu'elle lui offrait.

À nouveau, elle connut ce désir impérieux. Ses seins s'alourdirent, ses mamelons se dressèrent, et elle se prit à espérer qu'il soulage cette douleur étrange qui naissait entre ses cuisses.

— Du Luc ! rugit Thorin. Les Morts ont faim !

Elle s'arracha au baiser, tentant vaillamment de retrouver son souffle. Rohan posa son front contre le sien.

— Je vais coudre les lèvres de ce Viking.

Elle sourit et se glissa hors de son étreinte.

— Venez, messire Rohan, dit-elle, allons remplir nos ventres.

Elle rougit violemment en comprenant le double sens de ces mots. Le regard de Rohan devint brûlant.

— Oui, j'en meurs d'envie, moi aussi…

Quand ils descendirent dans la grande salle, les Épées rouges les acclamèrent comme si c'était le

Conquérant lui-même et sa duchesse qui leur faisaient l'honneur de se joindre à eux. Isabel remarqua que, même s'ils avaient gardé leurs armes, tous les chevaliers portaient des vêtements de cour. Ils étaient propres, leurs visages rayonnaient, sans doute en raison de toutes les femmes qui, le rose aux joues, les servaient.

Elle nota que de nouvelles filles étaient venues du village. Apparemment, les Morts s'étaient déjà taillé une belle réputation. Souriant, Rohan l'escorta jusqu'à la grande table. Les chevaliers attendirent qu'elle soit assise pour s'installer à leur tour, et le dîner put commencer. Rohan coupa plusieurs morceaux de choix qu'il posa sur le tranchoir qu'ils partageaient. Elle lui rendit son sourire. Il but à sa coupe, avant de la lui tendre. Consciente du regard des hommes sur elle, Isabel but à l'endroit où ses lèvres s'étaient posées.

— Tu as apprivoisé la mégère, on dirait, Rohan ? fit Wulfson en mâchant un morceau d'agneau rôti.

Isabel ne se laissa pas faire.

— Ce n'est pas moi qui ai été apprivoisée, messire chevalier.

Rohan faillit s'étrangler, et Thorin le gratifia d'une bonne claque dans le dos. Le visage rouge, Rohan but une gorgée de bière avant de tourner des yeux un peu larmoyants vers elle. Il fronçait les sourcils, mais une lueur espiègle y dansait.

Ses hommes, pourtant, ne semblaient pas trouver la réplique d'Isabel aussi amusante. L'humeur autour de la table changea subtilement. Tous guettaient la réaction de Rohan.

Celui-ci prit la main d'Isabel, qu'il porta à ses lèvres. Souriant, il la regarda avant de se tourner vers ses hommes.

— En amour comme à la guerre, la force brute ne suffit pas toujours. Parfois...

Il mordit la paume d'Isabel sans cesser de la fixer droit dans les yeux. Ce geste intime la choqua et la chaleur lui monta aux joues... tout en se répandant entre ses cuisses.

— ... l'épée fend mieux quand elle est maniée avec douceur.

Il déposa un baiser sur la marque de ses dents sur sa peau.

Elle lui retira sa main.

— Soyez assuré, messire, que votre épée ne me transpercera jamais.

Les hommes rugirent de rire. Rohan resta imperturbable.

— Voulez-vous parier là-dessus, damoiselle ?

La tablée s'esclaffa de plus belle, et Isabel lança un regard noir aux chevaliers.

— Continuez à plaisanter, messires, et à prendre ces filles qui sont ravies de vous accueillir. Continuez à répandre votre semence sur Alethorpe.

Elle se tourna vers Rohan avant de poursuivre :

— La vie d'un bâtard est-elle si plaisante, Rohan, que tu veuilles l'offrir à tes descendants ? Et vous ? ajouta-t-elle en s'adressant aux autres. Qu'en sera-t-il des enfants nés de vos nuits de débauche ? Ne pensez-vous pas à eux ? Quelle sorte d'hommes êtes-vous donc pour faire endurer une telle existence aux fruits de vos entrailles ?

« Je ne te condamne pas, Rohan, poursuivit-elle, ni aucun de vous ici présents, pour ce que le destin vous a imposé. Mais vous avez le pouvoir d'en finir avec cet héritage. Est-ce donc un tel fardeau que de se marier et de donner naissance à des enfants légitimes ?

— Je reconnaîtrais tout bâtard que je produirais, Isabel.

— Et comment subviendrais-tu aux besoins de cet enfant ? Ta vie ne t'appartient pas.

Elle dévisagea les chevaliers réunis autour de la table. Les Épées rouges faisaient grise mine, mais elle vit qu'elle avait touché un point sensible. Elle laissa échapper un long soupir. La fatigue la gagnait à nouveau.

— Et toi, Isabel ? Si tu devais te retrouver avec un enfant mais sans mari, jetterais-tu ton bâtard à la rue, comme quelque chose de laid ? demanda Rohan.

Elle le regarda dans les yeux et y lut de la douleur. Il était clair que cet homme n'avait guère trouvé d'amour auprès de sa mère. Elle secoua lentement la tête.

— Non, un enfant est un don du Ciel. Je ne l'abandonnerais jamais.

— Mais comment subviendrais-tu à ses besoins sans mari à tes côtés ?

Elle se redressa.

— Je ferais ce qui est nécessaire.

Il hocha la tête et but une longue rasade de bière.

— Et moi aussi, damoiselle. Moi aussi.

Elle ouvrit la bouche pour répondre, mais il leva la main.

— Assez ! Cette conversation me fatigue. Mangeons.

Elle n'eut pas le temps de protester devant cet édit, car ce fut le moment que choisirent les Willingham pour faire leur apparition. Dès qu'ils découvrirent Deirdre, les compagnons de Rohan se mirent à sourire comme des crétins. Isabel secoua la tête en levant les yeux au ciel. Les hommes ! Ils n'obéissaient pas à la tête qui était posée sur leurs épaules, mais à ce qui pendait entre leurs jambes.

En tant que dame du manoir, et en dépit de l'impolitesse dont ils faisaient preuve en se montrant si tard, elle se leva pour présenter ses nouveaux invités. Elle ne fut pas surprise de constater l'absence de dame Willingham.

— Ma femme ne se sent pas bien, expliqua son époux.

Isabel n'était pas stupide. Elle savait que cette grande dame aurait préféré s'asseoir en compagnie d'une meute de loups plutôt qu'à la table d'un Normand.

— Je vais lui faire monter un plateau, dit-elle.

Lord Willingham lui prit la main.

— Merci, elle vous en saura gré.

Le vieil homme se tourna vers sa fille, à qui il offrit son bras.

— Messire Rohan, messires chevaliers, puis-je vous présenter lord Oswin de Willingham, seigneur de Douvres, et sa fille, dame Deirdre ?

Rohan se contenta de hocher la tête vers les Saxons, sans se donner la peine de se lever ni de s'incliner. Isabel vit Deirdre écarquiller les yeux de surprise.

— Milord, dit Warner en se glissant entre Isabel et la très belle jeune dame.

Il s'inclina devant le père avant de se tourner, tout sourire, vers la fille.

— Milady, je suis Warner de Conde. Et je me mets à votre service.

Ravie, Deirdre lui offrit sa main.

— C'est une joie de faire votre connaissance, messire Warner.

Thorin ricana et se versa une nouvelle chope de bière, tout comme Wulfson. Rhys secoua la tête et déclara à Ioan :

— Il ne va pas tarder à lui chanter une chanson.

— Messire ? demanda Isabel à Rohan en montrant la table.

Il acquiesça et, avec sa permission, elle invita ses nouveaux invités à s'installer pour manger. Elle éprouva un plaisir coupable quand, Deirdre faisant mine de s'asseoir près de Rohan, Thorin lui fit signe de prendre place ailleurs, au côté de son père. On leur donna un tranchoir à partager. Tandis que le vieil homme semblait nerveux de se retrouver ainsi entouré d'ennemis, Deirdre ne détachait pas son regard de Rohan. Isabel n'en était pas surprise. Elle était ainsi : toujours à rechercher les faveurs des puissants.

Quand tout le monde fut installé, le repas reprit son cours.

— Dites-moi, messire, quelles nouvelles apportez-vous ? s'enquit Rohan.

Le vieil homme secoua la tête en reposant sa coupe, avant de le fixer droit dans les yeux.

— Edgar a été couronné roi.

Rorick ricana.

— Un gamin qui n'est même pas capable d'essuyer sa morve.

— Oui, renchérit Rohan. Et d'ailleurs, cela n'a aucune importance. Quoi que décide le conseil, Guillaume est le seul roi légitime et sera couronné comme tel. Quel est votre avis sur la question ? demanda-t-il à Willingham.

— Je crois que Harold aurait dû être nommé héritier à la place de votre duc. Il est saxon et le peuple l'a choisi.

— Et que faites-vous du serment répété à deux reprises par Harold devant Guillaume ? La deuxième fois, il a même juré sur les ossements d'un saint.

— Il a été contraint, intervint Deirdre.

Rohan reposa son morceau de pain.

— Contraint ? Non. J'étais là. Harold a librement prêté serment. Et je puis vous assurer, ajouta-t-il en se tournant vers Isabel, que lorsqu'un Normand donne sa parole, il la respecte, jusqu'à la mort s'il le faut.

Il planta son regard dans celui de Deirdre avant d'enchaîner : .

— Ne me parlez pas de contrainte. Guillaume a libéré Harold du donjon de Guy de Ponthieu. Par ailleurs, il est le neveu de la mère d'Édouard, l'ancien roi. Il a le droit du sang pour lui.

— Edgar a davantage de droits au trône que Harold ou Guillaume, répondit Willingham.

Rohan hocha la tête en prenant un tendre morceau de chapon qu'il découpa, plaçant les meilleurs bouts du côté d'Isabel.

— Par le sang, peut-être, mais par décret royal, Guillaume est l'unique héritier du trône.

— Qu'allons-nous devenir ? demanda Deirdre.

— Guillaume s'attend à ce qu'on lui jure fidélité, dit Wulfson.

— Ce n'est pas juste ! ragea-t-elle. Mon promis est mort. Ma dot a été volée. Nous n'avons plus rien que les maigres biens que nous transportons avec nous.

Rohan haussa les épaules.

— Beaucoup partagent le même sort. C'est la rançon de la guerre. Si Harold avait respecté sa parole, rien de tout cela ne serait arrivé.

— N'avez-vous pas d'autres parents ? demanda Warner à Deirdre avec sollicitude.

Ioan ricana et Thorin leva les yeux au ciel.

— Mon cousin, Arlys, seigneur de Dunsworth, a lui aussi été chassé de chez lui.

À la mention du fiancé d'Isabel, les mâchoires de Rohan se durcirent.

— Ne serait-ce pas là votre pro... commença Warner avant de s'arrêter, embarrassé. Mille pardons, dame Isabel.

— Isabel, vous avez des nouvelles d'Arlys ? s'enquit Willingham.

Tous les regards convergèrent sur elle.

— Non, mais j'ai entendu dire qu'il n'avait pas renoncé à reprendre Dunsworth.

Rohan éclata d'un rire sans joie.

— Henri fera en sorte qu'il n'en reste plus rien.

Willingham secoua la tête.

— Ce qu'a déjà fait ce démon... C'est une tragédie.

— Oui, admit Rohan en mâchant sa viande, mon frère est ainsi.

Deirdre poussa un petit cri de surprise.

— Ce monstre est votre frère ?

— Nous partageons le même père, et pas grand-chose d'autre.

Deirdre haussa un délicat sourcil.

— Mais je croyais que vous étiez un bâtard.

Isabel se raidit. Rohan resta imperturbable.

— Si vous regardez plus attentivement, dame Deirdre, intervint Wulfson, vous verrez que chaque Épée rouge ici présent porte les cornes et la queue fourchue des bâtards.

Comprenant qu'elle avait été trop loin, Deirdre adopta un ton plus modeste pour demander :

— Vous êtes tous des chevaliers de Guillaume ?

Nul ne se pressant pour lui répondre, Warner le galant prit la parole au nom de tous :

— Oui, dame Deirdre, nous sommes les Épées rouges, également appelés les Morts, le corps d'élite de Guillaume.

— Les Morts ? répéta-t-elle en frissonnant avec délicatesse. Cela semble si...

Elle baissa les yeux, avant de les relever avec coquetterie vers Warner :

— ... macabre. Mais vous êtes sûrement chevaleresques.

Thorin s'étrangla avec sa bière. Cette fois, Stefan se chargea de répondre :

— Bien sûr, dame Deirdre, mais nous avons écrit notre propre code de la chevalerie. Je serais très heureux de vous en montrer les points principaux.

— Messire chevalier, intervint Willingham, ma fille est une dame vertueuse.

Une lueur passa dans le sombre regard de Stefan quand il croisa celui de Deirdre.

— Je n'en doute pas. Mille pardons.

Deirdre continua à jouer la coquette, cette fois en lorgnant vers Rohan. Écœurée et perdant tout appétit, Isabel repoussa son tranchoir.

— Messire Rohan, Guillaume vous a-t-il promis ce comté ?

— Deirdre ! la gronda son père. Ce ne sont pas des manières.

Elle ignora cette remontrance et continua à fixer Rohan. Celui-ci lui rendit son regard.

— Cela ne vous concerne pas, répliqua-t-il sèchement.

Isabel dissimula son sourire tandis que Deirdre papillonnait des paupières comme si elle n'en croyait pas ses oreilles. Comment osait-on la traiter ainsi ?

Alors qu'elle ouvrait une nouvelle fois la bouche, Lyn se pencha entre Warner et elle avec un bol d'eau fumante et perdit l'équilibre. Le bol finit sa course sur les cuisses de Deirdre. Celle-ci hurla :

— Malotrue !

Elle gifla la servante de toutes ses forces. Wulfson, Ioan et Stefan se levèrent.

Lyn gémissait. Isabel la rejoignit. Au moment où Deirdre s'apprêtait à la frapper à nouveau, elle lui saisit le bras.

— Posez encore une fois la main sur elle, et je vous fais jeter dehors.

— Comment osez-vous ? couina Deirdre.

Ses beaux traits revêtirent une hideuse expression. Isabel se plaça délibérément devant elle.

— J'ose ce qui me plaît.

— Parce que le Normand vous protège en échange de vos services ? cracha Deirdre.

Un silence de tombe régna soudain dans la salle.

— Non, Deirdre, j'ose parce que je suis la dame du manoir, dit-elle. N'oubliez pas de qui je suis la fille. Je n'hésiterai pas à prendre le fouet, s'il le faut, contre quiconque fait du mal à mes gens.

Lord Willingham saisit le bras de sa progéniture, l'implorant du regard.

Deirdre se décida finalement à sourire à Rohan. Celui-ci ne réagit pas, laissant Isabel régler ces affaires de femmes.

— Je vous demande pardon, Isabel, dit-elle enfin. Je crains de ne pas être au mieux, ces temps-ci. Messire, fit-elle en se tournant vers Rohan, avec votre permission ?

Il acquiesça, et Isabel s'écarta pour laisser partir une Deirdre qui tentait de préserver le peu de dignité qui lui restait. Son père la suivit dans l'escalier.

La tension retomba.

Isabel croisa le regard de Rohan. L'incident semblait l'avoir laissé de marbre. Comme par miracle, Lyn cessa de geindre et reprit ses activités autour de la table comme si rien ne s'était passé. Isabel comprit alors que ce bol renversé ne l'avait nullement été par accident. Elle sourit tandis que Lyn lui adressait un regard rusé.

— Vos serviteurs sont rancuniers, commenta Rohan.

— Comme leur maîtresse, et vous feriez mieux de ne pas l'oublier.

Il se frotta la poitrine et sourit à son tour.

— J'y compte bien, murmura-t-il de façon qu'elle seule l'entende. Venez, retirons-nous maintenant.

Elle trembla, de peur un peu... et d'excitation beaucoup.

— Je dois passer voir les blessés. Voulez-vous bien m'escorter ?

Il acquiesça et demanda à Enid d'aller chercher la cape de sa dame.

— Je n'en ai pas, Rohan. Mais le froid ne me dérange pas.

— Comment cela, Isabel ? Une dame de votre rang devrait avoir dix manteaux de la plus belle fourrure.

— J'en avais un, mais une autre en avait davantage besoin. J'ai une cape en laine dans mes appartements, mais je n'ai aucune envie de déranger Deirdre. Elle pourrait arracher les yeux de cette pauvre Enid.

Rohan sourit.

— Oui, elle aussi semble très rancunière, commenta-t-il en haussant un sourcil moqueur.

— Je suis peut-être rancunière, mais au moins je ne m'en prends qu'aux Normands et pas à mes propres gens !

244

Il lui offrit son bras, qu'elle accepta.

— J'ignore quelle est votre magie mais, même pour moi qui suis normand, vos souhaits sont des ordres.

Isabel sourit alors qu'ils se dirigeaient vers la porte.

— Je souhaite que vous me libériez de mon serment envers vous.

— Impossible, dit-il sans broncher.

— Votre esprit chevaleresque ne s'applique donc qu'aux choses qui vous arrangent.

— L'esprit chevaleresque est une invention des poètes et des godelureaux, Isabel. Je ne suis ni l'un ni l'autre. Ne vous méprenez pas.

— Vous me décevez, Rohan.

Il lui pressa la main.

— Entre vos bras cette nuit, je serai tout sauf décevant, croyez-moi.

Pour la dixième fois de la soirée, elle frissonna, sachant déjà qu'au matin elle ne serait plus aussi innocente et que plus rien, désormais, n'empêcherait Rohan de la toucher de la plus intime des façons.

Elle retint son souffle. Le prix à payer n'était pas si exorbitant. À chaque fois qu'elle voyait un sourire sur le visage de Russell, elle se disait qu'elle avait fait le bon choix.

17

Isabel prit tout son temps pour soigner les malheureux, et peut-être même un peu plus. Mais c'était présumer de la patience de Rohan. Alors qu'elle était en train de nouer un bandage, il la saisit par le bras et la traîna hors de la hutte.

— Rohan ! protesta-t-elle.

En vain.

Elle voulut résister et, cette fois, il la souleva de terre pour la jeter sur son épaule. C'était une manie chez ces Normands de transporter les femmes comme des sacs de navets.

Elle hurla son indignation.

— Repose-moi !

Il la gratifia d'une bonne claque sur les fesses.

— Non.

Elle n'aurait pu supporter la honte de traverser la grande salle ainsi, au vu et au su de tous. Heureusement, celle-ci était silencieuse et la plupart des torches avaient été éteintes.

Il gravit l'escalier rapidement et ouvrit la porte de la chambre d'un coup de pied.

Il la referma de même et, de sa main libre, poussa le loquet.

Enfin, il la laissa descendre en la faisant glisser le long de son corps. Les bras noués autour de sa taille, il baissa la bouche vers ses lèvres. Elle détourna la tête.

Lui saisissant le menton, il la força à le regarder.

— J'en ai assez de jouer, Isabel. Le moment est venu.

Les yeux écarquillés, elle secoua la tête, mais sans réelle conviction. Oui, le moment était venu, elle n'avait plus aucun moyen d'y échapper. Il la lâcha.

Elle recula.

Il avança.

— Va devant le feu, dit-il.

Ce qu'elle se dépêcha de faire, soulagée de s'éloigner de lui.

Quand elle arriva près de la cheminée, il ordonna :

— Retourne-toi.

Elle obéit, pour découvrir qu'il s'était assis dans le fauteuil de son père. Le feu brûlait ardemment derrière elle, la réchauffant. Les flammes brillaient dans les yeux fauves de Rohan. Il défit son baudrier qu'il suspendit au dossier du fauteuil, avant d'enlever sa tunique puis sa chemise. Quand il se rassit, des reflets orangés dansèrent sur son torse, caressant les courbes prononcées de ses muscles. Isabel n'osait regarder plus bas. Elle inspira un grand coup, persuadée qu'il ne briserait pas la parole qu'il lui avait donnée, mais ne sachant trop comment il comptait faire valoir celle qu'il lui avait arrachée.

— Enlève ton bandeau, dit-il, la voix rauque.

Elle sursauta, avant de lui obéir lentement.

— Ta ceinture.

Les yeux plantés dans les siens, elle trouva la boucle. La ceinture tomba sur le tapis.

— Tes chaussures.

Elle s'en débarrassa de deux coups de pied.

Il restait assis, les mains posées sur les bras du fauteuil.

— Maintenant, enlève tes vêtements. Un par un.

Sans se dépêcher et se sentant étrangement sûre d'elle, elle retira sa robe qu'elle laissa elle aussi tomber à terre. Ses mamelons se durcirent sous le regard de Rohan.

— Le jupon.

Tout aussi lentement, elle fit monter le sous-vêtement sur ses hanches, puis au-dessus des seins. Rohan poussa un soupir lorsqu'il passa ses épaules. Le jupon alla rejoindre le petit tas à ses pieds, et elle osa enfin baisser les yeux. Un pilier s'était dressé sous ses braies. Quant à elle, baignée de lumière, sa fine chemise était tout ce qui la protégeait encore.

— Enlève-la, ordonna Rohan.

Les mains tremblantes, elle obtempéra.

— Jésus ! s'exclama-t-il.

Elle restait fière et stoïque devant lui, mais ses seins frémissaient. Le regard de Rohan s'attarda sur chaque centimètre de son corps, et elle prit soudain conscience que son cœur et son souffle s'affolaient.

Il se dressa pour venir vers elle. Au cours des vingt-cinq années qu'il avait passées sur cette terre, il ne se souvenait pas d'avoir jamais rien vu d'aussi beau. Quand elle secoua sa longue chevelure dorée qui cascada autour d'elle, il cessa de respirer. Pour la première fois de sa vie, il se demanda s'il saurait se contrôler. S'il la touchait d'une manière ou d'une autre, il la prendrait. Et s'il faisait cela, elle le haïrait.

— Caresse-toi les seins, Isabel, murmura-t-il.

Choquée, elle écarquilla les yeux, entrouvrit les lèvres.

— Fais-le.

Elle leva une main timide. Il vit le mamelon se gonfler.

— Plus fort.

Isabel ferma les yeux et pressa un de ses seins. Grognant, Rohan s'approcha encore. Elle rejeta la tête en arrière, comme pour lui offrir son cou. Son odeur l'assaillit. Des spasmes parcoururent son membre dressé. Il tendit la main pour effleurer ses cheveux. Leur douceur le sidéra. Il savait que sa peau était tout aussi douce.

— Touche l'autre, commanda-t-il à mi-voix.

La main libre se plaça sous l'autre sein. De sa propre initiative, elle fit remonter les deux globes laiteux pour les serrer l'un contre l'autre. Elle gémit, et Rohan aussi. Il vint plus près encore, luttant contre son envie de la coucher à même le sol pour chercher refuge en elle.

— Rohan ? murmura-t-elle, les yeux toujours fermés, le souffle aussi lourd que le sien. Touche-moi.

Il grogna.

— Isa… Je ne peux pas.

Elle ouvrit les paupières, et il se perdit dans l'améthyste de ses yeux.

— Pourquoi ?

— Parce que si je fais cela, je briserai la parole que je t'ai donnée.

Elle lui prit la main pour la poser sur son sein.

— Non, tu ne la briseras pas. Je ne te laisserai pas faire.

Rohan trembla. Sa chaleur et sa douceur sous sa main le stupéfiaient. Il glissa le bras gauche autour de sa taille, l'attirant contre lui. Ses lèvres écrasèrent les siennes, et Isabel sentit le monde basculer.

Une étrange folie s'emparait d'elle. Elle avait l'impression de se liquéfier ; tout en elle semblait fluide et bouillant.

Affamé, Rohan l'embrassa. Soudain, il saisit son mamelon entre le pouce et l'index. Isabel se tordit contre lui. Une nouvelle brûlure naquit entre ses cuisses. La main de Rohan qui se trouvait sur sa taille glissa vers ses fesses, celle qui jouait avec son téton descendit le long de son ventre. Isabel se raidit. Il la poussa contre le mur. Le froid de la pierre la fit frémir mais il insista, sans cesser de dévorer ses lèvres.

Rohan l'entourait, l'enveloppait. Ses doigts, ses lèvres, ses épaules, ses hanches et ses jambes. Sa formidable érection contre son ventre.

À bout de souffle, elle s'arracha son baiser. Il se mit à lui mordiller la gorge, l'épaule. Sa main sur son ventre descendit encore. Puis il happa son téton entre ses lèvres. Sa main se posa sur son pubis, et Isabel perdit l'équilibre. Il la retint contre lui. Du bout du doigt, il frôla son bouton de rose et se mit à l'agacer avec une infinie douceur. Elle poussa un cri. Elle n'avait jamais rien connu de tel. Un déferlement de sensations aussi puissantes, aussi délicieuses ! Comme une débauchée, elle écarta les cuisses pour lui et pressa son sein plus fort dans sa bouche.

Une tension insoutenable l'étreignait.

— Rohan, murmura-t-elle, c'est comme une fièvre...

Il émit un grondement rauque et la serra encore un peu plus contre lui, avant de faire un geste qui la choqua. Il glissa un doigt vers son fourreau trempé. Et, comme la nature le voulait, le corps d'Isabel chercha à l'absorber. Quand il la pénétra, elle cria à nouveau et serra les cuisses autour de lui. Fermant les yeux de toutes ses forces, elle comprit qu'aucun retour en arrière n'était possible. Cet homme lui était désormais indispensable. En quelques jours, il était devenu comme une drogue pour elle. Son corps ne pouvait plus se passer de lui, de ses caresses. Il était le seul capable d'apaiser cette fièvre.

— Isa, tu es si chaude et si serrée...

Elle s'accrochait à ses épaules. Toujours avec son doigt, il entama un lent mouvement de va-et-vient, laissant sa paume frôler son clitoris. La peau d'Isabel se couvrit de sueur. Ses hanches se cabraient. Des vagues déferlaient entre ses cuisses.

L'ouragan qui se déclencha soudain en elle fut une totale surprise. Il enfla avec une violence inouïe, ravageant tout sur son passage. De la tête aux pieds, rien ne lui échappa. Elle crut exploser tandis que des spasmes heurtés la secouaient.

— Rohan !

Il but son nom sur ses lèvres, continuant à nourrir son extase. Les terribles secousses l'ébranlèrent longtemps encore. Elle ne pouvait les maîtriser. Finalement, il retira son doigt. Son corps se tordit vers lui. Même si la féroce fièvre était apaisée et si le choc la laissait un peu hébétée, elle ne voulait pas que ce soit déjà terminé.

Il s'écarta juste assez pour la regarder dans les yeux. Les siens étincelaient. Elle s'humecta les lèvres et, toujours haletante, elle lui demanda :

— Que vient-il de se passer ?

— C'est ainsi qu'une femme devient une femme.

Isabel réfléchit à cette réponse.

— Et les hommes ? Est-ce qu'ils... ?

Il pressa son érection contre son ventre.

— Oui, c'est la seule façon de faire disparaître cette raideur.

Isabel tendit les doigts pour les poser sur son sexe. Il retint son souffle et frémit.

— Isabel, tu joues avec le feu...

Elle pressa sa paume.

— Cela te fait-il aussi mal qu'à moi ?

— Oui.

— Aimerais-tu que je te soulage ?

Il gronda. Elle leva un regard innocent vers lui.

— Dis-moi comment faire, demanda-t-elle.

— Jésus, tu damnerais un saint... Enlève-moi mes habits.

Elle baissa ses braies sur ses cuisses, libérant lentement son membre de sa prison de tissu. Quand il apparut, dressé, lisse, épais et long, elle ne put s'empêcher de l'admirer.

— Touche-moi, Isa.

Hésitante, elle posa le bout des doigts sur le gland qui luisait sous la lueur du feu. La chaleur de sa peau la surprit. Elle poussa un petit cri et retira sa main. Avec douceur, Rohan la replaça. Il gémit et ses hanches se mirent à onduler, exactement comme celles d'Isabel un peu plus tôt.

— Ferme les doigts, Isa... Dieu ! Oui, comme ça...

Dès qu'elle le saisit, il donna un coup de reins. Puis il enveloppa la main d'Isabel avec la sienne et entama un lent mouvement de haut en bas pour lui montrer. Il n'eut pas à le faire longtemps, elle apprenait vite. Il la lâcha et elle ajouta sa seconde main à la première. Nouant tous ses doigts autour de lui, elle serra. Rohan faillit jouir sur-le-champ.

Téméraire, elle l'obligea à échanger leur place, le pressant à son tour contre le mur froid. Il lui sourit. La fille était peut-être inexpérimentée, mais elle était très douée. Il saisit ses seins à pleines mains pendant qu'elle continuait à le caresser. Soudain, fermant les yeux et renversant la tête en arrière, il laissa leur jeu brûlant le porter au paradis.

Retenant son souffle, les dents serrées, il éjacula avec une force qu'il n'avait jamais connue. Il abandonna ses seins pour l'étreindre. Sidérée par ce jet puissant et laiteux entre ses mains, Isabel arrêta. Mais les spasmes du sexe entre ses doigts l'incitèrent à reprendre le lent mouvement jusqu'à le vider de sa dernière goutte de semence.

Finalement, il se laissa aller contre le mur, insensible aux pierres froides. Isabel s'essuya les mains sur son ventre. Il éclata de rire, redescendant de cet Olympe où elle avait su le transporter. Il la serra dans ses bras.

Quand leurs respirations retrouvèrent leur cadence normale, elle alla chercher un linge qu'elle plongea dans le pot près du feu, puis elle revint nettoyer Rohan avec soin. Ses attentions provoquèrent une nouvelle érection. Elle le fixa droit dans les yeux.

— Ton appétit est vorace, Rohan. Est-il normal de vouloir recommencer aussi vite ?

— Ma faim de toi est insatiable, Isabel.

Elle se colla à lui et frôla son sexe dressé. D'un lent mouvement du doigt, elle fit le tour de son gland.

— Je dois admettre que… j'ai encore faim, moi aussi.

Il baissa les yeux vers elle, voulant qu'elle le tienne plus fort. Et, Dieu, qu'elle pose ses lèvres sur lui.

— Rohan, je ne peux pas rester dans cette chambre avec toi indéfiniment.

Il la souleva dans ses bras pour la porter jusqu'au lit.

— Ne me parle pas de demain.

— Demain viendra, que nous le voulions ou non.

— Oui... dit-il en s'installant à son côté avant de glisser la main sur son mont de Vénus. Mais d'ici là...

Elle ferma les yeux tandis qu'elle se tordait contre lui.

— Oui, Rohan, encore.

— Isa, je...

À son tour, elle posa la main sur la sienne et poussa.

— Ne me le refuse pas.

Il baisa doucement sa bouche avant d'insérer un doigt entre les lèvres de son sexe. Elle gémit. À nouveau, il fut bouleversé. Dès l'instant où il l'avait vue sur les remparts par cette froide journée de novembre, il avait su qu'elle était une tigresse. Il l'avait tout de suite imaginée se tordant sous lui, comme à présent.

Et si elle lui en donnait le moindre signe d'envie, il s'enfoncerait en elle jusqu'à la garde. Redoutant sa propre réaction, il retira son doigt.

— Non ! s'écria-t-elle.

— Isabel, c'est trop dur de te voir ainsi sans pouvoir te prendre entièrement.

Soudain, il s'agenouilla et la retourna sur le ventre, avant de soulever ses hanches vers lui. La vision de son délicieux derrière le fit hésiter. Il respira un grand coup en se demandant s'il ne venait pas de commettre une erreur. Son membre se posa, comme de lui-même, entre ses fesses si rondes. Ce serait si facile de...

Gémissant, il inséra son majeur dans sa fente.

— Oh, Dieu, Rohan...

Il ferma les yeux.

Pourquoi ne pas remplacer son doigt par son sexe ? Elle était si chaude et si mouillée pour lui. Lui pardonnerait-elle d'avoir perdu tout contrôle dans la folie de leur passion ? Il lui avait bien dit qu'il ne pouvait lui promettre...

— Rohan, l'implora-t-elle en poussant ses fesses contre sa main.

— Isa, je ne suis pas en pierre...

Rigide, il s'écarta, à genoux derrière elle, de peur de perdre tout contrôle si elle se frottait encore une fois à lui. Elle dut percevoir son combat intérieur, car elle trembla.

— Rohan, dit-elle doucement, je t'en prie, soulage-moi.

Il se plaqua à nouveau contre elle, son membre glissant entre ses fesses et, dans un lent mouvement de va-et-vient, la caressa avec son doigt.

Isabel ferma les yeux, émerveillée. Elle ignorait que de telles sensations existaient. Son doigt semblait la remplir entièrement. Si un jour son sexe devait le remplacer, pourrait-elle le supporter ? Il effleurait un point sensible en elle à chaque fois qu'il la pénétrait, et elle sentait son membre dur comme le marbre aller et venir entre ses fesses. Soudain, il se pencha pour venir butiner son cou.

— Isa, tu me fais oublier ma promesse.

Il la mordit doucement, et elle jouit. Elle poussa un hurlement tandis qu'une vague immense se levait en elle, emportant tout sur son passage.

Les muscles de son vagin se contractèrent autour de son doigt.

— Isa ! s'exclama-t-il d'une voix méconnaissable.

Ses hanches claquèrent contre elle et elle sentit le jet chaud sur ses reins. Lentement, leur chevauchée haletante s'apaisa. Isabel s'effondra sur le lit, à bout de souffle. Si elle continuait ainsi avec lui, non seulement elle perdrait sa virginité mais elle lui abandonnerait son cœur.

Il essuya la semence sur son dos avec le linge qu'elle avait utilisé plus tôt, avant de s'allonger près d'elle.

Elle se retourna pour lui faire face, le corps luisant de sueur. Il l'embrassa. Nouant les bras autour de son cou, elle le serra contre elle. Car ce baiser serait leur dernier. En comprenant cela, elle se sentit froide et vide.

Elle ferma les yeux. Oui, c'était déjà en train d'arriver. Elle éprouvait pour la Lame noire des sentiments qu'elle ne devait pas ressentir.

Rompant leur baiser, elle s'écarta pour le contempler à la lueur du feu. Il lui offrit le sourire d'un homme comblé et heureux. Elle crut que son cœur se brisait. C'était encore plus dur maintenant de se séparer de lui. Elle repoussa une lourde mèche pour mieux voir son visage. Cicatrices ou pas, il était le plus bel homme qu'elle ait jamais vu. Même à la cour, les nobles seigneurs avec leurs superbes atours ne pouvaient rivaliser avec lui.

Elle aurait dû être furieuse contre elle-même, car à présent elle était vraiment une débauchée. Mais, au moins, elle n'avait pas perdu sa virginité. Oui, se raisonna-t-elle, en cet instant même, beaucoup de Saxonnes devaient être en train de prier le Ciel pour ne pas porter un bâtard normand. Le viol faisait partie de la guerre et les pucelages, du butin. Elle avait été épargnée. Pour le moment. Parce que ce chevalier avait respecté sa parole. Une parole qu'il ne pourrait plus tenir si elle continuait à partager son lit.

Elle sourit.

— Ah, dit-il, une vision rare et splendide.

— Par les temps qui courent, il existe peu de raisons de sourire.

Il roula sur le dos, l'entraînant avec lui.

— Oublions la guerre ce soir. Je me moque de ce qui se passe au-delà de cette porte.

Se redressant sur un coude, elle effleura la marque de brûlure sur son torse.

— Comment est-ce arrivé ? demanda-t-elle avec douceur.

Il pressa sa main sur sa cicatrice.

— Un fer rouge.

— Quelle barbarie ! Et celui qui t'a fait ça l'a aussi fait à Manhku ?

Il ferma les yeux.

— Oui. Et à Thorin, à Wulf, à Rhys…

— À toutes les Épées rouges ?

— Oui.

Elle posa les lèvres à l'endroit où la croix de la garde était gravée sur son torse. Il se raidit et lui saisit la main.

— Que fais-tu ?

— J'essaie d'enlever la douleur.

Il lui pressa la main avant de la porter à ses lèvres.

— La douleur physique est partie depuis longtemps, Isabel.

— Peut-être, mais qu'en est-il des souvenirs ?

— Ils sont rares.

Elle le scruta.

— Celui qui vous a fait cela s'appelait-il Tariq ?

Il s'assit brusquement, une lueur de folie dans le regard.

— Comment connais-tu ce nom ?

— La nuit où ce cauchemar t'a réveillé. Tu l'as prononcé.

Ses yeux retrouvèrent une expression plus normale et il se laissa aller contre l'oreiller, l'entraînant avec lui.

— Je suis fatigué, femme. Tes exigences m'ont épuisé. Maintenant, profitons d'un peu de sommeil.

Acquiesçant, elle se blottit contre lui, sidérée de se sentir aussi bien dans ses bras. Comme s'ils étaient faits l'un pour l'autre.

— Demain matin, il faudra que nous discutions, dit-elle en bâillant. Cela ne peut continuer ainsi.

Seul un doux ronflement lui répondit. Elle tira une épaisse fourrure pour les couvrir tous les deux. Puis elle ferma les yeux et rêva que Rohan la prenait comme un homme prend sa femme...

Les coups violents à la porte les réveillèrent tous les deux en sursaut. Bondissant hors du lit, Rohan s'empara de son épée. Isabel se redressa, la fourrure remontée jusqu'au menton.

— Fainéant ! rugit Thorin dans le couloir. Les hommes attendent pendant que tu te prélasses au lit.

Rohan tira le loquet et ouvrit. Isabel le contempla, sidérée, car il continuait à brandir son épée, entièrement nu. Thorin sourit. Puis, en découvrant Isabel, il fronça les sourcils et dévisagea son ami d'un air désapprobateur.

Rohan se retourna vers Isabel. Celle-ci écarquilla les yeux. Sa virilité se dressait, immense et fière contre son ventre.

— Si c'est cela qui t'inquiète, Thorin, elle a toujours sa vertu.

Thorin chercha confirmation auprès d'Isabel. Elle hocha très vite la tête.

— Il n'y a pas le moindre sang sur les draps.

— Rohan, déclara alors le Viking, tu me sidères. J'avoue que je n'ai pas ta force. Nous attendrons ton bon plaisir en bas.

Là-dessus, il se retira.

Rohan sourit à Isabel.

— Tu ne voudrais pas me soulager, ce matin ?

Prenant soin de ne pas regarder sa glorieuse érection, elle secoua la tête. Toute la nuit, elle n'avait cessé de rêver qu'il plongeait cette arme dans le fourreau entre ses jambes jusqu'à ce qu'elle le supplie d'avoir pitié d'elle. À chaque fois, elle s'était réveillée pour se rendormir et refaire aussitôt le même rêve. La nuit avait été épuisante. Pour elle. Car Rohan avait dormi. Elle en avait profité pour l'observer à la lueur du feu. Et l'admirer.

Ce n'est qu'aux premières lueurs du jour qu'elle avait enfin pu trouver un vrai sommeil.

Elle quitta le lit, s'enveloppant dans la fourrure.

— Isabel, nous n'en sommes plus...

Elle l'interrompit.

— Rohan, j'ai respecté ma parole et j'ai payé mon dû. Nous devons cesser de nous voir.

La perplexité s'inscrivit sur ses traits.

— Payé ton dû ?

— Oui, pour la vie de Russell : je t'ai offert le libre usage de mon corps, à l'exception de ma virginité.

Il versa de l'eau du pot près de l'âtre dans une bassine et entreprit de se laver.

— Les termes de l'accord étaient la liberté d'explorer tout ce qui se trouve sous ta robe. Et s'il est vrai que cette nuit, j'ai eu cette liberté...

Il se passa un linge mouillé sur le visage, avant de la regarder.

— ... je n'ai pas encore exploré *tout* ce qui se trouve sous tes vêtements.

— Qu'y a-t-il d'autre ? demanda-t-elle avec la sensation d'avoir été dupée.

— Tu le verras ce soir.

— Rohan ! s'exclama-t-elle, frustrée. Je ne serai pas ta concubine !

— Tu l'es déjà.

Elle s'empara de la coupe posée sur la table près du lit pour la lui lancer au visage.

— Espèce de bâtard ! Comment oses-tu ? J'ai accompli ma part du marché, laisse-moi tranquille maintenant !

Il traversa la pièce pour lui saisir les deux mains. La fourrure glissa à terre. Son érection jaillit entre eux.

— Ta part n'est pas encore terminée. Je te dirai quand elle le sera.

— Je refuse !

Il la lâcha pour retourner à sa toilette.

— Peu m'importe. Je te verrai ce soir dans cette chambre. De gré ou de force.

— Je quitterai Rossmoor !

Il pivota pour la clouer du regard.

— Tu ne feras rien de tel.

— Mon fiancé ne va plus tarder à venir me chercher, Rohan. Laisse-moi un peu de dignité !

Cette fois, quand il vint la saisir, il la secoua sans ménagement.

— Trahis-moi avec un autre homme, Isabel, et c'est moi qui te donnerai le fouet.

18

Une autre mauvaise surprise attendait Isabel quand elle descendit le grand escalier. Assise près de Rohan à la table du seigneur, Deirdre déployait tous ses charmes à la manière d'une catin à soldats. Rohan leva les yeux et son regard se planta dans le sien. Elle se raidit lorsqu'un petit sourire retroussa ses lèvres. Comme à chaque fois qu'il la gratifiait de son attention, elle sentit son corps se réchauffer. S'arrachant à son examen, elle se concentra sur la dame à son côté.

Deirdre lui sourit à son tour. Une mimique qui évoquait celle d'un chat qui plante ses crocs dans une souris bien grasse.

Un coup de poignard lui perça le cœur. Jamais elle n'avait éprouvé un tel sentiment de jalousie... au point qu'elle trébucha sur la dernière marche. Malgré toutes ses bonnes résolutions, elle n'arrivait pas à se détacher de cet homme.

Respirant un bon coup, elle se força à sourire aussi. Qu'il aille donc trouver refuge dans les bras d'une autre ! Il valait mieux qu'il en soit ainsi. Ils n'avaient aucun avenir ensemble. Pourtant, la vision de sa noire chevelure étalée sur la poitrine de Deirdre lui donna la nausée.

Elle se tourna vers Manhku qui était assis tranquillement à sa place habituelle, jambes croisées. Il hocha la tête pour la saluer. Elle s'avança ensuite vers la table. Comme un seul homme, tous les Morts se levèrent. Elle fut soulagée de constater que Rohan eut la décence d'en faire autant. Et malgré sa résolution de l'éviter, elle éprouva un petit sentiment de victoire quand il lui prit la main pour l'installer à sa droite.

En sa présence, le déjeuner du matin put commencer. Éprouvant le besoin de se détendre, Isabel demanda au Viking qui lui faisait face :

— D'où venez-vous, messire Thorin ?

Il sourit, une ride se creusant au coin de son œil valide.

— En vérité, ma dame, je ne saurais le dire.

— Vous avez bien des parents ?

Il haussa les épaules et planta son couteau dans un œuf dur.

— Nous en avons tous, répliqua-t-il.

Isabel hocha la tête, comprenant qu'il n'avait aucun désir de parler de sa famille.

Soudain, contre toute attente, le Viking éclata de rire.

— Ma dame, votre curiosité sera-t-elle satisfaite si je vous dis que je suis le produit de l'accouplement entre feu le roi Hardrada – que dans vos contrées vous appelez Harald – et une Gitane byzantine ?

Cette révélation surprit Isabel. L'homme lui apparut soudain sous un jour différent. Bien que, en y repensant, elle n'eût pas dû être aussi étonnée. Le port royal de Thorin et ses traits aristocratiques se mêlaient harmonieusement à l'héritage exotique de sa mère. En dépit de son bandeau noir, Thorin était un homme saisissant. Plus grand encore que Rohan, et tout aussi musclé, il possédait sans nul doute une vaste expérience des champs de bataille. Quand il se frotta la poitrine, exactement comme elle avait vu Rohan et Wulfson le faire, son cœur s'émut. Les souffrances que ces féroces guerriers avaient endurées étaient inimaginables.

Isabel sourit et hocha la tête. Si cet accouplement avait été sanctifié par l'Église, Thorin ne serait pas aujourd'hui assis parmi eux mais sur le trône d'un lointain pays.

— Quelle chance qu'un prince de sang royal nous fasse la grâce de partager notre repas, déclara Deirdre avec un mépris qu'elle ne prit pas la peine de déguiser.

Thorin tourna son œil valide vers elle. Il sourit.

— Un bâtard de sang royal, Deirdre. Il y a une différence.

Isabel faillit s'étrangler avec son morceau de viande braisée. Thorin avait délibérément choisi de ne pas lui donner son titre, l'appelant par son prénom comme une vulgaire servante.

— Où est votre mère ? lui demanda Deirdre.

— Morte.

Un silence de plomb tomba sur la table.

— Comment ? insista Deirdre.

Gwyneth qui, depuis quelque temps, battait des paupières dès qu'elle apercevait le grand Viking, lâcha une exclamation de surprise devant l'audace d'une telle question.

— Il me semble, dame Deirdre, intervint Isabel, qu'il serait plus courtois de vous occuper de vos affaires.

Isabel n'attendit pas qu'elle tente une réplique.

— Mille pardons, messire Thorin. Il est préférable d'éviter certains sujets.

Le fier Viking sourit.

— Je vous remercie de votre sollicitude, dame Isabel, mais je vous assure que celui-ci m'importe peu.

Elle acquiesça, tout en sachant qu'il mentait. Elle avait bien noté la fureur qui était passée dans son regard à la mention de la mort de sa mère.

Décidée à rabattre le caquet de Deirdre une fois pour toutes, elle lui demanda :

— Votre propre mère se sent-elle encore souffrante, ou bien est-ce notre compagnie qui n'est pas à son goût ?

Cette fois, ce fut au tour de Rohan, Wulfson et Rhys de manquer s'étrangler. Isabel remplit un gobelet de lait frais qu'elle tendit à Rohan qui toussait. Il l'accepta et but avec empressement. Quant à Deirdre, on aurait dit qu'elle venait d'avaler une pleine chope de vinaigre.

Tout le monde la fixait, comme pour la défier d'oser s'opposer à la dame du manoir. Quand elle baissa piteusement le regard vers son tranchoir, Isabel éprouva un nouveau sentiment de triomphe.

La conversation reprit un tour plus léger. Peu après, Isabel se leva pour aller voir Manhku.

— Comment va la jambe aujourd'hui, messire chevalier ?

En entendant l'exclamation outragée de Deirdre derrière elle, Isabel se hérissa.

Manhku hocha la tête en esquissant un petit sourire. Isabel tira une chaise.

— Voyons cela.

Peu après, la blessure était exposée. Isabel leva les yeux vers le Sarrasin qui attendait son verdict. Elle lui offrit un large sourire.

— La guérison est en bonne voie. Si vous promettez de ne pas en faire plus qu'il ne faut, vous pourrez rejoindre vos amis à table dès le prochain repas.

Cette fois, Manhku dévoila ses dents dans un sourire rayonnant.

— Sainte Mère de Dieu ! s'exclama Deirdre. Jusqu'où êtes-vous prête à aller, Isabel, pour vous attirer les bonnes grâces de l'ennemi ?

Furieuse, la jeune femme se retourna. Rohan surgit soudain, comme par magie, devant elle. Il posa la main sur son épaule et la pressa doucement. Un frisson la parcourut.

— Vos talents sont admirables, dame Isabel, dit-il. Je vous remercie d'avoir sauvé mon ami. Pourra-t-il monter à nouveau ?

Elle ne regarda ni Rohan ni Deirdre, mais uniquement Manhku. Elle n'avait aucun regret de lui avoir sauvé la vie.

— Peut-être. Je lui ai déjà expliqué que, d'ici un jour ou deux, il pourra sans doute marcher avec l'aide d'une canne. Mais je vous préviens, lança-t-elle au Sarrasin, trop d'exercice pourrait provoquer davantage de dégâts.

— Pourquoi acceptez-vous ce païen parmi des chrétiens ? intervint Deirdre.

Rohan fronça les sourcils avant de se tourner lentement vers elle.

— Ne posez pas de question sur des sujets auxquels vous ne comprenez rien. En selle ! lança-t-il à ses hommes sans plus se préoccuper d'elle. Allons patrouiller sur cette terre qui nous est promise !

Au moment où tous se levaient, la vigie lança l'alerte tant redoutée :

— De la fumée, à quatre lieues au sud !

En moins de temps qu'il n'en fallut à Isabel pour battre des cils, les chevaliers se ruèrent hors de la salle. Elle allait les suivre lorsque Deirdre lui barra la route. Ses yeux verts luisaient sous sa noire chevelure.

— Vous êtes peut-être sa favorite pour l'instant, mais quand viendra le moment pour lui de prendre une épouse, il ne choisira pas une femme souillée comme vous, mais une dame de pure vertu.

— Deirdre, que vous ayez pu préserver votre vertu au beau milieu de cette guerre constitue un vrai miracle. Je prie pour que votre bonne fortune continue.

— Mais moi, je ne me jette pas au cou du premier Normand qui franchit ma porte.

Isabel sourit et inclina la tête.

— Que j'aie encore une porte constitue un autre miracle.

— Je ne troquerais jamais ma vertu contre un manoir.

Isabel continua à sourire. Et elle non plus, se dit-elle. Mais elle était heureuse de l'avoir fait en échange de la vie d'un écuyer qui avait tenté de la protéger. Elle n'en éprouvait pas la moindre honte.

Sans un mot de plus, elle abandonna Deirdre à sa rancœur et se rendit aux cuisines. Quand elle revint dans la salle, elle sentit le regard de Manhku sur elle. Elle lui versa une chope de bière et la lui porta. Il l'accepta en silence.

— Veillez sur le manoir, Manhku. J'ai beaucoup à faire au village.

Franchissant la grande porte, elle eut la surprise de tomber sur Wulfson qui paraissait de fort méchante humeur.

— Que faites-vous là ?

— Je suis relégué à l'agaçante compagnie des femmes.

Elle éclata de rire, ce qui n'améliora en rien l'humeur du chevalier.

— Tout l'honneur est pour moi, messire Wulfson. Je ne vois pas, en effet, quelle compagnie serait plus pénible. Venez, allons cueillir quelques fleurs, tout en papotant et en gloussant de toutes ces choses qui amusent les filles.

Il prit un air accablé.

Sous un grand soleil et un ciel sans nuage, ils se mirent en route vers le village. Elle remarqua que l'activité semblait y renaître et, en examinant les visages autour d'elle, elle vit que d'autres encore étaient rentrés des marais. Certains même lui étaient inconnus. Son cœur se réjouit. La nouvelle se répandait : Alethorpe était protégé.

La matinée avançant, elle effectua diverses tâches jusqu'à ce qu'elle rencontre Mildred et discute avec elle des meilleurs endroits où trouver certaines plantes médicinales. Soudain, elle s'interrompit au beau milieu d'une phrase. Les yeux vert sombre de Wulfson, de la couleur de la mousse fraîche, la scrutaient.

— Un problème, messire Wulfson ?

Il secoua la tête en grommelant. Isabel acheva sa conversation avec Mildred. Celle-ci ne fut pas fâchée de les quitter.

Si Wulfson n'était certes pas timide en présence des villageoises, il était plus calme que la plupart de ses camarades. Comme eux, il portait ses cheveux châtains à la manière des Vikings, longs et lui tombant sur les épaules. Elle remarqua que sa main jouait continuellement avec la garde de sa grande épée. À la différence des autres, il ne se contentait pas de cette arme. Un baudrier lui permettait de ranger deux autres épées dans des fourreaux accrochés dans son dos. Leurs lames étaient moins longues que celle d'une grande épée, mais plus épaisses. Quand il les avait dégainées lors de la visite d'Henri, elle avait senti son sang se glacer. Elle n'osait imaginer le carnage qu'elles pouvaient provoquer.

Elle l'examina plus attentivement. Oui, ces compagnons de Rohan formaient un groupe bien étrange. Comme de grands animaux blessés qui n'avaient aucune confiance en la race humaine. Elle frissonna dans l'air du matin.

Wulfson lui faisait penser à un ange déchu. Les taches dorées dans ses yeux verts palpitaient. S'il portait la même cicatrice en forme de croissant au menton, à la différence de tous les autres, son visage était par ailleurs intact. C'était un homme pour lequel une jeune fille pouvait s'attirer des ennuis. Son visage sombre et mystérieux constituait un défi pour la moindre d'entre elles.

— Messire Wulfson, votre nom est saxon. Pourquoi accompagnez-vous le Normand ?

— Je suis de souche normande.

Comme elle haussait un sourcil, il s'inclina :

— Wulfson de Trevelyn, pour vous servir.

— Trevelyn ? N'est-ce pas… ?

— Oui, j'ai été élevé au pays de Galles par des parents adoptifs. J'ai pris leur nom.

Elle posa la main sur son avant-bras. Il se raidit.

— Je ne mords pas, messire.

Il grommela à nouveau, visiblement mal à l'aise. Isabel dut s'avouer qu'elle prenait un malin plaisir à déconcerter ces guerriers qui semblaient si sûrs d'eux.

— Avez-vous laissé une femme derrière vous en Normandie ?

Sans lui répondre, il la toisa.

— Votre père vous a-t-il reconnu ? insista-t-elle.

— Cessez ce bavardage.

— Cela risque d'être difficile, car c'est ce que font toutes les femmes, n'est-ce pas ?

— Et c'est la raison pour laquelle je les évite.

Isabel éclata de rire.

— Allez dire cela à Lyn et à Sarah.

Il se mit à contempler quelque chose très loin derrière elle, comme si cette conversation ne l'intéressait plus. Isabel en profita pour l'observer encore. Oui, un ange déchu. Comme Stefan, il semblait broyer du noir en permanence. Ou presque.

— Vous étiez dans cette prison avec Rohan et Manhku ?

Les yeux verts étincelèrent. La main se serra sur la garde de l'épée, et Isabel regretta aussitôt son insistance.

— Parfois, ma curiosité est bien mauvaise conseillère, dit-elle. Pardonnez-moi, messire.

Il se décida enfin à la regarder. La douleur et la fureur voilaient son regard.

— Votre question m'a rappelé des souvenirs qu'il vaut mieux oublier.

Lui offrant un sourire tremblant, elle hocha la tête.

— Venez, allons voir les autres villageois.

Il acquiesça.

Elle fut heureuse de revoir tant de visages familiers. Au début, beaucoup de ses gens hésitèrent à venir lui présenter leur respect en raison de la présence de l'intimidant chevalier à ses côtés, mais voyant qu'elle ne le redoutait pas, ils finirent par se décider. Les histoires qu'ils racontèrent sur les pillards et sur de Monfort la terrifièrent. Les méfaits de ce dernier, surtout, semblaient prendre des proportions inquiétantes. Au point qu'elle commença à redouter que cet homme à lui seul ne ravage tout le Norfolk. Même s'il ne prononça pas un mot, elle sentit que Wulfson partageait ses craintes.

Alors qu'il la raccompagnait au manoir, elle eut la surprise de voir la détestable cousine d'Arlys trottiner vers les écuries.

— Cela ne vous paraît-il pas anormal ? demanda Isabel à Wulfson.

Il suivit son regard et fronça les sourcils. À cet instant, Deirdre les aperçut. Elle hésita, mais se reprit bien vite et fonça vers eux.

— Messire chevalier, je requiers une monture ! Ce village nauséabond m'ennuie. Soyez bon et escortezmoi afin que je prenne un peu d'exercice.

Isabel serra les dents. Cette femme se comportait comme si elle était la reine d'Angleterre.

— Non, les instructions de Rohan sont très claires. Nul ne quitte le manoir pour quelque raison que ce soit.

Deirdre changea aussitôt de tactique. Elle s'alanguit et son sourire devint provocant. D'une démarche sensuelle, elle se rapprocha du chevalier et posa une main sur son bras.

— S'il vous plaît, messire… J'assumerai toute responsabilité. Votre chef comprendra.

Wulfson débarrassa son bras de ce contact inopportun.

— Non.

Là-dessus, il offrit son coude à Isabel qui l'accepta, et ils abandonnèrent Deirdre à son sort. Une fois dans la salle, Isabel ordonna qu'on serve le repas. Tandis que plusieurs soldats, parmi lesquels

Wulfson, s'installaient à table, elle se glissa discrètement dans la cuisine et, de là, dans la cour. Elle se
précipita vers les écuries, juste à temps pour voir au
loin un bout de tissu d'un jaune éclatant disparaître à
la lisière de la forêt.

Deirdre.

C'était bien ce qu'elle craignait. Elle jeta un regard
autour d'elle. Personne ne la surveillait. Elle éprouva
un bref remords. Wulfson allait être furieux contre
elle. Mais elle n'avait pas l'intention de s'absenter
longtemps. Quoi que la Saxonne ait en tête, cela
n'annonçait rien de bon pour personne à Rossmoor.

Isabel, à son tour, disparut dans la forêt.

19

Suivant l'odeur de fumée et les indications de Russell, ils ne tardèrent pas à arriver dans une petite clairière près de la rivière. Ce qu'ils y virent aurait troublé la plupart des hommes, mais après le bûcher découvert récemment, Rohan se doutait de ce qui les attendait.

Il n'en éprouva pas moins de compassion pour autant, à laquelle se mêlait une fureur sans nom tandis qu'il contemplait la terre gorgée de sang devant les sabots de son destrier. Plusieurs femmes, jupes relevées sur la tête, parties intimes exposées, gisaient ici et là, pour la plupart dans des positions qui n'avaient rien de naturel. Pour ajouter à l'horreur de la scène, on avait éparpillé des morceaux de corps d'hommes dépecés. Et, planté sur une pique au beau milieu de cette hécatombe, l'étendard norrois au corbeau noir et blanc les narguait. Rohan jeta un coup d'œil à ses hommes, sachant que ce blason allait réveiller d'amers souvenirs.

— C'est une ruse, dit doucement Thorin, d'une voix à peine perceptible. Mon père est mort.

— Un de tes frères cherche peut-être à le venger.

— Ce carnage est une honte pour moi. S'il est l'œuvre de mon frère et si l'occasion se présente, je le lui ferai regretter.

Warner les rejoignait. Son étalon paraissait nerveux, agacé sans doute par l'odeur du sang.

— Il me semble que ces démons cherchent à nous provoquer. Et peut-être à nous attirer dans un piège.

Rohan acquiesça.

— Pas peut-être, c'est une certitude. Écoute, dit-il en montrant d'un geste la forêt autour d'eux.

Warner tendit l'oreille.

— Pas un bruit.

— Exact. Que ce soit dans les bois ou le long des rives, on n'entend absolument rien. Les animaux se tapissent. Notre ennemi est proche.

Rohan fit avancer sa monture en direction de la rivière. La piste était évidente, comme une invitation à la suivre. Il se tourna vers Russell qui venait tout juste de finir de vomir après avoir vu les corps profanés.

— Le meilleur gué est ici ?

— Non, un peu plus en aval. Après ce tournant.

— Qu'y a-t-il sur l'autre rive ?

Le garçon pâlit.

— Les grottes hantées de Menloc.

Rohan éclata de rire.

— Elles le seront plus encore quand nous en aurons fini avec ceux qui ont fait cela, dit-il avant de pivoter vers ses chevaliers. Lorsque nous aurons traversé, déployez-vous par deux, à trente pas les uns des autres.

Les grands destriers se frayèrent un chemin à travers les broussailles, les oreilles couchées, les muscles bandés, prêts à piétiner l'ennemi. Plus elles s'enfonçaient dans la forêt, plus les bêtes semblaient inquiètes.

— Attention, prévint Rohan à mi-voix. Ils nous ont laissé une trop belle piste.

Peu après, il leva le poing. Ses hommes s'immobilisèrent, conscients tout comme lui qu'ils s'étaient volontairement jetés dans le piège tendu. Rohan fit un petit geste circulaire et, aussitôt, ses chevaliers formèrent un demi-cercle impénétrable autour de lui. Pointant sa lance courte, il poussa son grand cri de guerre qui terrorisa les créatures de ces bois.

Tandis que l'écho retentissait encore, les chevaliers chargèrent droit devant et, soudain, les esprits de la forêt parurent se réveiller de toute part. Des talus, si paisibles une fraction de seconde plus tôt, surgit une horde de Vikings armés de haches, renforcés par quelques Saxons qui n'avaient pas renoncé malgré la défaite de Harold.

Au moment où elle pénétrait dans une petite clairière, Isabel s'immobilisa pour scruter la forêt autour d'elle. Même si les arbres étaient nus, ronces et branchages formaient un rideau impénétrable. Nulle part, elle ne vit la mousseline jaune de Deirdre. Frissonnant dans le froid, elle jeta un regard derrière elle, se demandant s'il ne valait pas mieux rentrer au manoir plutôt que de continuer à la chercher. Mais un pressentiment lui soufflait que cette femme était en train de les trahir.

Elle poursuivit sa route jusqu'à un chemin souvent emprunté. Alors qu'elle franchissait un tournant, elle se raidit. Un homme approchait. Un Saxon qui, à en juger par sa tenue, n'appartenait pas au bas peuple.

Dès qu'il la repéra, son visage s'éclaira et il pressa le pas. Sur la défensive, elle l'attendit, la main sur la garde de sa dague.

— Dame Isabel ! s'exclama-t-il dès qu'il fut à portée de voix.

Déconcertée, elle le dévisagea. Elle ne le reconnaissait pas. Il continua à approcher.

— C'est moi, Cédric, bailli du seigneur Dunsworth.

La mémoire lui revint et, avec elle, davantage de confusion encore. Pourquoi n'était-il pas avec Arlys ?

Il se signa à plusieurs reprises avant de s'incliner profondément.

— Dieu soit loué, vous venez à ma rencontre alors que, justement, je vous cherchais.

— Me chercher ? Pourquoi ?

— Mon seigneur m'a donné pour mission de vous ramener. Il souhaite vous épouser sans délai.

À ces mots, le cœur d'Isabel manqua un battement.

— Comment se porte votre seigneur ?

— Bien, ma dame. Il se prépare. Il rallie des soutiens pour le jeune Edgar. Nous prions pour que vous nous accordiez le vôtre. Venez avec moi. Il est très inquiet pour vous.

Malgré son désir d'être débarrassée des Normands, Isabel hésitait.

— Je ne peux pas abandonner mes gens, Cédric.

— Mais votre promis souhaite que vous veniez avec moi.

Elle secoua la tête.

— Je crains que ce ne soit pas possible pour le moment, Cédric. J'ai…

— Mon seigneur a des nouvelles de votre frère Geoff.

À nouveau, elle crut que son cœur s'arrêtait.

— Il est vivant ? demanda-t-elle avec appréhension.

Cédric sourit et hocha la tête.

— Oui, mais il est blessé et il se trouve à une bonne journée de cheval d'ici. Venez avec moi, dame Isabel. Venez rejoindre votre seigneur et il vous conduira à lui.

Elle acquiesça, mais quelque chose la retenait encore. Une guerre terrible se livrait en elle. Plus que tout, elle désirait revoir son frère et le soigner. Le ramener chez eux. Mais elle devait aussi penser aux gens de Rossmoor. Elle frissonna. Elle redoutait la réaction du Normand. Dans son courroux, n'allait-il pas s'en prendre à eux ?

— Il ne faut pas tarder, insista Cédric, il se peut qu'il ne survive plus très longtemps.

Isabel fit un pas hésitant en avant, puis un autre et encore un autre. Elle n'avait qu'un seul frère.

Ils marchaient depuis quelques instants à peine quand un cri terrifiant au cœur de la forêt les fit s'arrêter. Blêmissant, Cédric se tourna vers elle. On aurait dit que la mort elle-même était venue cueillir sa moisson d'âmes. Les bras serrés autour d'elle, Isabel demanda :

— Qu'est-ce que c'était ?

Il la saisit par le bras.

— Le cri de guerre du démon, ma dame.

Elle se laissa entraîner à sa suite. Il lui fit quitter le chemin pour plonger dans les bois, loin de Rossmoor, loin des gens qui avaient le plus besoin d'elle. Et vers ces pillards que Rohan n'avait pu mater. Elle ralentit le pas, mais Cédric la tira plus fort. Si ce qu'il avait dit était vrai, si son frère était blessé, elle irait le retrouver, mais pas ainsi. Elle se languissait de le voir et de le ramener chez eux, mais les chances pour qu'elle parvienne à le rejoindre dans ces conditions étaient minces. Plus que tout, ses gens avaient besoin d'elle. Et si elle était tout à fait honnête envers elle-même, elle ne désirait pas retrouver Arlys. Pas encore, du moins.

Elle se libéra de l'étreinte du bailli. Il pivota aussitôt pour lui reprendre le bras. Sans ménagement.

— Non, dit-elle. Je ne peux pas venir avec vous. Mes gens ont besoin de moi. Beaucoup se cachent encore dans la forêt. Il est de mon devoir de les faire revenir au village.

Cédric fronça les sourcils.

— Mais, ma dame, ne souhaitez-vous pas revoir messire Geoff une dernière fois avant qu'il ne se présente devant le Créateur ?

Isabel frissonna.

— Oui. Plus que tout au monde… Mais s'il a survécu jusqu'à maintenant, il survivra encore assez longtemps pour que je puisse le retrouver. Je dois rentrer à Rossmoor, Cédric. Transmettez mes regrets au seigneur Dunsworth. Dites-lui que je lui souhaite le meilleur et que je suis impatiente de le revoir.

Elle se retournait pour partir quand il la saisit par le bras. Elle leva les yeux vers lui pour découvrir que son expression chaleureuse et amicale s'était transformée du tout au tout. L'air mauvais, il secoua la tête.

— Les instructions étaient claires. « Ne reviens pas sans dame Isabel. » Je ne décevrai pas mon seigneur.

Elle voulut se libérer. Il refusa de la lâcher.

— Arlys comprendra ma loyauté envers Rossmoor. Et vous pourrez sûrement lui expliquer.

— Non. Et il n'y a pas que cela. Il exige votre trésor. Mon maître rassemble une armée. Beaucoup viennent du Nord se rallier à notre cause. Quand il triomphera, toute la Saxe en sortira grandie et il retrouvera ses terres.

— C'est de la folie ! Guillaume assiège Londres. Ses chevaliers sillonnent la campagne anglaise, armés jusqu'aux dents. La rumeur dit que des milliers de mercenaires supplémentaires sont prêts à le rejoindre. Le moment est mal choisi !

— Au contraire ! Les nobles nous soutiennent. C'est le bon moment ! Vous opposeriez-vous à Edgar, le roi légitime ?

Elle secoua la tête.

— Non, je soutiens Edgar, mais je ne suis pas naïve au point de croire que Guillaume se laissera faire. Il n'a aucune pitié et, s'il le faut, il nettoiera l'Angleterre de tous les Anglais.

Cédric secoua la tête. Elle insista :

— Depuis plusieurs jours, les Morts, sa troupe d'élite, résident à Rossmoor. Je les ai entendus discuter. Non seulement Guillaume bénéficie de soutiens à Westminster, mais son armée est forte. Ses coffres sont pleins. Si on le défie maintenant, il triomphera.

— Il y a autre chose en jeu.

— Comment cela ?

— Vous valez une belle rançon.

Elle éclata d'un rire amer.

— Et qui donc voudrait dépenser son argent pour moi ? On m'a réduite à la condition d'esclave.

— De Monfort a affiché son intérêt.

Soudain, Isabel comprit ce qui était en train de se passer.

— Tout ceci est une ruse ! Ce n'est pas Arlys qui vous envoie ! Vous m'avez menti, Cédric !

Elle recula. Il s'avança.

— Pour la cause, ma dame. De Monfort a de l'argent et il est prêt à en consacrer beaucoup pour vous avoir.

— Jamais ! Il faudra me tuer d'abord !

Cédric la frappa au visage avec une telle violence qu'elle se retrouva par terre. Le choc qu'il se soit permis un tel geste et la douleur à la mâchoire la sidérèrent. Un goût cuivré emplit sa bouche.

La saisissant à nouveau, il la força à se remettre sur pied.

— Comprenez bien, ma dame, que nous sommes des hommes désespérés dans des circonstances désespérées. Si ce diable de Normand vous veut et s'il est prêt à payer, alors il vous aura !

— Vous avez menti pour Geoff !

Il hocha la tête.

— Oui, et je suis navré de vous avoir donné cet espoir, mais c'était le seul moyen de vous convaincre de me suivre.

Il dégaina une petite épée et la pointa vers son ventre.

— En voici un autre. En route, et ne tentez pas de vous enfuir. Vous le regretteriez.

— Savez-vous seulement ce qu'il est advenu de mon frère ?

— Non. Marchez, maintenant !

Isabel réprima un sanglot à la pensée de son frère. Geoff et elle avaient triomphé de plus d'un dragon imaginaire dans ces mêmes bois, et les grottes n'étaient pas loin. Soudain, elle décida qu'elle préférait de loin la compagnie de la sorcière à celle de de Monfort.

Faisant mine de céder, elle se mit en route. Cédric avait peut-être son épée, mais elle connaissait beaucoup mieux cette forêt que lui. Elle attendit le moment propice. Alors qu'ils arrivaient au sommet d'une colline, elle sauta dans le ravin. Elle comptait se mettre à courir aussitôt sous le couvert des arbres, mais la pente abrupte ne lui en laissa pas l'occasion.

Perdant l'équilibre sur une racine, elle tomba lourdement et se mit à rouler. Sa chute lui parut durer une éternité, brindilles et branches mortes lui poignardant la peau, les chocs succédant aux chocs sur la terre dure. Derrière elle, elle entendit vaguement Cédric crier.

Quand son corps s'immobilisa contre un gros rocher, elle resta quelques instants immobile, tentant de reprendre son souffle. Elle avait mal partout. En entendant des pas précipités derrière elle, elle se redressa au prix d'un effort terrible, leva les yeux... et hurla.

20

Plus d'une vingtaine d'hommes en armes char-geaient les chevaliers normands. Rohan transperça le premier qui se présenta avec sa lance. Il la libéra des chairs tout en dégainant son épée de sa main droite avec laquelle il assena le coup de grâce, sépa-rant la tête du corps.

Il rugit quand un pillard le frappa au mollet, la lame mordant le cuir épais entourant ses bottes. Enragé, Rohan le chassa d'un coup de pied avant de projeter sa lance. La pointe s'enfonça dans la gorge du Viking. L'homme émit un gargouillement, des bulles rougeâtres s'échappant de sa bouche, avant de tomber mort sur le sol de la forêt.

Rohan éperonna son étalon. Deux Saxons munis de haches se ruaient vers lui. Mordred se dressa sur ses pattes arrière, menaçant de les écraser avec ses sabots. Les deux attaquants se séparèrent. Rohan égorgea le premier avec son épée tandis que l'autre, maintenant derrière lui, retrouvait son équilibre. Prolongeant son geste, Rohan lui trancha les entrailles d'un revers de sa lame.

Faisant faire volte-face à son étalon, il se rua sur trois Vikings qui acculaient Russell. Faisant tournoyer sa puissante épée dans les airs, il trancha les trois têtes d'un coup. Russell blêmit en les voyant rouler au sol.

Rohan le toisa du haut de sa selle.

— Courage, mon garçon. Guillaume veut des chevaliers dignes de ce nom.

Russell écarquilla les yeux et, aussitôt, Rohan se coucha en arrière sur son cheval… juste à temps pour laisser passer une hache de guerre devant son nez. Il enfonça son épée dans la poitrine de l'homme qui la maniait. Se retournant vers Russell, il le vit bloquant la frappe d'un autre qui avait tenté de le surprendre par-derrière. La menace n'étant pas immédiate, il prit le temps d'évaluer la situation. Ses chevaliers avaient déjà maté l'attaque. Plusieurs assaillants mis en déroute tentaient de fuir dans les bois.

— Occupe-toi de ces couards ! cria-t-il à Warner.

Puis il observa comment le jeune écuyer se débrouillait avec le dernier Viking qui avait choisi de rester pour se battre. Russell était plus faible, moins bien armé et moins expérimenté, mais Rohan ne broncha pas. Il n'existait pas de meilleure expérience pour un jeune guerrier que le vrai combat.

Tandis que les chevaliers se rassemblaient autour d'eux, le Norvégien comprit qu'il n'avait plus aucune chance. Sachant qu'il ne tarderait pas à rencontrer Odin, il lâcha un effroyable cri de guerre avant d'abattre sa hache. Russell tenta de l'empaler avec sa lance, mais le manqua. La terreur emplit les yeux bleus du garçon.

L'épée de Rohan siffla, tranchant la main du Viking qui tenait la hache. L'homme hurla de douleur en contemplant son moignon ensanglanté.

Rohan descendit de selle et se dirigea vers lui, épée levée. Calmement, il posa la pointe sur sa poitrine.

— Qui est ton chef ?

Les yeux fous, le Viking secoua la tête.

— Parle, si tu ne veux pas perdre un autre membre.

La pointe de l'épée s'enfonça dans l'épaisse fourrure couvrant la poitrine du Norvégien. Il refusa de céder. Rohan lui trancha le bras droit.

L'homme hurla et tomba à genoux. Du sang jaillissait par flots de ses deux plaies. Rohan leva sa lame avec l'intention de lui couper le bras gauche.

— Hardrada ! cria le Viking.

Rohan lui piqua le ventre.

— Hardrada est mort.

L'autre le dévisagea avec une haine sans nom.

— Que le diable t'emporte !

Rohan rugit. D'un coup de pied, il renversa l'homme avant de lui planter son épée en plein cœur. La lame le traversa de part en part, le clouant au sol de la forêt.

Russell fut pris d'un hoquet quand Rohan la libéra pour la brandir, ruisselante du sang d'une demi-douzaine d'ennemis, au-dessus de sa tête.

Le Normand se tourna vers le garçon.

— Ta dame a consenti un lourd sacrifice pour que tu restes en vie, mon garçon. Je te ramènerai vivant chez toi.

Déglutissant avec peine, Russell inclina la tête.

— Merci de m'avoir sauvé, messire.

Essuyant le sang couvrant son épée sur la fourrure du Viking, Rohan lui répondit :

— Tu ferais bien de t'entraîner plus souvent avec mes hommes. La prochaine fois, je ne serai peut-être pas disponible.

Retrouvant quelques couleurs, Russell acquiesça. Un fracas de sabots retentit dans la clairière où s'était déroulé le bref combat. Warner leva à son tour une épée sanglante.

— Nous avons expédié ces pleutres en enfer, comme ils le méritaient.

Rohan hocha la tête en rengainant son arme. Il grimpa en selle et prit le temps d'observer le carnage.

— Il me semble, mes amis, que nous avons affaire à deux groupes de pillards différents. Des cavaliers et ces soldats à pied.

— Oui, dit Thorin.

— Rohan, intervint Ioan, le démon est vraiment à l'œuvre ici.

— Tu as raison, et nous savons tous quel démon a fait son apparition dans les parages ces derniers temps.

— Henri ? proposa Warner.

Rohan acquiesça.

— Le cœur de mon frère est rempli de haine. Tout ce que je touche, il cherche à le détruire.

— Mais, protesta Warner, il n'a pas l'argent pour payer ces hommes.

— Il a pu le promettre, intervint Thorin. Ou même, pourquoi pas, une récompense en terres. Nous tous, ne sommes-nous pas ici pour cela ?

Warner hocha lentement la tête.

— Il est fou de croire qu'il peut te battre, Rohan.

Celui-ci fit avancer sa monture vers un des Saxons morts. Il descendit de selle et écarta le haubert en cuir du cadavre pour révéler sa tunique. Un renard rouge sur un fond vert lui rendit son regard.

— Ces couleurs sont celles d'un comte, le promis d'Isabel, dit-il en déchirant le tissu pour récupérer le blason.

La colère grondait en lui. Avait-elle un lien avec tout ceci ? Était-elle en contact avec son fiancé ?

Il sauta en selle et ordonna :

— Allons chercher mon frère.

Alors qu'elle se redressait, Cédric se jeta sur elle, la plaquant à nouveau au sol. Sur le tapis de mousse et de feuilles mortes, elle sentit, mêlée aux odeurs de la forêt, celle de chairs pourries. Elle hurla à nouveau. Cédric la tira violemment par les cheveux, levant le bras pour la frapper. Soudain, il se figea, les yeux écarquillés.

Isabel comprit qu'il venait de voir ce qui l'avait fait hurler. Devant eux, plantées selon un large demi-cercle, plusieurs piques supportaient des têtes coupées, certaines depuis si longtemps qu'elles étaient dans un état de décomposition avancée. Toutes semblaient les fixer. L'avertissement était clair. Toute intrusion au-delà de cette sinistre barrière serait punie.

— C'est l'œuvre de la sorcière, murmura Cédric.

Se remettant sur pied, il entreprit de faire marche arrière, tenant toujours Isabel par les cheveux. Ayant retrouvé ses esprits, elle se libéra d'un geste sec. Étonnamment, il ne tenta pas de l'en empêcher.

— Oui, dit-elle, nous sommes à Menloc. Veux-tu qu'on appelle la sorcière ?

Blêmissant, il secoua vigoureusement la tête.

— Non !

Combattant sa propre peur, Isabel sourit. Cédric était maintenant surtout inquiet pour lui-même. Lentement, elle fit marche arrière en direction des piques.

— À ce qu'on dit, elle rôde dans la forêt à la recherche des violeurs et des pillards, pour venger son mari
assassiné et ses filles déshonorées.

— Tais-toi, siffla-t-il, redoutant d'attirer l'attention
de la sorcière.

Elle éleva la voix.

— Je pourrais lui dire que tu étais prêt à me vendre
au diable lui-même.

Du regard, il l'implora de garder le silence. Elle
désigna une tête toute fraîche. Celle d'un Viking.

— Un de ceux que tu as payés, Cédric ?

— Non, non, dit-il, mais sans conviction.

Isabel commençait à comprendre la teneur du
complot et sa colère croissait.

— Arlys et toi, vous avez promis des terres et des
richesses aux Norvégiens afin qu'ils terrorisent votre
propre peuple.

C'était plus une affirmation qu'une question.

Il resta silencieux, mais la haine dans son regard
était éloquente.

— Pourquoi, Cédric ? Pourquoi tuer les vôtres ?

— Pour rallier ceux qui ont renoncé à se battre
contre les Normands.

Elle secoua la tête.

— Tu te trompes. C'est auprès des Normands
qu'ils trouvent protection, à présent ! dit-elle en serrant les poings. Tu es un fou mais, pire encore, tu es
un idiot !

Oubliant la sorcière, il vint vers elle.

— Non, tout le monde connaît le trésor de votre
père. Avec lui et la rançon du démon normand, nous
pourrons acheter les meilleurs mercenaires. Grâce à
eux, nous aurons notre victoire !

La saisissant par le bras, il l'entraîna à nouveau.

— Je suis prêt à tout pour le bien de l'Angleterre. Si cela implique que quelques-uns d'entre nous tombent pour sauver le trône, qu'il en soit ainsi.

— Tu es fou de le croire, Cédric. L'Angleterre est perdue.

À la seconde où elle prononçait ces mots, Isabel sut qu'ils étaient vrais. Les Saxons étaient aussi féroces et déterminés que les Normands, mais la différence était que si Cédric et Arlys étaient prêts à sacrifier certains de leurs compatriotes, les envahisseurs, eux, étaient capables, si l'envie leur en prenait, de massacrer tout ce que cette île comptait d'habitants. Les larmes montèrent à ses yeux tandis qu'un hoquet lui déchirait la gorge. La guerre était perdue : continuer à se battre n'apporterait que davantage de malheurs encore. Elle se redressa, les épaules droites.

— Je ne vous aiderai pas, Cédric. Mon devoir est envers mes gens et je ferai tout pour qu'ils soient en sécurité, même si pour cela je dois les défendre contre vous. Et même si cela implique d'accepter le règne de Guillaume.

Le visage de Cédric se congestionna et une lueur étrange apparut dans son regard. Isabel comprit aussitôt le danger. Si, pour les besoins de sa ruse, il était jusqu'à présent parvenu à garder une apparence assez normale, l'homme semblait en fait avoir perdu la raison. Ses yeux étaient ceux d'un dément. Il porta la main à son épée. De toutes ses forces, elle lui flanqua un coup de pied dans le bas-ventre. Il grogna et se plia en deux. Elle en profita pour lui lancer son genou en plein visage. Profitant de son avantage, elle tourna les talons pour fuir, mais Cédric la saisit par les cheveux et tira si fort qu'elle se retrouva à terre, sur le dos. Le choc lui coupa le souffle. Un voile noir tomba devant ses yeux. Quand il se dissipa, elle vit la maigre lumière qui s'insinuait à travers la canopée au-dessus d'elle.

Cédric se pencha vers elle, mais le bruit d'une cavalcade au loin l'arrêta. Soudain, un étrange caquètement retentit. Isabel tourna les yeux vers la rangée de piques et son sang se glaça dans ses veines.

Les rumeurs disaient vrai.

Une vieille femme, voûtée et vêtue de haillons, venait vers eux en traînant la patte. Elle marmonnait des mots dans une langue inconnue. D'épaisses mèches folles s'échappaient de sa longue tresse blanche, lui masquant en partie le visage.

Elle braqua un long doigt osseux vers Cédric.

— Viens, Saxon, viens à moi que j'ajoute ta tête à ma collection.

Pour une femme aussi frêle, sa voix était claire et forte.

Cédric tressaillit.

— Va-t'en, la vieille ! Ne te mêle pas de mes affaires ! s'écria-t-il.

Mais, comme malgré lui, il recula d'un pas.

Entraînant Isabel avec lui. Saisissant ses propres cheveux à la base du crâne, elle s'arracha à son étreinte. Sans savoir si elle prenait la bonne décision, elle se précipita vers la vieille femme, qui ne lui accorda aucune attention. Ses petits yeux noirs restaient braqués sur Cédric.

— Viens, Saxon, dit-elle en tendant une main qui ressemblait à une serre d'oiseau. Viens à moi, et tu connaîtras la douleur de ceux que tu as trahis.

— Laisse-la-moi, la vieille, si tu ne veux pas que je revienne la chercher avec une armée.

La femme ricana.

— Il n'existe pas d'armée plus puissante que ma magie.

Elle regarda Isabel, qui eut la surprise de constater qu'il n'y avait pas la moindre trace de démence dans ses yeux mais, au contraire, une grande lucidité et... de l'amusement ! Sa peur de la sorcière s'évanouit aussitôt. Si extravagante et inquiétante qu'elle paraisse avec sa « magie », Isabel sut qu'elle ne courait aucun danger.

— Qui es-tu ? demanda Cédric.

Elle ricana de plus belle.

— Je suis Wilma, protectrice de Menloc et des cœurs sincères, dit-elle en pointant à nouveau son doigt tordu vers le Saxon. Et le tien est noir de tous tes mensonges. Des âmes innocentes crient vengeance.

Elle s'avança vers lui. Cédric recula.

— Je vois tout ce qui se passe dans ces bois et je sais avec qui tu complotes, reprit-elle avant d'éclater d'un rire qui se transforma en une longue quinte de toux.

Quand celle-ci se calma enfin, elle ajouta :

— Et je sais qui complote contre toi !

Bravement, Cédric fit un pas en avant.

— Si tu sais tout cela, Wilma de Menloc, alors tu sais que le démon normand la veut coûte que coûte ! Donne-la-moi afin que d'autres puissent survivre !

— Non, Saxon. Elle appartient à un autre, et quand il découvrira ton forfait, tes entrailles connaîtront la morsure de son épée.

— Lord Dunsworth ne lèvera jamais son arme contre moi ! Je suis son fidèle serviteur.

Wilma rit de plus belle et s'avança encore vers lui.

— Imbécile, qu'est-ce qui te fait croire que c'est de lui dont je parle ?

Isabel poussa une exclamation de surprise.

— Oui, couina Wilma qui ne cessait de s'approcher de Cédric. La lignée commencera dans son ventre. Beaucoup de sang devra être versé avant cela. Mais entends-moi bien, Saxon, ce n'est pas une semence anglaise qui produira cette graine.

Isabel trembla dans l'air glacé. Les paroles de Wilma la mettaient mal à l'aise. Si elle n'épousait pas Arlys, si elle n'épousait pas un Saxon, alors qui... ? Son cœur manqua un battement. Non ! Elle ne porterait pas un bâtard !

Cédric, pour sa part, était rouge de fureur. Les mots de la femme avaient fait leur effet. Il ferma les poings et, comme s'il venait de prendre une décision, il hocha la tête. Lentement, il dégaina son épée.

— Alors, je répandrai son sang pour éviter que cette semence maudite ne se répande !

Il bondit sur Isabel. Mais Wilma se jeta entre eux.

— Fuis, ma fille, fuis jusqu'aux grottes ! hurla-t-elle.

Isabel commença par lui obéir, avant de changer d'avis. Elle ramassa un gros caillou par terre et, au moment où Cédric levait son arme pour la plonger dans le ventre de Wilma, elle l'abattit de toutes ses forces sur son crâne. Il sentit le coup venir et l'esquiva en partie, mais le choc suffit à lui faire lâcher la sorcière. Isabel l'aida à se relever et se retourna pour fuir avec elle. Le sol se mit à trembler. Des cavaliers !

— Vite, Wilma.

La vieille femme ne bougea pas d'un centimètre. Au lieu de cela, un sourire tordit ses lèvres.

— Non, petite, reste et affronte le démon.

Isabel poussa un cri lorsque Henri émergea des broussailles, suivi par plusieurs de ses hommes. Cédric dut s'écarter précipitamment pour ne pas être piétiné par leurs sabots.

L'étalon bai d'Henri se cabra, lacérant l'air de ses pattes. Quand elles retrouvèrent le contact avec le sol, l'animal s'ébroua bruyamment. Henri enleva son casque. Son sourire, si semblable à celui de Rohan, était triomphant.

— Dame Isabel, quelle joie de vous retrouver.

Il descendit de selle. Isabel eut un geste de recul pendant que Cédric s'inclinait devant lui.

— Mon seigneur, dit-il. Comme promis, la dame Isabel.

Henri lui jeta à peine un coup d'œil avant de faire signe à un de ses hommes. Le cavalier sauta à terre et tira son épée. Cédric tomba à genoux, puis à plat ventre, saisissant les chevilles d'Henri.

— Je vous en supplie, pas ça, non ! Je sais où la dame cache son trésor !

Arrêtant la main de son sbire, Henri força Cédric à se retourner en lui flanquant un coup de pied au visage. Posant ce même pied sur sa poitrine, il dégaina son épée pour en placer la pointe sur la gorge de Cédric.

— Parle maintenant, ou meurs.

Cédric ouvrit la bouche, mais aucun mot n'en sortit.

La forêt elle-même s'était mise à gronder et à vociférer.

Rohan galopait furieusement en direction des hurlements. Il avait eu la chair de poule en entendant le premier. Cette voix lui était trop familière. Quand il surgit dans la clairière, son regard trouva aussitôt le chevalier et la femme qu'il serrait contre lui. Le Saxon à ses pieds rampait comme un chien. Non loin du trio, se trouvait une vieille femme qui, étrangement, semblait contrôler la situation. Les hommes d'Henri se tenaient un peu en retrait.

Rohan immobilisa sa monture. La rage bouillait en lui et il se pouvait fort bien qu'avant la fin de cette journée, le sang de son frère fertilise la rude terre d'Angleterre. Sa patience avait des limites.

Henri ricana. Tout en gardant Isabel plaquée contre lui, il indiqua les têtes plantées sur les piques.

— Bienvenue en enfer, frère !

Les hommes de Rohan se déployèrent autour de lui, la main sur la garde de leur épée. Ceux d'Henri en firent autant.

— Que se passe-t-il ici ? demanda Rohan.

Henri rugit de rire.

— Il semble, cher frère, que tu aies été cocufié.

Rohan regarda Isabel, qui secoua la tête.

— Ta dame s'était enfuie pour rencontrer son amant. Quelle chance que j'aie découvert sa ruse.

— Non ! s'écria Isabel en se tordant dans les bras d'Henri. C'est un mensonge !

Rohan baissa les yeux vers l'homme qui se traînait aux pieds d'Henri. Celui-ci le montra avec son épée.

— Demande-lui. Il te le dira.

Rohan dévisagea l'inconnu tandis qu'une jalousie aussi cruelle qu'inattendue le poignardait. Si cet homme se comportait comme un pleutre, ses riches vêtements indiquaient qu'il était noble. S'agissait-il de Dunsworth ?

— Qui es-tu ?

L'autre roula sur lui-même pour le dévisager. Il voulut ramper pour s'éloigner de de Monfort, mais le Normand plaqua sa botte sur son dos.

— Parle de là où tu es, Saxon, et parle fort, que tous entendent la vérité.

Rohan se raidit. Le Saxon tremblait sous le pied d'Henri mais quand il prit la parole, ce fut d'une voix sonore.

— Je suis Cédric, bailli du seigneur Dunsworth. Je suis venu ramener la dame à mon seigneur.

— Pourquoi n'est-il pas venu lui-même ?

Cédric resta un instant interdit, levant les yeux vers Henri, puis vers Isabel, et enfin vers Rohan.

— Il... il avait des affaires urgentes à régler.

Rohan esquissa un sourire glacé. Il ne croyait pas ce bailli qui se roulait dans la boue. Pas plus qu'il ne croyait son frère. Il planta son regard dans celui d'Isabel. Il ne la croyait pas non plus.

— La dame a-t-elle voulu t'accompagner de son plein gré ? demanda-t-il avec une douceur mortelle.

Le bailli hocha la tête, mais sans soutenir son regard.

— Oui, assurément.

C'est alors que la vieille intervint d'une voix caquetante.

— Le Saxon arrange la vérité à sa sauce, Normand.

— Ferme ta bouche ! s'écria Henri.

Sans la moindre trace de peur, la vieille s'avança vers lui. Son calme impressionna Rohan.

— Ta soif de vengeance causera ta perte, Normand. Quitte cette île sur-le-champ et tu vivras assez longtemps pour devenir le seigneur de toutes les terres de ton père.

— Tu es folle, la vieille ! Mon frère Robert est l'unique héritier des biens de mon père !

Elle sourit, dévoilant trois dents gâtées.

— Il est vrai, chevalier, que tu es le second fils, mais tu es le dernier dans le cœur de ton père. Il te préfère même son bâtard !

Henri rugit de fureur et s'avança, tout en gardant Isabel en bouclier devant lui, l'épée pressée contre sa jugulaire.

— Comment sais-tu tout cela, la vieille ? intervint Rohan.

Elle tourna ses yeux noirs vers lui.

— La forêt me murmure ses secrets, dit-elle en se déplaçant légèrement vers lui.

— Qui es-tu ?

Elle s'immobilisa pour le fixer. Malgré ses radotages insensés, ses yeux étaient clairs et lucides et recelaient une sagesse que peu d'êtres humains possédaient. Jusqu'à ce jour, il ne l'avait vue que dans le regard d'A'isha.

— Je suis Wilma de Menloc, voyante de l'ignoble.

Après avoir dévisagé Rohan, elle fit de même avec Thorin derrière lui puis avec tous les autres chevaliers à l'Épée rouge, avant de s'arrêter un instant sur Isabel pour revenir sur Rohan. Elle leva les mains vers le ciel.

— Dans le donjon de l'enfer, vous vous êtes tous juré fidélité. Pour que ce serment prenne racine, chacun d'entre vous doit jeter sa semence au plus profond des cuisses de l'Angleterre. Mais avant chaque accouplement, du sang devra être versé, car seul le sacrifice du sang apaisera la fureur des Épées rouges !

Ces mots stupéfièrent Rohan. Il se retourna vers ses hommes et constata qu'eux aussi étaient sidérés.

— Chevalier normand, parent bâtard du duc bâtard, impose ta marque et fais-le avec force, car dans le cas contraire, ton héritage mourra avant même de venir à la vie !

Wilma se tourna alors vers Isabel d'Alethorpe.

— Ta destinée est claire, pucelle de Saxe. Prépare-toi !

Cette fois, Rohan eut l'impression d'avoir été frappé par la foudre. Avec une clarté évidente, il comprit que son destin était lié à cette femme. Il l'avait su dès l'instant où Isabel l'avait défié depuis les remparts. Maintenant, il ne pouvait plus le nier. Et il n'en avait pas l'envie.

Son corps se glaça pendant un bref instant, avant qu'une immense chaleur le gagne. Il fixa Isabel, prisonnière dans les bras d'Henri. Elle était livide. Un féroce sentiment de possession broya le cœur de Rohan. Mais sa calme détermination était plus forte encore.

— Lâche-la, dit-il d'une voix à peine audible, mais que tous dans la clairière entendirent.

Quand son frère refusa d'obéir, Rohan descendit de selle. Un geste infime à ses hommes et, en un clin d'œil, ceux-ci se retrouvèrent avec un arc bandé dans les mains. Un sourire hideux tordit les lèvres d'Henri. Il hocha la tête comme si ce jeu mortel le ravissait. Puis, abandonnant le bailli à son sort, il recula vers les têtes embrochées en tenant Isabel contre lui.

— Mes hommes ne ratent jamais leur cible. Relâche-la, répéta Rohan.

— À moi ! cria Henri.

En réponse, ses six chevaliers dégainèrent leurs épées.

Rohan se contenta de sourire.

— Tu seras mort avant qu'ils ne puissent charger, dit-il en avançant toujours vers son frère. Relâche-la.

Du coin de l'œil, il vit le bailli battre en retraite vers la lisière de la clairière.

— Relâche la fille, deuxième fils ! couina la vieille. Si tu ne le fais pas, ta tête ornera une de mes piques.

Les mots de la sorcière parurent finalement convaincre Henri. Il lança un regard égaré autour de lui. Toutes les flèches des Morts étaient braquées sur lui.

— Tu as perdu, frère.

Henri ricana. Soudain, d'un geste vif comme l'éclair, il déchira la robe d'Isabel, dévoilant ses seins.

— La prophétie de cette folle mourra ici et maintenant !

La tenant par les cheveux et lui plantant son genou dans le dos, il força Isabel à se plier en arrière. Quand elle voulut cacher sa poitrine nue, il chassa ses mains d'un coup du plat de sa lame, avant de plaquer celle-ci contre son cou. Rohan rugit et s'avança. De sa main libre, Henri saisit un sein qu'il se mit à pétrir rudement.

— Un sacré trophée que voilà, mon frère, dit-il. Savais-tu que son promis est prêt à payer pour elle ?

— Relâche-la, répéta encore Rohan.

— Je vais le faire mais d'abord, frère, je vais te prendre ce à quoi tu sembles tant tenir.

Mais soudain, alors qu'il reculait toujours, entraînant Isabel avec lui, il parut s'envoler dans les airs.

Rohan et ses hommes restèrent bouche bée. Malheureusement pour lui, Henri n'avait pas tout à coup reçu des ailes. Et voilà qu'il pendait tête en bas, accroché par le pied à une épaisse corde attachée à la branche d'un chêne. Ses hurlements de rage ébranlèrent la forêt. Quant à la sorcière, elle riait si fort qu'elle en crachait ses poumons. Les hommes d'Henri se précipitèrent sous leur maître, les yeux levés, ne sachant trop comment le libérer. Tous les regards étant fixés sur de Monfort, Isabel voulut en profiter pour se précipiter vers Rohan. Mais Cédric, qui avait ramassé l'épée lâchée par Henri, ne lui en laissa pas le temps. Comme Henri l'avait fait avant lui, le bailli posa la lame sur sa gorge.

Malgré son otage, l'homme implorait Rohan du regard.

— Pardonnez-moi, messire Rohan, mais ma loyauté va d'abord à mon seigneur, et il a insisté pour que je lui ramène la dame.

Rohan se dirigea vers lui, les yeux fixés sur la main pâle et tremblante du Saxon qui pressait l'épée contre la gorge d'Isabel. La vision de sa chair tranchée et de son sang jaillissant l'emplissait de fureur mais, plus encore, d'une tristesse abominable. Il préférait aller en enfer plutôt que d'être séparé d'elle.

— Pardonne-moi, Saxon, mais ma loyauté va d'abord à la dame !

Avant même que le bailli comprenne ce qui se passait, Rohan saisit à pleine main la lame qui menaçait Isabel, l'écarta et plongea son épée dans les entrailles du maraud.

Isabel hurla.

La sorcière émit un caquètement joyeux.

— Je le lui avais prédit !

21

Rohan enleva sa cape pour en draper Isabel. Elle frissonna. De froid, certes, mais surtout en raison de ce qui venait de se produire.

Wilma s'avança vers Henri qui avait cessé de se débattre, malgré sa position humiliante, tête en bas. D'instinct, Isabel comprit que sa vie reposait maintenant entre les mains de son frère. Quand la sorcière sortit un petit poignard de ses haillons, Rohan s'interposa.

— Non, dame Wilma. Mon frère ne mourra pas par ta main aujourd'hui.

Elle leva ses yeux sombres vers lui et sa bouche se tordit.

— Permets-lui de vivre maintenant, Normand, et il te coûtera cher plus tard.

Rohan acquiesça, avant de trancher la corde d'un coup d'épée.

— Qu'il en soit ainsi.

Henri heurta violemment le sol. Ses hommes se précipitèrent à son secours. Les chevaliers de Rohan continuaient de les viser avec leurs flèches.

Wilma jeta ses mains en l'air.

— Je ne puis contrôler ta destinée, Normand !

Rohan rengaina son épée et revint vers Isabel. Il la souleva dans ses bras et, avec délicatesse, la hissa sur sa selle. Il sauta derrière elle avant de lancer un dernier regard à la voyante.

— Toi non, mais moi oui.

Le trajet de retour à Rossmoor fut long et silencieux dans les bras de Rohan noués autour d'elle. La foulée puissante du destrier martelait la piste et son corps en nage lui tenait chaud. Isabel ne cessait de basculer du soulagement d'avoir échappé à Henri et à Cédric, à la peur et au désespoir provoqués par les prophéties de Wilma. Elle sentait le corps de Rohan pressé contre le sien et, même si elle niait l'envie de partager sa vie avec lui, cette perspective l'exaltait. Être l'épouse d'un tel homme serait un défi perpétuel.

Sauf qu'il ne lui avait jamais offert le mariage.

Et même s'il le faisait, en tant qu'épouse, elle le verrait sans doute moins souvent que son duc qu'il accompagnerait dans toutes ses campagnes, car il resterait toujours des hommes comme Arlys qui refuseraient de voir un Normand sur le trône d'Angleterre.

Elle secoua la tête, refusant de se plier à ce que cette « prophétie » lui dictait. Offrir un bâtard au bâtard ? Non ! Il n'en était pas question. Elle ne se donnerait qu'à l'homme qui l'épouserait. Elle se retourna à moitié pour regarder celui qui, depuis qu'il avait surgi, avait bouleversé son existence. Oui, elle admettait son désir pour lui, elle ne se mentirait pas. Mais il était un chevalier sans terre, et donc sans avenir.

Tout comme elle était une noble Saxonne sans terre. Elle ne possédait plus rien que le trésor caché de son père auquel elle ne toucherait jamais, car en vérité il appartenait désormais à son frère. Où qu'il soit.

Donc, comme Rohan, elle n'avait rien. Ce rien pouvait-il leur suffire ? Peut-être, à condition qu'il y ait de l'amour entre eux, mais pour le moment tout ce qui les unissait, c'étaient les divagations d'une folle vivant au fond de la forêt.

La douleur et le désespoir l'étreignirent. Pour la première fois depuis l'arrivée des Morts, elle avait envie d'abandonner. De se retirer pour panser ses blessures. Qu'on la laisse enfin tranquille. Elle en avait assez de s'occuper des autres. De tous les autres. Elle avait besoin que quelqu'un s'occupe d'elle.

Alors, elle se laissa aller contre le torse de l'homme qui occupait chacune de ses pensées et ferma les yeux. Peut-être qu'à son réveil, le monde serait plus beau.

Il ne le fut pas. Une sombre brume enveloppait le manoir, tel un mauvais présage. Les villageois si insouciants et gais le matin même semblaient moroses et lointains. Quant à Wulfson, dès qu'il la vit, il la foudroya du regard. Isabel rougit. Elle n'avait pas eu l'intention de l'humilier aux yeux de son compagnon.

Jetant ses rênes à Hugh, Rohan descendit de selle avant de lui tendre les bras. Elle s'y glissa pour se retrouver blottie contre lui. Encore une fois, la chaleur qui émanait de son corps la stupéfia. Il lui offrit son coude.

En pénétrant dans la salle, elle fut soulagée de n'y voir aucun Willingham. Elle n'avait pas la force de soutenir une joute verbale avec Deirdre.

Isabel resta silencieuse pendant tout le repas. Elle était fatiguée, désorientée, et effrayée. Mais elle ressentait aussi une tension nouvelle, très différente. Pendant un temps, fascinée, elle observa la grande main de Rohan tandis qu'il découpait de la viande ou bien s'emparait de sa chope. Aujourd'hui, cette main avait tué sans la moindre hésitation. Pourtant, elle pouvait aussi se montrer très douce. Elle l'avait été avec elle. Elle frissonna. Qu'attendrait-il d'elle ce soir ?

— Isabel, vous semblez inquiète, déclara-t-il.

Soudain, sans qu'elle en comprenne la raison, les larmes lui montèrent aux yeux. Une grosse goutte salée s'écrasa sur le dos de sa main. Elle voulut l'essuyer contre sa manche mais il lui prit la main, la porta à ses lèvres et, d'un baiser, effaça la larme.

— Vous avez fait preuve d'une grande bravoure aujourd'hui, murmura-t-il contre sa peau. Ne soyez pas trop désespérée, damoiselle. Cette guerre est en train de s'achever et son issue vous sera favorable.

Elle sanglota, bouleversée.

— Rohan. Il faut que je sache ce qui est arrivé à mon frère.

Il lui pressa doucement les doigts.

— Rien ne changera entre nous s'il devait revenir.

Elle se libéra.

— Vous avez tort de croire cela. Il serait un allié de poids pour votre duc et pour vous. Je n'imagine pas Guillaume le dépouiller de ses terres et de ses titres. Il est le seigneur légitime ici.

— Des troubles règnent encore dans le pays, Isabel. Beaucoup de choses peuvent advenir. Guillaume est un homme de parole et il ne change pas d'avis au gré du vent. Lui seul sait qui sont ses loyaux sujets.

Il sourit en arrachant un succulent morceau de chapon qu'il lui présenta.

— Mangez, vous aurez besoin de forces.

En voyant le feu dans ses yeux fauves, quelque chose remua dans son ventre. Elle ouvrit la bouche, et il y glissa la viande. Quand elle la referma sur son doigt qui s'attardait sur sa lèvre inférieure, une folle joie naquit en elle. Il sourit et retira son doigt avec lenteur.

Quelques instants plus tôt, elle était décidée à mettre un terme à leur liaison, et maintenant, une faim bien différente la dévorait.

Elle vit qu'il l'observait et qu'il lisait en elle. Un sourire gourmand étirait ses lèvres. Elle rougit et détourna les yeux.

— Puis-je être excusée, Rohan ? demanda-t-elle à mi-voix.

— Tu n'as plus faim de nourriture, Isa ?

Elle refusa de le regarder.

— Non, je suis épuisée. Je me languis d'un bain et de mon lit.

Il se leva pour lui offrir son bras. Encore une fois, elle l'accepta. Il se contenta de l'accompagner jusqu'au pied de l'escalier. Sans un regard en arrière, elle le gravit vers la chambre qu'ils partageaient. Une fois à l'intérieur, elle referma la porte et s'adossa au battant, la main pressée sur son ventre. Tout son corps palpitait de désir.

Un petit coup derrière elle la ramena à la réalité. Elle ouvrit à Enid. Dès qu'elle entra, celle-ci se mit en devoir de lui préparer un bain, mais son attitude trahissait l'angoisse. Tout en s'activant dans la chambre, elle ne cessait de lancer des regards éperdus vers sa maîtresse. Agacée, Isabel finit par lui demander :

— Qu'est-ce qui te contrarie, Enid ?

Celle-ci se tordit les mains.

— On dit qu'il y en a d'autres dans la forêt. Des malheureux de Dunsworth. Les seuls qui ont échappé au fléau normand.

Un élan de compassion saisit Isabel. Ces gens étaient à la merci d'Henri. Et elle savait ce que cela voulait dire. Cet homme était prêt aux pires exactions et ce n'était plus maintenant qu'une question de temps, elle le sentait, avant que les deux frères ne s'affrontent ouvertement. L'un d'entre eux ne se relèverait pas. La pensée de Rohan mort la terrifia, et elle fut submergée par une telle émotion qu'elle en suffoqua. Il lui fallut un moment pour se ressaisir. Que signifiait cette réaction ? Avait-elle... des sentiments pour le chevalier noir ? Le mélange de froid terrible et de chaleur torride qui lui emplissait le ventre lui disait des choses que son esprit ne voulait pas admettre. Au cours de cette dernière semaine, et sans qu'elle s'en rende compte, un homme, un ennemi juré, avait trouvé le chemin de son cœur.

Comment cela était-il possible ?

— Milady ? demanda timidement Enid. Qu'y a-t-il ?

Isabel cligna des paupières et chassa ces idées folles. Elle sourit à Enid.

— Pardonne-moi. Je suis fatiguée. Que disais-tu à propos des gens de Dunsworth ?

— Ils se rassemblent dans la forêt.

— Pour y chercher refuge ?

Enid haussa les épaules, et Isabel sentit qu'elle lui cachait quelque chose.

— Dis-moi où ils sont et je demanderai à messire Rohan d'aller les secourir.

— On dit qu'ils portent la marque du démon, désormais. Ils sont plus en quête de vengeance que de secours. Ils ne feront jamais confiance à un Normand, quel qu'il soit.

Plusieurs garçons apportèrent des seaux d'eau fumante pour remplir le baquet. Après leur départ, Enid aida Isabel à se déshabiller. Celle-ci ferma les yeux dès qu'elle se retrouva dans l'eau.

— Rohan n'est pas comme son frère, Enid. Sois-en certaine, il ne veut aucun mal aux villageois. Je lui parlerai. Maintenant, laisse-moi profiter de ce bain.

22

Un peu plus tard, alors que Rohan gravissait l'escalier, la lassitude qu'il avait éprouvée à discuter avec ses hommes des éventuelles nouvelles attaques de la part des pillards et d'Henri, disparut. Tout son corps semblait se réveiller à la pensée de la jeune femme qui l'attendait dans sa chambre. Et pour la première fois depuis son retour au manoir, il s'autorisa à songer aux paroles de la voyante. Même s'il n'était pas de ceux qui ajoutent foi à la magie, il avait cru A'isha, et maintenant il croyait Wilma. Mais il croyait plus que tout au feu brûlant dans son cœur. Oui, leurs destins étaient mêlés et elle n'allait pas tarder à le comprendre.

Frottant la cicatrice sur son torse, il hâta le pas vers sa chambre où Hugh avait dû lui préparer un bain. Il était impatient de se laver, et surtout de s'allonger au côté d'Isabel.

Quand il pénétra dans la pièce, un feu brûlait dans la cheminée. Le baquet en cuivre fumait tout près. Plusieurs chandelles étaient allumées et des linges propres attendaient sur un tabouret près du bain.

Endormie, Isabel était blottie dans le grand fauteuil qui avait dû être celui de son père.

Verrouillant la porte derrière lui, il prit garde de ne pas la réveiller. Il se dirigea vers la petite silhouette, submergée par une tendresse qu'il n'avait encore jamais éprouvée. En silence, il se débarrassa de sa ceinture et de son baudrier, avant de se déshabiller complètement. Se glissant dans l'eau bienfaisante, il poussa un long soupir. Il ferma les yeux et se laissa aller ; quand il les rouvrit, ce fut pour découvrir deux petites flammes violettes braquées sur lui.

Une curieuse sensation lui chatouilla le ventre. Isabel commença à se lever.

— Non, repose-toi. Je prendrai mon bain seul.

Elle se laissa aller en arrière et il réprima un soupir de soulagement. Si elle le touchait maintenant, ou même si elle se contentait d'approcher, il ignorait quelle serait sa réaction.

Tandis qu'il se lavait et se rinçait, Isabel ne le quittait pas des yeux. Finalement, cet examen lui porta sur les nerfs.

— Une chose te tracasse, femme ?

Souriant, elle secoua la tête mais continua à l'observer. Lorsqu'il se dressa pour achever de se rincer, elle ne détourna pas les yeux. Il lui fit face, offrant sa formidable érection à son regard.

— Est-ce que tu me désires, Isa, autant que je te désire ?

Sans hésitation, elle acquiesça. Avec un grognement, il enjamba le baquet, sans se soucier de l'eau qui tombait sur le tapis. Il vint la prendre dans ses bras pour la porter vers le lit. Son corps mouillé suivit le sien sur les épaisses fourrures. Plongeant les doigts dans sa chevelure encore humide, il posa ses lèvres sur les siennes tout en guettant un signe de protestation sur son visage. Il n'en trouva aucun.

— Isa, murmura-t-il, quel sort m'as-tu jeté ?

Sans attendre sa réponse, il l'embrassa.

À son tour, elle enfonça les doigts dans sa longue chevelure noire pour l'attirer un peu plus contre elle. Comme ivre, il sentit ses paupières et ses membres s'alourdir, et la délicieuse étreinte du désir dans son bas-ventre. Cette nuit, et toutes celles qui suivraient, elle serait à lui.

— Avec toi, dit-il, la voix rauque, les lèvres frôlant son mamelon, j'oublie tout.

Elle gémit, et quand elle glissa la main sur son ventre pour enrouler les doigts autour de son sexe dressé, il frémit violemment.

— Jésus, tu me rends fou, Isa.

Il plaça sa main sur la sienne et, à l'unisson, ils entamèrent un mouvement de va-et-vient le long de son membre. Il se tordait contre elle. Leurs souffles, brûlants, se mêlaient. Dans un dernier élan, incapable de se contrôler, Rohan déversa sa semence dans sa paume. Il gémit, au comble de l'extase. Lorsqu'il frémit une ultime fois, elle arrêta et le contempla, à la fois curieuse et heureuse. Puis elle s'empara d'un linge sur la table proche du lit avec lequel elle se nettoya, avant d'en faire autant pour lui.

Même repu, Rohan ne comptait pas en rester là. Il la repoussa sur les oreillers.

— Isa, ce n'est pas ce que je voulais.

Il l'embrassa longuement, explorant son corps avec ses mains jusqu'à ce que l'une d'entre elles s'égare sur sa douce toison. Isabel gémit contre sa bouche. Il joua un instant à la lisière de son sexe, le frôlant à peine, avant d'écarter ses lèvres pour insérer un doigt

313

dans son fourreau humide et brûlant. Elle poussa un cri en se tordant contre lui.

— Laisse-moi te faire l'amour, murmura-t-il. Laisse-moi t'aimer toute la nuit.

Ses lèvres quittèrent les siennes pour descendre vers son menton, puis vers sa gorge. Sa langue y trouva un point sensible tandis que sa main allait et venait lentement entre ses cuisses. Soudain, le corps d'Isabel se couvrit d'une pellicule de sueur et l'odeur de son sexe emplit la pièce. Rohan l'inspira avec joie avant de reprendre sa torture avec sa bouche. Il goba un téton dressé pour mieux l'agacer du bout de la langue. Il continua ce jeu quelques secondes avant de glisser sous son sein pour lécher la pliure de peau laiteuse ; il s'y attarda à peine, poursuivant son exploration vers son ventre. Elle retint son souffle.

Elle ne savait plus où elle était, quelles sensations privilégier : celles que suscitait son doigt en elle ou bien celles qu'éveillaient cette bouche et cette langue qui fouillaient chaque centimètre de son corps. Il observa une pause, le majeur à l'orée de son vagin, écartant délicatement ses lèvres avec son pouce... Il attendit qu'elle soit prête avant de la pénétrer à nouveau avec deux doigts. Elle se mit à gémir et se tordre de façon incontrôlable. Quand il déposa un baiser sur son clitoris, elle se figea, choquée.

— Détends-toi, Isa, chuchota-t-il.

La caresse de son souffle chaud sur ses plis gonflés la fit frémir. Avant qu'elle ne puisse répondre, il remplaça ses doigts par sa langue, la glissant dans sa fente. Elle hurla. Tandis qu'il la léchait, ses doigts remontèrent vers ses seins pour les flatter doucement avant de pincer les deux mamelons. Alors, la vague qu'elle attendait se forma, enflant à une vitesse et avec une puissance inouïes. Une force invisible souleva ses hanches pendant que des frissons de plus en plus intenses la secouaient. Plaçant sa main en coupe sous ses fesses, il remplaça une nouvelle fois sa langue par son pouce afin de pouvoir sucer le petit bouton de chair qui couronnait son sexe. Elle jouit dans sa bouche. Accrochée à sa chevelure, elle fut prise de spasmes si violents que, l'espace d'un instant, elle crut bien mourir... et avoir gagné le paradis. Chaque secousse provoquait un râle éperdu.

Il n'avait pas fini. Il l'aspira entièrement dans sa bouche. Et elle crut mourir une seconde fois. Écartant les cuisses, elle plaqua son sexe contre lui. Elle resta un long moment ainsi, haletante, en nage. Enfin, la tempête s'apaisa et Rohan remonta le long de son ventre, ses cheveux caressant sa peau trop sensible, prolongeant encore son extase. Quand il l'embrassa, elle connut son propre goût et la honte faillit la submerger, mais il ne lui laissa pas le temps d'y penser. Son sexe, énorme, frôlait ses lèvres intimes.

Isabel secoua la tête, fermant les yeux. Si elle le regardait, elle ne serait pas capable de résister.

Il pressa son membre contre sa cuisse.

— Laisse-moi entrer, Isabel.

Gémissant, elle refusa. Même si ses hanches se collaient à lui, même si ses seins frémissaient et exigeaient encore le contact de ses mains, elle ne le pouvait pas.

Il insista, son haleine se mêlant à la sienne. Elle ouvrit les paupières et ne put retenir un petit cri. Les yeux de Rohan brillaient comme mille soleils. Ses épaules immenses la dominaient. Ses longs cheveux tombaient autour d'elle comme un voile de nuit.

Elle ouvrit la bouche, mais aucun mot n'en sortit. Un combat terrible la ravageait. Son désir et, oui, son amour pour cet homme luttaient contre tout ce en quoi elle avait toujours cru. Elle referma les yeux.

— Non, Rohan, non.

Si cela était possible, son grand corps devint encore plus dur, plus impitoyable que l'acier ou la pierre. Elle le sentit frémir. Mais il ne la força pas. Au lieu de cela, il glissa à son côté, la libérant de son contact et de son emprise. Même si quelques centimètres à peine les séparaient, elle eut l'impression qu'il se trouvait à l'autre bout du monde. Elle s'en voulut de ne pas lui donner ce que tous deux souhaitaient par-dessus tout. Mais elle ne pouvait s'y résoudre. L'idée qu'il l'abandonne après avoir obtenu d'elle ce qu'il désirait lui infligeait une douleur insoutenable.

Il lui fallut plusieurs minutes pour retrouver ses esprits. Elle voulait qu'il la comprenne, elle en avait besoin. Elle se retourna pour découvrir qu'il lui faisait face, les yeux brillant dans la lueur des flammes. Il ne semblait pas furieux, mais perplexe.

— Rohan, commença-t-elle avant de s'interrompre.

Une folle émotion s'était emparée d'elle et elle crut qu'elle allait pleurer. Elle s'approcha un peu plus de lui pour poser la tête sur sa poitrine. Il sursauta et la repoussa.

— Ne me touche pas, Isabel. Je ne suis pas sûr de pouvoir me contrôler.

Fermant les yeux, elle se laissa retomber en arrière.

— C'est pareil pour moi, Rohan, dit-elle d'une voix hachée, méconnaissable.

— Alors, pourquoi refuser ?

Si elle lui avouait sa peur qu'il l'abandonne, il nierait et lui promettrait la lune pour pouvoir s'installer entre ses cuisses. N'est-ce pas ce que les hommes faisaient tous ?

Elle sourit avec tristesse. Les hommes, peut-être, mais pas celui-ci. Rohan n'était pas du genre à mentir à qui que ce soit. Il lui avait dit qu'il y en aurait d'autres après elle, et elle le croyait. Alors, plutôt que de lui parler de ses sentiments, de cet amour qu'elle n'osait pas vraiment s'avouer et qu'il pourrait utiliser contre elle, elle lui opposa la seule raison qu'il respecterait.

— Celui à qui je me donnerai sera mon mari. Je refuse de porter un bâtard.

— Mon bâtard te déplairait tant que cela, Isabel ?

Une boule douloureuse se forma dans sa gorge. En vérité, elle serait heureuse d'avoir son enfant, mais malheureuse du destin qui l'attendrait.

Il posa la main sur son ventre et écarta les doigts. Aussitôt, sa chair réagit à ce contact.

— Nous ferions des fils robustes ensemble, Isabel. Et des filles pleines du même feu que leur mère.

Elle ferma les yeux tandis que son cœur cognait contre ses côtes. Elle pressa ses deux mains sur la sienne.

— Je te crois, murmura-t-elle.

Il embrassa ses lèvres.

— La prophétie dit que ton ventre portera mes fils, Isa. Je n'en veux pas d'autre.

S'il s'était mis à genoux pour lui déclarer son amour, elle n'en aurait pas été plus choquée. La peur la saisit. La peur du pouvoir de l'amour, la peur de concevoir son enfant, la peur d'Henri et d'Arlys, la peur de l'inconnu. Sa destinée reposait entre les mains de Dieu et elle craignait qu'Il ne lui réserve de nouvelles douleurs. Elle ne pourrait pas supporter de vivre avec un enfant bâtard et sans époux pour les soutenir.

— Cette vieille folle ne faisait que radoter.

— Non, Isabel, la même prophétie m'a été faite par une autre voyante dans la péninsule Ibérique. Wilma n'a fait que me rappeler que mon destin est ici, en Angleterre.

Elle ouvrit des yeux incrédules. Rohan sourit et se laissa aller contre l'oreiller, l'entraînant avec lui.

— C'est la vérité.

Quand elle se blottit contre lui, il la serra dans ses bras.

— Je n'insisterai pas davantage, Isabel, reprit-il. Et je n'exigerai rien de plus de toi. Tu as honoré ta parole.

Elle se figea.

Qu'il la libère de son serment aurait dû la rendre folle de joie. Elle ressentait exactement le contraire. En très peu de temps, elle s'était habituée à sentir la chaleur de son grand corps dans le lit. Elle y puisait une vraie force. Et elle dormait profondément, sachant qu'il la protégeait.

Soudain, un tourbillon d'angoisse s'empara d'elle. Qui partagerait désormais la couche du Normand ? Deirdre ? Une autre ? Comptait-il aller se chercher une compagne à la cour de Guillaume ?

Comme s'il percevait son inquiétude, il l'attira un peu plus contre lui. Elle soupira et finit par se détendre, moulée à lui. Il avait dit croire à la prophétie. Ce qui signifiait qu'il était convaincu qu'elle seule porterait ses fils. Avec ce petit réconfort, elle plongea dans un sommeil agité.

Une série de coups violents à la porte la réveilla. Rohan était déjà debout, épée à la main.

— C'est moi, Rohan. Nous avons de la visite. Viens tout de suite.

Rohan ouvrit la porte.

— Qui ?

Thorin ne regarda pas dans la chambre, son regard fixant uniquement son ami.

— Ils portent un étendard avec un renard rouge sur fond vert.

Isabel lâcha une exclamation de surprise, et les deux hommes se tournèrent vers elle.

— C'est Arlys.

— Désarme-les, ses hommes et lui, ordonna Rohan. Je descends.

Dès qu'ils furent à nouveau seuls, Isabel se glissa hors du lit.

— Je viens aussi.

Sans répondre, il se dirigea vers le seau posé près du feu. Il versa un peu d'eau tiède dans une bassine pour se laver rapidement. Il s'habilla tandis qu'Isabel se passait un linge humide sur le visage et se rinçait la bouche.

— Je préférerais que tu m'attendes ici. J'ignore ce que mijote ton fiancé. Et j'ai quelques soupçons à son encontre.

— J'ai moi aussi des soupçons. Et, comme toi, je souhaite savoir ce qu'il veut.

Déjà vêtue, elle l'aida à enfiler sa cotte de mailles avant qu'il ne sangle son baudrier.

Soudain, il s'immobilisa pour la dévisager.

— Je n'ai aucune confiance en cet homme. Il se peut qu'il ne soit pour rien dans ces raids, mais parmi les pillards que nous avons tués hier, l'un d'entre eux portait ses couleurs sous sa tunique.

Elle écarquilla les yeux.

— S'il me lance un défi, reprit Rohan d'une voix sourde, je ne le refuserai pas, même si tu me le demandes.

Elle hocha la tête.

— Je ne te demanderai rien de la sorte, Rohan, dit-elle en posant la main sur son avant-bras. Allons voir ce que veut le renard.

Rohan la regarda, et elle sourit. Décidément, elle ne cessait de le surprendre. Il comprit alors que même sans les prophéties d'A'isha et de Wilma, il aurait remué ciel et terre pour que cette femme soit sa destinée.

Elle était un trésor rare dans ce monde lugubre. Son sourire, son contact, la bonté de son cœur seraient toujours un baume pour lui. Il sourit. Et il n'avait jamais connu femme plus passionnée. Oui, il respecterait sa parole. Il ne lui prendrait pas sa virginité avant d'être devenu son mari.

Et personne, pas même Guillaume, ne pourrait l'empêcher de le devenir. Dès qu'il en aurait fini avec Dunsworth, il enverrait un messager au duc.

Il la contempla une dernière fois. Malgré la hâte avec laquelle elle s'était préparée, elle offrait une vision saisissante avec sa robe de velours couleur saphir, sa ceinture dorée à laquelle pendait sa dague à la garde couverte de joyaux. Ses longs cheveux flottaient librement. Il la supplierait de toujours les porter ainsi, même après leur mariage. Un sourire lui monta aux lèvres, juste avant qu'un terrible soupçon ne l'effleure. Allait-elle lui préférer le Saxon ?

23

Le couple qui descendait l'escalier attira tous les regards. Tel un faucon, Rohan scruta les visiteurs et repéra aussitôt Dunsworth. La main d'Isabel trembla sur son bras. Ce frémissement suffit à dissiper la terrible jalousie qui venait de s'emparer de lui. Il pressa discrètement sa main pour la rassurer.

Pour quelqu'un qui avait été chassé de chez lui, Dunsworth était richement vêtu. La joie dansa dans ses yeux dès qu'il les posa sur Isabel. D'instinct, Rohan sut qu'elle rougissait, car personne dans cette salle n'ignorait qu'ils partageaient la même chambre. Et, en cet instant, il éprouva de la gêne de l'avoir placée dans une telle position. Il n'avait pas le droit de la dépouiller ainsi de sa dignité. Il implorerait son pardon.

Il serra les dents. Une fois encore, il était la proie de sentiments qui lui étaient étrangers. Il était un guerrier, chevalier de Guillaume et capitaine des Morts, la plus redoutable force combattante de toute la Chrétienté… et voilà qu'il songeait à implorer le pardon d'une pucelle pour avoir abusé de son corps – un abus qui n'en était même pas un !

La colère le saisit. Quant à ce Dunsworth, il était tout ce qu'il méprisait : gras, titré et prétentieux de toute évidence.

— Ma dame ! s'exclama Arlys en tendant les bras vers Isabel.

Quand ils atteignirent le bas des marches, Rohan la laissa s'avancer vers son promis qui lui saisit les mains pour les embrasser avec ferveur, en posant un genou à terre.

— Ma dame, comment vous portez-vous ? demanda-t-il en la lorgnant avec concupiscence.

Elle exécuta une brève révérence.

— Bien, milord, et vous-même, comment allez-vous ?

— Je vais beaucoup mieux depuis que votre beauté s'offre à mes yeux.

Il voulut l'entraîner à l'écart, mais se figea lorsque la main de Rohan se posa sur la garde de son épée. Il fixa le Normand.

— Je suis Arlys, seigneur de Dunsworth. Je n'ai pas de querelle avec vous, Normand. Je suis venu dans la seule intention de réclamer ma promise, dame Isabel.

Impassible, Rohan hocha la tête avant d'observer les hommes qui accompagnaient Arlys. Même s'ils paraissaient éprouvés par la guerre, ils tentaient de se donner un air redoutable. Il se demanda combien d'entre eux avaient participé aux massacres. Il toisa à nouveau leur chef.

— Pour un homme qui n'a plus ni terre, ni titre, vous faites preuve de témérité en vous montrant ici. Ou de stupidité.

Le visage d'Arlys se crispa.

— Vous êtes aussi rustre que votre frère, du Luc. Mais soyez assuré que, même si de Monfort boit mon vin, mange mes vivres, viole ma sœur et crie à la face du monde qu'il a tué mon frère, je garde confiance. Je récupérerai tout ce qui m'appartient de droit.

Isabel poussa un cri de stupeur. La pauvre et douce Elspeth et le malheureux Edward, si jeunes...

— Arlys, vous devez aller chercher Elspeth sur-le-champ ! dit-elle.

Il secoua la tête.

— Dunsworth est bien gardé. Je n'ai aucune chance de le reprendre. Mais je compte faire valoir mes droits auprès de Guillaume.

Rohan éclata de rire.

— Quels droits, Dunsworth ? Même si mon frère est un véritable fléau, notre père commun a offert à Guillaume un joli tribut. De Monfort est un allié puissant pour le duc, qui n'a aucun désir de lui déplaire. Henri gardera ce qu'il a pillé ici.

Arlys pâlit. Son regard ne cessait de naviguer de Rohan à Isabel.

— Tout n'est pas perdu pour moi, du Luc. J'ai toujours ma promise. Laissez-la préparer ses affaires, que nous puissions partir.

Rohan caressa la garde de son épée.

— Qu'est-ce qui vous rend si sûr que la dame souhaite partir avec vous ?

Arlys adressa un sourire entendu à Isabel. Elle ne le lui rendit pas, et le sourire se figea en rictus.

— Isabel, dites à cet homme que vous souhaitez être libérée de sa garde.

— Je... je ne puis quitter Rossmoor, Arlys, répliqua-t-elle doucement.

Il la fixa durement avant de lever les yeux vers le Normand.

— Vous ne pouvez pas, ou vous ne voulez pas ?

Elle secoua la tête.

— Je ne veux pas.

Le visage de Dunsworth prit une vilaine teinte rouge.

— Cet homme a-t-il commis l'irréparable ? Vous a-t-il forcée, Isabel ?

Elle chercha ses mots mais, ne les trouvant pas, se contenta de secouer la tête.

— J'ai envoyé Cédric vous chercher, enchaîna Arlys avant de désigner Rohan. On dit que cet homme l'a tué. Est-ce vrai ?

— C'est vrai, admit Rohan sans laisser à Isabel le temps de répondre. Sa vie pour toutes celles d'Alethorpe que vos hommes ont prises.

Arlys sursauta et le toisa, les yeux plissés.

— Quels mensonges crachez-vous là, Normand ?

— On a trouvé vos couleurs sur un des pleutres que nous avons abattus hier.

Arlys recula, secouant la tête.

— Non, je n'ai jamais permis une telle chose.

— Ce n'est pas ce que Cédric m'a dit, Arlys, intervint Isabel.

— Dans ce cas, rétorqua le seigneur saxon, c'est qu'il poursuivait ses propres buts. Je lui ai juste demandé, ajouta-t-il en retrouvant une voix douce-reuse, de vous ramener à moi.

— Et il a échoué, tout comme vous. Elle vous a déjà donné sa réponse, lui rappela Rohan.

— Non ! Elle est à moi. Je ne partirai pas sans elle.

La patience de Rohan atteignait ses limites.

— Vous n'avez rien à lui offrir. Vous êtes sans terre et sans titre. De par ce simple fait, vos fiançailles sont annulées.

Cette fois, Arlys blêmit.

— J'ai peut-être tout perdu, Normand, mais je lui offre mon amour et mon respect, et je suis prêt à faire ce serment devant Dieu. Vous, qu'avez-vous à lui donner ? La chance de devenir votre concubine ?

Ceux qui entendirent le Saxon retinrent leur souffle. Rohan avait déjà tiré son épée.

— Non, Rohan ! le supplia Isabel, posant une main sur son bras. Laisse-le.

Il tourna vers elle un regard qui atteignit son cœur.

— Je t'en prie, murmura-t-elle.

— Isabel, dit Arlys, c'était le vœu de votre père que nous nous mariions. Oseriez-vous lui faire cette offense ?

Elle parut se pétrifier, avant de pivoter lentement vers lui.

— Mon père est mort et mon frère aussi, peut-être. Quand notre contrat de mariage a été signé, Édouard était roi. Il est mort, tout comme Harold. Le contrat est nul, Arlys. Il ne peut être imposé.

Il posa de nouveau un genou à terre et lui prit les mains.

— Mais, et nous, Isabel ? Qu'en est-il de notre amour ?

Plus rigide qu'une statue, Rohan attendit la réponse. Non pas que celle-ci changeât quoi que ce soit. Isabel était à lui. Nul homme, contrat ou pas, ne la lui prendrait.

— Arlys, dit Isabel, je ne vous aime pas. Pas comme vous voudriez que je vous aime. Saisissez cette chance pour trouver une dame qui fera votre bonheur. Je suis désolée, ajouta-t-elle en secouant la tête. Je ne suis pas cette femme.

Il lui serra les mains.

— Je ne vous crois pas, Isabel. Ce Normand vous intimide. Venez avec moi ! Edgar a été couronné ! L'espoir demeure pour l'Angleterre !

Rohan plaça la pointe de sa lame sur la poitrine d'Arlys, le forçant à s'éloigner d'Isabel.

— Voilà qui sera bientôt rectifié, Saxon, croyez-moi.

Arlys le fixa dans les yeux.

— Même si cela devait être le cas, votre duc est-il borné au point de ne pas comprendre qu'il se heurtera à une plus grande résistance encore s'il nous dépouille de tout ? Et que s'il faisait preuve de magnanimité, beaucoup de Saxons seraient, au contraire, prêts à lui prêter allégeance ?

Rohan le scruta.

— Faites-vous partie de ceux-là, Dunsworth ? Faites-vous serment d'allégeance ici et maintenant à Guillaume ?

Arlys esquiva la question.

— Ma loyauté est acquise au roi d'Angleterre.

— Au roi actuel ou au roi légitime ?

— J'ai servi Édouard et Harold. Je servirai le roi.

— Vous jouez avec les mots, Dunsworth. Qui est ce roi ? Edgar ou Guillaume ?

Arlys risqua un regard vers Isabel avant de répéter :

— Je sers le roi.

Rohan sourit.

— Vous êtes roué, Dunsworth. Mais un sujet qui change d'allégeance aussi souvent que mes hommes changent de femmes n'a aucune valeur à mes yeux, ni à ceux de Guillaume. En tant qu'ancien seigneur, que suggérez-vous que je fasse de quelqu'un comme vous ?

— Vous devriez permettre à ma dame de partir avec moi afin que nous cherchions refuge sous des cieux plus cléments où nous ne serons pas considérés comme des esclaves.

Rohan se tourna vers Isabel.

— Trouves-tu le ciel ici si peu clément, Isabel ?

Contemplant la salle autour d'elle, Isabel y vit de nombreux visages familiers. Des visages en proie à la peur de l'inconnu, qui cherchaient en elle un guide. Des visages qui la contemplaient avec espoir. Son devoir la liait d'abord à ses gens. Elle secoua la tête.

— Te sens-tu intimidée par moi ou par mes hommes ? insista-t-il.

Lentement, elle secoua à nouveau la tête.

Rohan pivota vers Dunsworth.

— La dame vous a rejeté trois fois. Le sujet est clos.

Arlys se dressa, furieux, poings serrés. Ses hommes, même désarmés, se rassemblèrent autour de lui. Isabel n'avait jamais vu son ancien promis en proie à une telle rage.

— Vous me préférez ce bâtard ? C'est lui que vous choisissez ?

— Je choisis Rossmoor, Arlys.

— Choisiriez-vous encore cet homme qui a fait main basse sur Rossmoor si vous appreniez qu'il a tué votre père ? lui jeta-t-il.

Elle sursauta violemment, comme si une masse invisible venait de la frapper.

— Que dites-vous ?

— Du Luc est le meurtrier de votre père !

Les entrailles de Rohan se tordirent quand il vit Isabel tourner vers lui un visage défait. Les larmes dans ses yeux violets les faisaient briller comme des pierres précieuses. En silence, elle le supplia de lui dire que ce n'était pas vrai. Il se pétrifia.

Car, même après toutes les guerres qu'il avait livrées, toutes les vies qu'il avait prises et les horreurs indicibles auxquelles il avait survécu, il n'avait pas le courage de lui briser le cœur en disant la vérité. S'il la lui révélait, il la perdrait à jamais.

Oui, il avait bien porté le coup de grâce à son père.

Et si la situation se répétait, il recommencerait. Mais elle ne comprendrait pas. Elle ne pouvait pas comprendre la mentalité des hommes. Mourir sur le champ de bataille de la main de son ennemi était un honneur pour tout vrai guerrier. Et Alefric était un guerrier que Rohan aurait respecté en toute circonstance.

Isabel ravala un sanglot et demanda :

— Dit-il la vérité ?

Un silence de tombe pesa sur la salle tandis que tous attendaient sa réponse.

— J'ai tué beaucoup de Saxons sur cette colline, Isabel. Il est possible que ton père soit tombé sous mes coups.

— Non ! hurla Arlys. Je vous ai vu de mes propres yeux, vous lui avez tranché la gorge !

Isabel s'effondra au sol. Rohan se baissa pour l'aider à se relever. Poussant un cri, elle le repoussa. Blême, elle se redressa à genoux avant de se tourner vers Arlys.

— Et Geoff ?

— Je l'ai vu tomber, Isabel, auprès de votre père. Il est mort.

— Pourquoi me dites-vous tout cela seulement maintenant ? Pourquoi ne pas m'avoir envoyé un messager ?

Arlys baissa les yeux.

— Je voulais vous apprendre moi-même la terrible nouvelle et je l'aurais fait dès que nous aurions été, vous et moi, loin d'ici.

Isabel hocha faiblement la tête. Rohan s'accroupit derrière elle. Ses grands yeux lumineux se posèrent sur lui et il sentit la terre s'ouvrir sous ses pieds.

— Il cherche à t'influencer, Isabel. Il a beaucoup à gagner à te convaincre.

Des larmes ruisselaient sur son visage et elle n'avait plus la force de se relever. Elle restait à terre, comme une bête touchée à mort.

— Laissez-moi, tous les deux.

Fermant les yeux, elle répéta d'une voix à peine audible :

— Laissez-moi.

Rohan se tourna vers Wulfson.

— Raccompagne-la dans ma chambre, dit-il avant de s'adresser à Enid. Veille sur ta dame.

Dès qu'Isabel eut disparu, Rohan s'approcha d'Arlys.

— Vous venez de lui infliger une blessure dont elle ne guérira pas. Pour cela, vous allez rencontrer Guillaume bien plus tôt que vous ne vous y attendiez. Saisissez-les ! ordonna-t-il à ses hommes.

Les Saxons tentèrent bien de résister mais, désarmés, ils n'avaient aucune chance contre les Morts. Sans doute attirés par le vacarme, les Willingham surgirent au sommet de l'escalier.

— Arlys ! s'écria Deirdre, dévalant les marches. Que se passe-t-il ici ? demanda-t-elle à Rohan.

L'ignorant, il se dirigea vers la porte.

— Qu'on les enferme dans les écuries.

Tandis que ses hommes obligeaient les Saxons à se mettre en marche, il ne prêta aucune attention aux hurlements de Deirdre et aux demandes d'explication de son père. Il entendit vaguement Ioan annoncer que Dunsworth et ses hommes étaient désormais prisonniers de guerre de Guillaume, et que si les Willingham désiraient les rejoindre, il se ferait une joie de les enchaîner eux aussi.

Rohan gagna les écuries. Sortant son destrier de sa stalle, il sauta sur son dos. La bête franchit le portail déjà lancée au galop.

Isabel s'écroula sur le lit de son père. Si elle avait eu tous ses esprits, elle aurait exigé de rejoindre ses propres appartements. Mais la vision de Rohan, debout devant son père et lui tranchant la gorge, occultait tout le reste.

Ses sanglots s'étaient transformés en hoquets qui lui déchiraient le corps. Et Geoff... Geoff, si doux et si drôle ; lui qui aimait les arts et les femmes. Il n'était pas un guerrier. Elle n'entendrait plus sa voix moqueuse et son rire quand il la traitait de garçon manqué. Elle ne connaîtrait jamais ses nièces et ses neveux, et il ne deviendrait jamais seigneur d'Alethorpe.

Son corps s'était soudain mué en bloc de glace.

Elle n'entendit pas le coup frappé à la porte. Finalement, Enid lui demanda si elle devait ouvrir. Isabel ne répondit pas. Peu après, elle reconnut la voix profonde de Thorin.

Isabel se retourna, les yeux si gonflés qu'elle distingua à peine le chevalier borgne. Il s'approcha d'elle et s'inclina. Pendant une longue minute, il demeura silencieux. Lorsqu'il parla, ce fut d'une voix grave et mesurée.

— Dame Isabel, certains n'ont aucune vergogne à user de subterfuges. Je vous supplie de ne pas croire les affirmations d'un homme qui n'a plus rien à perdre. Rohan a, certes, de nombreux défauts, mais il est avant tout un noble guerrier sur le champ de bataille. À moins d'avoir une excellente raison, il ne tuerait jamais un chevalier à terre en lui tranchant la gorge. Il se servirait de son épée pour le frapper au cœur.

Isabel frémit devant une telle affirmation. Thorin n'attendit pas qu'elle lui réponde : il s'inclina à nouveau et quitta la chambre.

Rohan chevaucha tout l'après-midi, poussant Mordred à ses limites. Il était furieux, perdu et accablé. Une douleur insondable lui mettait le cœur en pièces, car il savait que celui d'Isabel était dans le même état. Mais le fait était là, et il ne pouvait rien y changer. Il avait tué Alethorpe sur la colline de Senlac.

Bien après que Harold fut tombé, le site de la bataille n'étant plus qu'un champ de morts et de mourants, Rohan qui avait reçu la charge de faire emporter et enterrer les corps, avait entendu un homme l'appeler.

— Normand !

Il s'était retourné vers un tas de cadavres, avant de repérer la main qui s'agitait faiblement dans l'air du soir. Il s'était agenouillé près d'un vieux chevalier saxon qui ressemblait beaucoup à l'image que Rohan se faisait de lui-même quand il aurait atteint un âge aussi avancé : un guerrier endurci, loyal jusqu'à la mort à son roi et à sa terre, combattant jusqu'à son dernier souffle.

Le Saxon lui avait saisi le bras.

— Achève-moi, Normand. Je ne veux pas mourir pas de la main d'un traître qui m'a frappé dans le dos, avait-il dit d'une voix encore forte pour un homme aux portes de la mort. Ne laisse pas les vautours me picorer les yeux. Veille à ce que mes compagnons saxons et moi-même soyons mis en terre selon la loi du Seigneur.

Rohan avait acquiescé. Puis il s'était intéressé à l'épée gisant sous le chevalier. Il l'avait dégagée. La garde portait le blason d'Édouard.

Il l'avait montrée au vieil homme.

— C'est une épée saxonne, messire.

— Je sais. L'épée d'un lâche, dit-il avant qu'un terrible hoquet ne l'ébranle.

Au prix d'un suprême effort, il avait repris la parole :

— Je suis Alefric d'Alethorpe, seigneur du manoir de Rossmoor. Je crains que mon fils ne soit lui aussi tombé, lâchement frappé par le même traître que moi.

Il avait toussé et une écume rouge avait surgi de sa bouche, mais Rohan doutait qu'aucune force ne l'arrache à cette terre avant qu'il n'ait dit ce qu'il avait à dire.

— J'ai une fille à la tête très dure et un trésor digne de la rançon d'un roi. Tue-moi, Normand. Permets-moi de mourir de la main de mon ennemi, et non de celle d'un couard.

Une nouvelle quinte de toux, et cette fois des flots de sang avaient jailli de ses lèvres. Des yeux violets, à peine moins brillants que ceux de sa fille, l'avaient imploré.

— Jure sur ton épée que tu veilleras sur ma fille, avait alors déclaré Alefric en lui serrant le bras de toutes ses forces. Ne la laisse pas être la proie du renard en habit de mouton.

Comprenant le souhait de ce guerrier, Rohan avait dégainé sa petite épée.

— Je vous fais le serment, milord, de veiller de mon mieux sur elle.

Puis, d'un geste vif, il lui avait tranché la carotide. Le vieil homme avait alors fermé les yeux et Rohan l'avait regardé quitter ce monde, l'esprit en paix. Si cet homme était parti en enfer, il était certain de l'y retrouver un jour.

Voilà donc comment le seigneur de Rossmoor avait trouvé la mort. De la propre main de Rohan, sans le moindre doute.

Soudain, celui-ci tira brutalement sur les rênes. Mordred, obéissant, s'immobilisa en se cabrant et fit volte-face. Le poitrail en nage, il repartit au galop, prêt à tout donner pour son maître qui avait pris sa décision. Il dirait tout à Isabel, et il attendrait son verdict. Il ne pouvait la forcer à se plier à sa volonté.

Si un grand poids venait de quitter brusquement ses épaules, il était remplacé par une immense angoisse. Le comprendrait-elle ? Il n'osait y croire.

Mais, au cours de ces quelques jours où il avait appris à la connaître, il avait compris que s'il voulait son respect, il devait d'abord lui offrir le sien.

Le vent glacé lui giflait le visage tandis que l'étalon comblait la distance qui le séparait de la femme qu'il aimait.

24

— Ma dame ! s'écria Enid, réveillant Isabel en sursaut. Il faut venir. C'est un messager du duc !

Isabel entendit les mots, mais ils n'avaient aucun
sens pour elle. Elle sentait son visage gonflé comme
une outre à vin. Quand elle essaya de les ouvrir, ses
paupières restèrent collées. Elle avait mal à la poitrine et sa gorge était à vif. Un torrent de douleur
déferla sur elle lorsqu'elle se rappela pourquoi.

De nouvelles larmes descellèrent ses paupières.

Enid insistait.

— Laisse-moi, Enid, cria-t-elle dans son oreiller.

— Non, ma dame, vous devez vous lever. Le messager exige de vous parler, à vous et au Normand. Ne
provoquez pas la colère de Guillaume. Levez-vous !

Ses membres n'avaient plus de force, son cœur
n'avait plus de volonté, mais elle parvint néanmoins
à s'asseoir et à poser les pieds à terre. Enid lui pressa
un linge humide et froid sur le front, avant de s'occuper de sa longue chevelure avec laquelle elle réalisa
deux minces tresses autour de son visage.

Elle lui glissa ses souliers et, satisfaite du résultat,
aida sa dame à se lever et à gagner la porte. Isabel

hésita devant celle-ci mais, croisant le regard déterminé d'Enid, elle retrouva sa résolution. Elle était Isabel d'Alethorpe, fille d'un des plus nobles chevaliers de toute l'Angleterre. Elle était de taille à affronter les exigences du duc.

Elle descendit l'escalier au moment même où Rohan franchissait la porte. Il se figea sur place et, malgré la distance, leurs regards se trouvèrent. Isabel détourna le sien vers le nouveau venu, portant l'or et le pourpre du duc. Plusieurs autres chevaliers en armes arborant les mêmes couleurs l'entouraient.

Rohan se dirigea vers lui et le salua avant de demander :

— Quelles nouvelles apportes-tu de Guillaume ?

L'émissaire lui montra un rouleau de parchemin scellé.

— Le duc a fait une proclamation, messire Rohan.

Il brisa le sceau et se mit à lire :

— « Moi, Guillaume, duc de Normandie et héritier du trône d'Angleterre, je commande ici à mon capitaine Rohan du Luc et à son frère, le seigneur Henri de Monfort, de s'affronter dans un duel à l'épée au manoir de Rossmoor. Le combat aura lieu deux jours après la lecture de cet édit et ne sera pas à mort. Au premier sang versé, le vainqueur remportera les droits sur dame Isabel d'Alethorpe et le domaine dont elle a la charge. »

Isabel poussa un cri étranglé ; ses genoux cédèrent. Déjà auprès d'elle, Rohan l'empêcha de tomber pour l'installer sur un banc.

— « Jusqu'au duel, la dame devra être séparée des deux champions et n'entretenir aucun rapport avec l'un ou avec l'autre. C'est mon vœu le plus ardent que le combat ne soit pas à mort, car j'ai grand besoin de mes chevaliers. L'issue de ce duel ne devra jamais être remise en cause. »

Le messager roula le parchemin et, dans la salle, nul n'osa proférer le moindre mot. Tous, chevaliers et villageois, semblaient pareillement choqués.

La colère s'empara d'Isabel.

— Dites à votre duc que je préfère mourir plutôt que d'être livrée à l'un de ses chevaliers, dit-elle en se dressant.

Le messager la dévisagea, sidéré à son tour.

— Isabel, fit doucement Rohan, tu ne peux t'opposer au duc.

Elle tourna des yeux brillants vers lui.

— Dans ce cas, je me tuerai.

Alors qu'elle s'apprêtait à quitter la salle, le messager s'écria :

— Halte !

Elle hésita sur les marches, mais continua à les gravir. Au sommet de l'escalier, elle pivota vers la foule assemblée.

— Que votre duc trouve une autre chienne à offrir pour l'amusement de ses seigneurs. Je ne suis pas disponible.

Le messager fit signe à un de ses hommes de ramener la jeune femme. Le bras massif de Rohan l'arrêta.

— Non, Rodger. Elle vient d'apprendre coup sur coup la mort de son père et de son frère. Si tu insistes, elle te rendra la vie très difficile. Je peux en attester, conclut-il avec un petit sourire.

— Ce n'est pas moi qui compte, Rohan, mais Guillaume, dit l'autre en fouillant sous son surcot. Sa Grâce m'a demandé de te donner ceci, une fois que j'aurai lu l'édit.

Rohan accepta le parchemin et fit sauter le sceau. Il lut en silence pour lui-même.

Mon cher ami et compagnon d'armes, c'est le cœur lourd et avec beaucoup d'irritation que j'ai dû prendre le temps de cesser de guerroyer contre ces ingrats de Saxons pour t'écrire. Sois fort. Ce duel n'est pas à mort et si j'avais le moindre doute quant à son issue, je ne l'aurais pas ordonné. Mais tu le sais, je ne peux pas refuser cela à cette canaille d'Henri. J'ai trop besoin de l'argent de son père. Remporte la victoire, la dame et les terres, et nous aurons beaucoup à fêter lors de mon couronnement. Guillaume.

Rohan gagna la cheminée et jeta le parchemin dans les flammes, le regardant se consumer entièrement.

Il sourit. Oui, il remporterait la victoire sur son frère une fois pour toutes.

Il s'inclina vers Rodger.

— Je t'implore de m'accorder un bref moment avec la dame. Je dois aussi récupérer mes affaires dans la chambre.

Rodger commença par secouer la tête, mais Rohan insista :

— Il est urgent que je lui parle.

— D'accord, Rohan, mais n'abuse pas. Je ne veux pas qu'on dise que je t'ai favorisé aux dépens de ton frère.

Rohan monta précipitamment dans sa chambre, et son cœur se serra quand il la découvrit vide. Il se rua alors dans celle d'Isabel, où il la trouva faisant les cent pas tandis qu'Enid s'activait autour d'elle comme une mouche autour d'un cheval.

— Laisse-nous, dit-il.

Visiblement terrifiée, elle refusa pourtant de bouger.

338

— Dehors ! rugit Rohan.

Cette fois, elle fila sans demander son reste. Il poussa le loquet et se retourna pour s'adresser à Isabel.

Il n'en eut pas le temps : elle s'était jetée sur lui, martelant son torse de ses poings. Il la laissa faire. Déchaînée, elle le frappait de toutes ses forces, hurlant des mots dignes d'un gredin de la pire espèce. Il ne broncha pas. Quand finalement, épuisée, elle ne lui donna plus que des coups ridicules, il la souleva dans ses bras pour la déposer sur le lit, s'asseyant auprès d'elle.

Ses sanglots heurtés le déchiraient, sachant qu'il était responsable de cette douleur.

Il écarta ses cheveux de son visage.

— Isabel, laisse-moi te parler de cette journée.

Elle secoua la tête, les yeux fermés.

— Non, dit-elle d'une voix méconnaissable. Laisse-moi.

— Nous avons tous combattu jusqu'à la mort ce jour-là à Senlac Hill, Normands et Saxons. De l'aube au crépuscule, ce fut une très longue bataille où la victoire ne semblait vouloir sourire à aucun des deux camps. À chaque fois que Guillaume repoussait les Saxons, Harold regroupait ses forces et nous renvoyait au bas de la colline. Le sang des deux armées formait une rivière écarlate. Je ne croyais pas cela possible, mais les Saxons m'ont impressionné. Harold était un bon chef, même s'il n'a pas tenu sa parole. Le trône était promis à Guillaume et c'est pour cette raison que nous étions là. Pour faire valoir son droit.

Il tendit un doigt qu'il posa sur son épaule : il avait besoin de ce contact.

— Quand la victoire a été acquise, Guillaume a donné un ordre : il refusait que ses hommes défilent devant les morts. Il a été très clair et a envoyé beaucoup d'entre nous veiller à ce que les cadavres ne soient pas profanés.

Entendant ces mots, elle se tourna vers lui, ses yeux violets gonflés de larmes. Il écarta une mèche de son visage.

— Alors que j'accomplissais cette besogne, une voix parlant ma langue m'a appelé, mais elle m'a traité de Normand. J'ai compris qu'il s'agissait d'un Anglais connaissant mon langage. Je me suis approché, Isabel. Je ne pouvais rester insensible au désespoir dans ses mots.

« C'était un vieil homme, allongé sur le dos, et chaque souffle lui coûtait. Il m'a fait signe de venir plus près encore puis il m'a saisi le bras, il m'a révélé son nom et comment son fils et lui étaient tombés, frappés dans le dos par une épée saxonne, sous les coups d'un traître.

Isabel laissa échapper un cri. Il hocha la tête et lui pressa la main.

— Il disait vrai. J'ai trouvé une épée saxonne sous son corps. Il m'a aussi parlé d'une fille très obstinée. Il a exigé que je fasse le serment sur mon épée de te retrouver et de te protéger du – et ce sont là ses propres mots – « renard en habit de mouton ». J'ai fait ce serment.

De nouvelles larmes coulaient sur le visage d'Isabel.

— Il a ensuite exigé que je lui offre la mort d'un guerrier.

Elle secoua la tête.

— Isabel, au combat, il est indigne de ne pas mourir de la main de son ennemi. Alefric avait été frappé dans le dos par un Saxon. Il désirait une mort de guerrier. Une mort honorable. Je la lui ai donnée. Il est mort en paix, sachant qu'il verrait Dieu en digne chevalier du royaume.

Les larmes roulaient en flot ininterrompu sur les joues d'Isabel. Rohan les embrassa.

— Mieux que quiconque, tu sais que je suis un homme de parole, Isa. J'ai promis à ton père de veiller sur toi, et je promets maintenant ceci : toi seule tiens mon cœur entre tes mains.

Là-dessus, il se leva et quitta la pièce.

Isabel ne parvenait pas à comprendre. Quel honneur y avait-il à mourir sur un champ de bataille ? L'honneur se gagne par la manière dont on mène son existence. Son père croyait-il ne pas avoir vécu de façon honorable ? Comment pouvait-il être aussi certain que seul un coup de grâce porté par un Normand lui rendrait sa dignité ? Mais, au fond d'elle-même, elle savait que cette attitude lui ressemblait. L'honneur n'était pas pour lui un simple mot, c'était ce qui dictait sa vie. Et donc, sa mort. Il avait su l'enseigner à sa fille.

Sans s'en rendre compte, elle sombra dans un sommeil troublé. Quand elle se réveilla une première fois, la pièce était sombre mais un feu brûlait dans la petite cheminée. Un plateau de nourriture attendait sur une table et, debout dans l'ombre, Enid la guettait du coin de l'œil. La servante lui sourit, mais ne fit pas mine d'approcher. Isabel lui en fut reconnaissante. Elle n'avait aucune envie de parler à quiconque. Elle referma les yeux et, cette fois, son sommeil fut plus profond.

Au réveil suivant, elle tenta d'avaler quelque chose, mais son ventre protesta violemment. Elle y renonça. À vrai dire, elle n'avait aucun appétit pour rien. Pas même pour la vengeance. Elle n'était que vide.

Elle se rendormit. C'était bien plus facile que d'affronter la réalité du monde.

La fois suivante, elle comprit qu'elle ne pouvait se cacher plus longtemps. Si l'honneur voulait que son père meure en guerrier, il exigeait qu'elle donne l'exemple à ses gens. Elle accepterait l'édit du duc. Son estomac se révulsa à l'idée de partager sa couche avec Henri de Monfort au cas où il serait vainqueur. Inspirant un grand coup, elle refusa de penser à cet homme.

— Enid, qu'on me prépare un bain, et vois si tu peux apprendre quand aura lieu le duel et où demeure messire Rohan.

Sa servante sourit et inclina la tête.

Lorsqu'elle revint quelques minutes plus tard, elle annonça :

— Le combat aura lieu demain à midi, ma dame, et messire Rohan et ses hommes se sont installés dans les huttes autour des écuries.

Isabel ferma les yeux.

— La cabane du capitaine est-elle toujours libre ?

— Oui, ma dame, dit Enid, le regard inquisiteur.

— Veille à ce qu'elle soit nettoyée avant la tombée du jour, et qu'on y installe un bon matelas avec des draps et des fourrures propres. Et qu'on y apporte assez de bois pour la réchauffer.

— Mais...

— Pas de mais, Enid. Fais ce que je te dis.

Quand, peu après, Isabel descendit dans la grande salle, elle remarqua plusieurs hommes de Rohan mais aucune de ses Épées rouges. Elle salua chacun de ceux qu'elle connaissait, avant de rejoindre Manhku assis près du feu et jouant aux échecs avec l'envoyé du duc.

Tous deux se levèrent à son approche. Manhku sourit et s'inclina, s'aidant d'une canne d'aspect robuste.

— Comment allez-vous, dame Isabel ?

Elle lui rendit son sourire.

— Je vais bien, messire Manhku. Comment se porte la jambe ?

— Bien. Le Viking s'en est occupé.

— Il est bon d'apprendre que Thorin a plus d'un talent, dit-elle avant de se tourner vers l'autre homme. Avez-vous un nom, messire ?

Souriant lui aussi, il s'inclina à son tour.

— Rodger fitz Hugh. Pour vous servir, ma dame.

Fitz, fils naturel de Hugh. Décidément, les bâtards abondaient dans l'entourage de Guillaume. Isabel lui offrit une brève révérence.

— Parlez-moi donc de ce combat dont je suis le trophée.

Le silence se fit dans la salle. Rodger tira une chaise pour Isabel mais quand il lui parla, ce fut de façon qu'elle seule entende.

— Laissez-moi vous rassurer, ma dame, il n'est pas à mort. Guillaume a grand besoin de tous ses chevaliers. En vérité, je crois que la demande de de Monfort l'a agacé, surtout que mon duc a beaucoup à faire en ce moment. Tout de suite après le duel, les papiers seront établis, nommant le vainqueur et la récom... euh, pardonnez-moi, le nom de la dame disputée.

Ce discours raviva la colère d'Isabel.

— Comment votre duc espère-t-il gagner la faveur des Saxons s'il les traite comme d'autres traitent leur bétail ?

Rodger rougit.

— Je ne sais pas, milady, je... je...

Il s'abîma dans la contemplation de ses bottes.

— Oui, c'est bien ce que je pensais. Il n'y a aucun honneur à forcer une jeune femme à partager la couche d'un homme qu'elle méprise.

Rodger releva aussitôt la tête, la fixant avec fureur.

— Accusez-vous Guillaume de manquer à l'honneur ?

— Oui, car c'est moi qu'il déshonore.

Elle planta là le messager ébahi pour quitter la salle. Un des hommes du duc lui emboîta aussitôt le pas. Dès qu'elle sortit dans la cour, elle perçut le bruit reconnaissable entre tous de l'acier cognant l'acier. Elle franchit le mur d'enceinte. Oui, ils étaient bien là-bas, dans le petit champ à l'est du village où l'on faisait d'habitude brouter les moutons.

Le cœur battant, elle s'immobilisa. Torse nu, Rohan maniait l'épée contre Thorin. Puis vint le tour d'Ioan, de Wulfson, de Rhys, de Stefan, de Wagner et enfin de Rorick.

Malgré le froid, il était en nage et une légère brume de vapeur s'élevait de son corps puissant. Soudain, son arme brandie au-dessus de la tête, il s'arrêta. Ses yeux avaient abandonné son partenaire d'entraînement pour se fixer sur elle. Tous les regards se tournèrent vers Isabel. Elle se sentit rougir.

Rohan ramena alors son épée devant lui pour la saluer. Elle se détourna et alla chercher refuge dans la chapelle. S'agenouillant devant l'autel, elle demanda au Seigneur de lui accorder la force d'affronter cette nouvelle épreuve.

Alors que les ombres de la nuit commençaient à s'étaler dans le ciel, elle priait encore. Elle ne voulait pas quitter la tranquillité de ce sanctuaire. Elle ne voulait pas affronter le monde.

Pour la troisième fois, elle se signa avant de se décider à se lever. La corne annonçant le dîner avait déjà retenti, et elle l'avait ignorée. Elle ne voulait pas prendre part à ces discussions ignobles qui devaient enflammer les hommes à la veille d'un combat.

Toujours suivie comme une ombre par le chevalier du duc, elle pénétra dans le manoir par la porte des cuisines. Un escalier de service la conduisit à l'étage, où elle ne se rendit pas dans sa chambre mais dans celle de Rohan. Y pénétrant, elle referma la porte avant de s'y adosser. Debout, seule dans la pièce, elle huma son odeur virile. Elle était partout. La cheminée était éteinte mais elle y voyait des flammes hautes et chaudes et Rohan devant elles, son corps nu luisant tel celui d'un dieu nordique. Elle regarda les fourrures étalées sur le lit, comme ils les y avaient laissées. Elle crut revivre leur dernière étreinte. Alors, finalement, elle ferma les yeux et s'autorisa à sentir ses mains, ses lèvres, sa peau brûlante...

Oui, Rohan l'avait émue comme aucun homme ne l'avait fait. Même si elle vivait encore cent ans, elle n'en retrouverait pas un autre comme lui. Soudain, le visage de son père lui apparut. Au lieu d'éprouver de la colère parce qu'il l'avait tué, une étrange paix l'envahit. Certes, elle ne comprenait pas comment fonctionnait l'esprit des guerriers, mais elle comprenait l'honneur. Hochant la tête, elle s'avança dans la chambre. Elle laissa sa main frôler les fourrures du lit. Si Dieu le voulait bien, Rohan y dormirait à nouveau dès la nuit suivante.

Elle gagna la fenêtre, écartant la tapisserie qui la couvrait. Elle ouvrit le volet. Le clair de lune s'engouffra dans la chambre. La cour était calme. Elle avait perçu l'anxiété dans la grande salle. Tout comme elle, les villageois redoutaient l'issue du combat. Si Henri était déclaré vainqueur, choisiraient-ils de se réfugier à nouveau dans la forêt ?

Et prendraient-ils les armes contre lui ? Cette idée lui donna la nausée. Ce démon les taillerait en pièces.

Plus encore maintenant, la décision qu'elle avait prise lui parut justifiée. Oui, c'était à elle de façonner son destin et celui de ses gens. En tout cas, jusqu'à demain midi.

25

— Messire Rohan, dit Russell alors que celui-ci achevait sa toilette.

Rohan n'appréciait guère de se laver ainsi dans un seau mais, au moins, l'eau était propre et tiède, et le savon faisait une belle mousse. Il plongea la tête dans l'eau une dernière fois pour se rincer les cheveux, avant de se tourner vers le jeune écuyer. Le garçon avait montré son courage. Un jour, peut-être, il ferait un bon chevalier.

— Je t'écoute, petit.

Ils se trouvaient dans une cabane que ses hommes et lui utilisaient pour leurs ablutions. Rohan était entièrement nu dans cette pièce chauffée par un feu.

— Je... euh... ma dame...

Russell s'interrompit, gêné.

— Parle, petit.

— Dame Isabel vous envoie un message. Je suis ici pour vous conduire à la personne qui vous le donnera.

Rohan, qui avait entrepris de se sécher, le scruta.

— C'est une plaisanterie ?

— Non, messire, je n'oserais jamais. Le messager vous attend. Habillez-vous et je vous conduirai à lui.

Un instant sceptique, Rohan se décida. Il délaissa sa cotte de mailles, mais garda son épée. Tout en marchant derrière le garçon à travers le village, il guettait les ombres. Sa confiance, même quand il l'accordait, avait des limites extrêmement réduites.

Lorsqu'ils franchirent le mur d'enceinte pour se diriger vers un cottage de pierre situé un peu à l'écart, sa perplexité s'accrut. Qui était donc ce messager d'Isabel ? Et pourquoi ici ? Il ralentit le pas. Russell ouvrit la porte.

— Le messager attend.

Rohan dégaina son épée.

— Écarte-toi, écuyer.

Le garçon acquiesça et se figea, telle une statue, à côté de l'entrée. Rohan dut se baisser pour franchir la porte trop basse pour lui. Avant même qu'il ne se redresse, sa gorge se noua. Devant le feu qui seul réchauffait et éclairait la pièce, se tenait une vision. Un ange blond. La lueur des flammes transperçait sa fine chemise, révélant ses courbes parfaites.

Le corps de Rohan réagit aussitôt. Son sang se mit à battre très fort. Quand elle se retourna, quand ses yeux violets remplis d'amour se posèrent sur lui, quand ses lèvres rouges lui offrirent un sourire, il crut être mort. Car une telle créature ne pouvait exister qu'au paradis.

Elle s'avança, le contourna, ferma la porte et poussa le loquet. Lâchant son épée, il resta planté sur place.

Elle pressa son corps contre le sien.

— Je suis là, Rohan.

Tremblant de tous ses membres, il leva une main vers son visage pour repousser une mèche dorée.

Les lèvres si rouges frémirent avant de prononcer ces mots :

— Donne-moi un enfant ce soir, Rohan.

Il crut que la foudre le frappait. Mais, malgré son état de choc, il cueillit délicatement son visage entre ses mains.

— Isa ? Que dis-tu ?

Elle s'écarta de lui et il la suivit, gardant ses joues comme un objet infiniment précieux. Elle recula jusqu'au matelas, sur lequel elle s'agenouilla. Soulevant sa chemise, elle dénuda son corps et s'allongea sur les fourrures. Sa peau luisait d'or et d'albâtre sous la lueur du feu. Entre ses paupières mi-closes, un éclair dansait. À son tour, Rohan tomba à genoux. Le saisissant par les cheveux, elle l'attira contre elle.

— Je dis que je veux que tu me fasses l'amour. Et qu'ainsi, tu me donnes un fils ce soir.

Encore une fois, il eut l'impression d'être frappé par la foudre. Mais, au lieu de le pétrifier, celle-ci alluma mille feux en lui.

— Et moi, Isa, je ne veux rien d'autre en ce monde.

Sans hâte, il couvrit son visage de baisers : ses lèvres, ses joues, ses paupières. Ses mains exploraient sa peau, la frôlant comme un aveugle l'aurait fait. Lentement, chacune de ses courbes venait à leur rencontre et il en savourait la moindre nuance. Jamais il n'avait senti une odeur aussi délicieuse, caressé une telle douceur ; ses lèvres lui rendaient ses baisers avec une ferveur inconnue.

Miraculeusement, les vêtements de Rohan disparurent. Leurs corps nus se réunirent.

Le caressant comme un objet sacré, Isabel l'adorait elle aussi avec sa bouche, ses mains, sa peau. Et elle était impatiente que cette chaleur et cette force qui l'enveloppaient la pénètrent. Soudain, alors qu'il pesait de tout son poids sur elle, il s'arrêta pour planter son regard dans le sien.

— Isa, murmura-t-il, mon corps, mon cœur et mon âme t'appartiennent. Ne m'abandonne jamais.

Une émotion insensée la submergea, les larmes lui montèrent aux yeux. Fermant les paupières, elle se tordit contre lui jusqu'à ce qu'un contact brûlant appuie sur sa fente. Elle ouvrit les paupières.

— Rohan, tu es mon corps, mon cœur et mon âme. Ne m'abandonne jamais.

— Jamais, mon amour, jamais.

Il la pénétra lentement, avec d'infinies précautions. Elle s'ouvrit pour l'accueillir.

Quand il rompit ce qui désormais n'avait plus aucune importance pour elle, un éclair de douleur jaillit, pour diminuer aussitôt. Le corps puissant de Rohan l'enveloppait. Et maintenant glissait en elle. Il était si épais, si dur, si énorme… et sa passion si intense qu'elle en fut presque terrifiée.

S'immobilisant, Rohan l'apaisa, abreuvant ses lèvres et ses cils de doux baisers.

— La douleur va passer, promit-il avant de ravir sa bouche.

Comme par magie, cette promesse se réalisa. Sa gêne disparut et, avec tout l'amour qu'elle ressentait pour cet homme, Isabel noua les bras autour de son cou et lui rendit son baiser avec la même passion. Ses cuisses s'écartèrent. Ses muscles intimes se détendaient.

Il se remit à bouger. Et, enfin, elle put jouir de le sentir en elle. Chacun de ses mouvements provoquait une stupeur qui aussitôt se muait en extase, et elle découvrait soudain qu'elle prenait vie autour de lui, qu'il était la source où tout en elle s'abreuvait. C'était si sublime qu'elle avait envie de hurler de joie. Et cette chaleur qu'il générait en elle avec ses coups de reins si lents, si rythmés, se métamorphosait en une marée qui était très différente de celles qu'elle avait connues jusqu'alors. Celle-ci était plus ample encore, plus riche, plus puissante.

Voulant que la vague déferle, voulant sentir cette extase ultime, cette union avec lui et sa semence se déverser en elle, Isabel ne put se retenir plus longtemps. Une envie frénétique s'empara d'elle. Elle le voulait encore plus fort, encore plus vite. Son corps se couvrit de sueur tandis que Rohan allait et venait. Un vertige inouï explosa en elle comme un million d'étoiles. Elle s'accrocha de toutes ses forces à lui, parcourue de spasmes d'une violence effroyable, chaque vague de plaisir plus grandiose que la précédente.

— Rohan, haleta-t-elle.

Incapable de respirer, elle crut avoir fondu comme de la cire autour de lui.

— Isa, dit-il contre ses lèvres tandis qu'un immense tremblement le secouait et qu'il se répandait en elle.

Isabel noua les jambes autour de ses hanches.

Les va-et-vient ralentirent, mais leurs souffles unis restèrent saccadés, et finalement il s'effondra sur elle. Pendant un long moment, ils restèrent noués l'un à l'autre, leur peau luisant dans la lueur du feu.

Pour la première fois de sa vie, Isabel se sentit *femme*. Elle venait de découvrir ce que deux êtres peuvent partager.

Rohan l'attira dans ses bras.

— Isabel.

Elle sourit, heureuse d'être là, juste là.

— Oui.

— Je n'ai pas l'intention de te perdre demain.

Elle continua à sourire, mais une peur immonde venait de surgir.

— Je n'ai pas l'intention de vous perdre non plus, messire.

Roulant sur le dos, il chercha son regard.

— Nous nous marierons dès que nous trouverons un prêtre.

Elle crut que son cœur éclatait. Elle l'embrassa.

— Oui, dit-elle, rompant à peine leur baiser.

Déjà, elle voulait recommencer.

— Fais-moi l'amour encore, murmura-t-elle.

Il ne se fit pas prier davantage.

Le chant d'une alouette la réveilla. Rohan ronflait doucement à son côté. Elle tira les fourrures jusqu'à son menton. Le feu s'était éteint, mais si elle avait froid c'était à cause de ce chant d'oiseau. Il annonçait un jour nouveau. Un jour terrible. Elle se glissa hors du lit pour ajouter du bois sur les quelques braises encore rouges. Quand elle revint se coucher, elle découvrit les taches de sang sur les draps.

Une angoisse abominable la saisit. Et si Rohan tombait tout à l'heure et qu'Henri découvre qu'elle n'était plus vierge ? Quel sort lui réserverait-il ? Et si elle donnait naissance à l'enfant de Rohan ? Son frère le tuerait-il ?

— Pourquoi cette mine soucieuse ? demanda Rohan.

Elle lui sourit et se réfugia dans la chaleur de ses bras.

— Ce n'est rien, dit-elle. Cette alouette a chanté un peu trop tôt, c'est tout.

Ils restèrent longtemps ainsi dans les bras l'un de l'autre, cœur contre cœur.

Un coup discret frappé à la porte les obligea à abandonner leur douce rêverie.

— Il est temps, ma dame. Les gardes ne vont pas tarder à se réveiller et à vous chercher, annonça Russell dehors.

— Non, pas déjà !

— Le jour se lève, ma dame. Hâtez-vous.

Elle enfouit son visage contre l'épaule de Rohan.

— Rohan, Partons. Fuyons tant que nous sommes tous les deux encore en vie !

Il lui embrassa le sommet du crâne.

— Ce n'est pas toi qui prononces ces mots, Isabel.

Elle sourit tristement.

— Oui, tu as raison, dit-elle en se redressant pour caresser la cicatrice sur son torse. C'était la peur.

Il la prit dans ses bras pour l'embrasser.

— Je t'aime, Isa. Voilà les mots que tu devras garder avec toi toute la journée. Et ce soir, je te retrouverai dans la chambre du seigneur pour tenter de calmer ma faim de toi.

Quittant le lit dans un grand éclat de rire, il lui flanqua une solide claque sur les fesses.

— Debout, femme, il est temps !

Pour une fois, elle obéit sans discuter. Alors qu'elle se rhabillait, elle dénoua plusieurs des rubans de sa robe et les lui tendit.

— Porte-les sous ta maille. Ils te porteront bonheur.

Il les pressa contre son cœur.

— Je vais gagner, Isabel. Pour toi, pour nous.

Sur cette promesse, il l'embrassa sauvagement. Quand il la libéra, elle fouilla son regard à la recherche d'un doute. Elle n'en vit aucun.

— Que Dieu te garde, Rohan.

Il s'agenouilla devant elle et baisa sa main.

— Je ne vous décevrai pas, ma dame.

Isabel fut incapable d'avaler quoi que ce soit. Elle pouvait à peine respirer. La tension dans la salle était si dense qu'elle devenait suffocante. Elle s'aggrava encore avec l'arrivée d'Henri et de sa suite. Les villageois les saluèrent par des sifflets et des quolibets, et Isabel craignit qu'ils ne tentent de les attaquer. Mais ils surent se maîtriser. Même quand les Normands les provoquèrent.

Peu après, de Monfort pénétrait dans la grande salle. Aussitôt, il vint vers Isabel qui bavardait avec Manhku près de la cheminée.

— J'espère que vous avez préparé notre lit pour ce soir, Isabel. Et n'oubliez pas de vous débarrasser des draps de mon frère.

Il ricana et s'approcha encore.

— J'aime mon lit propre, et mes femmes sales.

Devant tant de crudité, Isabel resta sans voix. Manhku se leva sans l'aide de sa canne. Et la pointe de son épée se retrouva sur la gorge d'Henri avant que celui-ci n'ait le temps d'esquisser le moindre geste.

— Tu es un chien, et tu auras beaucoup de chance de mourir de la main de messire Rohan. La mienne t'aurait fait souffrir longtemps.

Henri blêmit.

— Maudit Sarrasin ! Avant la fin de la journée, tu rejoindras mon frère en enfer !

— Messieurs, messieurs, intervint Rodger en s'interposant entre les deux hommes. Il n'y aura pas de duel à mort aujourd'hui. Guillaume a été très clair. Il a besoin de ses chevaliers.

— Fermez-la, fitz Hugh. Vos radotages ne nous intéressent pas.

Rodger se raidit, mais ne répondit pas. Thorin surgit à la porte.

— Nous sommes prêts, Rodger. Amenez l'ignoble, que Rohan se débarrasse de lui au plus vite. L'heure du repas approche et nous crevons de faim et de soif !

Manhku rengaina son épée et saisit sa canne, avant d'offrir son bras à Isabel. Elle le dévisagea. Il sourit.

— Ayez confiance, ma dame. Rohan ne permettra jamais à Henri de vous toucher.

Quand elle acquiesça, il rugit de rire.

— C'est un plaisir qu'il refuse de partager !

26

Tandis que Manhku la conduisait vers le champ où Rohan s'était entraîné avec ses hommes la veille, elle fut stupéfaite de constater à quel point l'assistance était nombreuse. Tous les villageois d'Alethorpe, de Dunleavy et de Wilshire étaient venus. Elle reconnut même quelques visages de Dunsworth. Elle avait oublié Arlys. Était-il toujours retenu prisonnier dans les écuries ?

Observant la foule avec plus d'attention, son cœur se serra. Elle vit le groupe dont Enid lui avait parlé. Jamais humains ne lui avaient paru plus pathétiques. Une bonne vingtaine d'hommes, de femmes et d'enfants, tous le crâne rasé et, pire encore, tous avec une marque au front, un X gravé au fer rouge. Ceux-là, plus encore que les autres, considéraient Henri et ses hommes avec une haine insondable.

Lorsque ce dernier les découvrit, il se figea avant de se tourner vers Rodger qui marchait au côté d'Isabel et de Manhku.

— Qu'on les saisisse ! Ces serfs sont prisonniers sur mon ordre !

— Messire Rohan leur a offert asile ici, répliqua Manhku. Ils ne t'appartiennent plus.

Henri éclata de rire.

— Mon frère serait-il devenu un Saxon ? dit-il avant de lancer un coup d'œil égrillard à Isabel. Vos charmes doivent être de véritables sortilèges. Cette vieille folle de Wilma vous aurait-elle enseigné quelques tours ?

Isabel sourit à son tour.

— Vous ne tarderez pas à le découvrir.

Une lueur d'incertitude passa dans le regard d'Henri. Cette menace implicite l'impressionnait. Mais cela ne dura pas. Toujours aussi méprisant, il lui tourna le dos pour se diriger vers le champ où Rohan, étincelant dans sa cotte de mailles, l'attendait.

Dès qu'ils arrivèrent, les regards de Rohan et d'Isabel se croisèrent. Il porta la main à son cœur. Elle sourit. Oui, il était son champion. Et, au plus profond d'elle-même, elle l'avait su dès l'instant où elle l'avait aperçu du haut des remparts.

Les hérauts de Rodger soufflèrent dans leurs cornes. Quand elles se turent, un silence impressionnant régna.

— Au nom de Guillaume, duc de Normandie et héritier du trône d'Angleterre, oyez, oyez ! Que commence le combat entre Henri de Monfort...

La foule le hua et des légumes pourris volèrent. Rodger leva la main, et le calme revint.

— ... et messire Rohan du Luc.

Cette fois, des hourras retentirent. Isabel sourit avec fierté en contemplant Rohan, dont le visage était caché sous son casque. L'acceptation par ses gens de l'homme qu'elle aimait, lui faisait chaud au cœur.

Lorsque le calme revint, Rodger poursuivit.

— En voici les règles. Chaque chevalier utilisera sa propre épée. Aucune autre arme ne sera autorisée. Si l'une devait apparaître, celui qui la brandira sera déclaré perdant et le trophée, en l'occurrence dame Isabel, ira à l'autre.

Si la foule avait acclamé Rohan, elle hurla pour saluer la dame du manoir. Isabel sourit et salua ses gens en retour. Jamais elle ne les abandonnerait. *Jamais*.

— Le trophée est donc dame Isabel et les terres dont elle est l'héritière. Le chevalier qui restera debout sera déclaré vainqueur et son droit à la dame de ce domaine ne sera plus jamais disputé.

Rodger se tourna vers les deux chevaliers.

— Guillaume a exprimé son plus profond souhait qu'aucun de ses chevaliers ne meure aujourd'hui. Ne visez aucun organe vital.

Une pause.

— Acceptez-vous les termes de ce duel ?

Ils acquiescèrent tous les deux.

— Choisissez vos seconds.

Rohan désigna Thorin, et Henri un chevalier qu'Isabel ne connaissait pas – contrairement à plusieurs villageois, car une rumeur hostile parcourut la foule quand il s'avança. Elle pivota vers Manhku qui secoua la tête, incapable de la renseigner.

Immobiles, les deux guerriers se faisaient face à quelques mètres l'un de l'autre. Leurs regards ne se lâchaient pas. Rohan savait que son frère était un adversaire redoutable.

Comme il s'y attendait, Henri bougea le premier, entamant un lent cercle autour de lui. Rohan se contenta de tourner sur place pour le suivre. Et comme il s'y attendait aussi, son frère impatient leva son épée et se rua sur lui. L'acier bloqua l'acier. Un chant frénétique et peu harmonieux commença alors. Les lames sifflaient, le métal se heurtait, les bottes de fer broyaient le sol, les cris de guerre s'élevaient. Sur une violente attaque d'Henri, il se contenta d'esquiver. Déséquilibré, Henri se retrouva derrière Rohan. Celui-ci se retourna :

— Tu préférerais sans doute que je t'offre mon dos, frère ?

Sans répondre, Henri chargea à nouveau. Son épée tomba à la vitesse de l'éclair, pour être bloquée par celle de Rohan. Le vrai combat, pied à pied, débuta. Bien avant que ne s'ouvre l'abîme qui désormais les séparait, les deux garçons s'étaient souvent entraînés ensemble avec des armes en bois. Chacun connaissait si bien les manœuvres et tactiques de l'autre que leurs affrontements s'éternisaient, se terminant le plus souvent par un match nul.

Mais beaucoup de temps avait passé depuis. Beaucoup de choses avaient changé. Rohan savait qu'il n'y aurait pas de match nul aujourd'hui. L'un d'entre eux ne se relèverait pas.

Henri avait toujours été le plus impulsif, le plus enragé des deux. Et, une fois encore, il laissait libre cours à cette fureur, attaquant sans relâche, en haut, en bas, à droite, à gauche, ses gestes s'enchaînant à la vitesse de l'éclair. Rohan n'avait d'autre choix que de se défendre. Mais il sentait aussi que le bras de son frère commençait à fatiguer. Il suffisait d'attendre le moment où il pourrait attaquer à son tour.

Pourtant, Henri continuait à frapper encore et encore, toujours aussi rapide, toujours aussi vicieux.

Rohan cligna des paupières pour chasser une goutte de sueur qui troublait sa vision. Il ignora cette piqûre comme il ignorait les douleurs qui s'installaient dans son bras et ses épaules. Coup après coup, frappe après frappe, frère contre frère, ils continuèrent leur danse.

Soudain, Henri changea brutalement de tactique et, s'accroupissant, tenta de frapper aux genoux. Plantant son épée dans le sol tout en bondissant, Rohan s'en servit pour bloquer le coup. Son poids au-dessus de la lame accrut la violence du choc, qui ébranla Henri. Il faillit lâcher son arme.

En une fraction de seconde, Rohan vit l'ouverture. Avant même que ses pieds ne retouchent le sol, il avait dégagé son épée et frappait comme avec une masse. Des mottes de terre suivirent son geste et la pointe de la lame rata de peu le menton d'Henri qui tituba en arrière. Rohan enchaîna d'un revers.

Il sourit sous son casque. Il avait pris l'avantage et tous deux le savaient. Maintenant, c'était le bras de Rohan qui déclenchait un orage de coups. Henri ne faisait que battre en retraite, lançant des regards éperdus autour de lui pour chercher une issue.

Rohan était comme possédé, multipliant les frappes à une cadence inouïe. Henri comprit alors que son frère avait bien plus de raisons que lui de gagner. Soudain, son talon heurta une racine. Il s'écroula, tendant instinctivement son épée devant lui. L'élan de Rohan était tel qu'il ne put l'éviter. Au moment où il allait frapper, il sentit la brûlure dans son flanc.

Les deux hommes se figèrent en même temps tandis que tous deux comprenaient ce qui venait de se passer. Rohan écarquilla les yeux. Non, il ne pouvait pas mourir ! Il n'avait pas le droit de mourir de la main d'Henri, pas si Isabel devait en souffrir.

— Non ! s'écria-t-il. Tu ne l'auras pas !

Il entendit le hurlement d'Isabel, mais il ne put se résoudre à la regarder. Il baissa les yeux pour voir le sang couler le long de l'immense lame plantée en lui. La brûlure s'étendait. Henri avait-il gagné ? Non... c'était... impossible...

Il regarda son frère. Un rictus de dément déformait ses traits tandis que celui-ci savourait son triomphe. Henri tira son épée avec lenteur hors de son fourreau de chair, heureux de sentir la souffrance supplémentaire qu'il infligeait à son frère.

Des étoiles dansèrent devant les yeux de Rohan, ses jambes cédèrent, incapables de le soutenir. S'accrochant à son épée, il posa un genou à terre, tout en essayant de chasser le voile rouge qui remplaçait les étoiles. Le souffle coupé, il livrait désormais un combat sans merci pour rester conscient.

— Tu souffres, frère ? se moqua Henri. Reste avec moi encore un instant. Tu vas rejoindre ta tombe, et tandis que tu reposeras pour l'éternité dans une terre glacée, je dormirai au chaud entre les cuisses de ta femme !

Le hurlement d'Isabel déchira le ciel. Rohan se tourna vers elle. Manhku la retenait. L'horreur qui déformait son beau visage lui tordit les entrailles, et cette douleur-là était plus grande encore que celle de sa blessure.

— C'est terminé, s'écria Henri. Au vainqueur le trophée, et au mort l'enfer éternel. Tu ne me hanteras plus, frère.

Il s'avança, les pieds fermement plantés dans le sol, et leva son arme au-dessus de sa tête, tenant la grande épée à deux mains.

— Pour notre père, Rohan, qui a toujours préféré son bâtard à son noble fils !

Au moment où il abattait son arme, Rohan poussa son cri de guerre et frappa. Le corps d'Henri trembla, avant de se figer comme maintenu par un fil invisible descendu du ciel. À son tour, il ouvrit de grands yeux. Ses jambes vacillèrent et ses mains s'ouvrirent, lâchant l'épée. Lentement, il se saisit le ventre, contemplant Rohan avec une stupeur sans nom.

Rohan ne s'était toujours pas relevé. En savourant trop tôt son triomphe, Henri avait précipité sa propre perte et maintenant, c'était son ventre qui servait de fourreau à la lame de son frère. Rohan ne commit pas la même erreur : il la retira sèchement en la tournant, s'assurant que le coup porté devenait fatal.

Lorsque Henri tomba à genoux, ils se trouvèrent face à face.

— Tu m'as tué, frère.

Rohan acquiesça.

— Tu ne m'as pas laissé le choix.

Henri s'écroula sur le côté. Rohan contempla celui dont le sort avait voulu qu'il soit de noble naissance mais toujours mal-aimé. Henri parut vouloir dire quelque chose, mais aucun mot ne franchit ses lèvres. La vie l'abandonna et ses yeux, toujours aussi durs, devinrent vitreux, fixant encore son frère. Rohan les ferma.

Le dernier chapitre de la misérable existence d'Henri était clos.

Comme il se retournait vers celle qui était désormais sa vie, Rohan plissa les yeux sous le soleil d'hiver. Quelle était cette hallucination ? Pourquoi se tenait-elle auprès de Dunsworth ?

Isabel se débattait. Mais plus elle luttait contre l'étreinte d'Arlys, plus il pressait la lame de sa courte épée dans son dos.

— Du calme, Isabel, ou votre champion devra coucher avec votre cadavre, siffla-t-il.

Les hommes de Rohan qui accouraient vers lui, tout à la joie de son triomphe, marquèrent une hésitation quand leur chef, encore à genoux, pointa son épée vers Isabel. Ils se retournèrent pour la découvrir aux mains de Dunsworth, entouré par ceux avec lesquels il était arrivé à Rossmoor. Tous libres et armés. Nul doute qu'un Willingham avait facilité leur évasion.

— Reculez, Normands ! s'écria Arlys. Reculez, ou la dame en paiera le prix.

Les Morts se figèrent.

Se servant d'elle comme d'un bouclier, Arlys poussa Isabel vers la foule des villageois saxons.

— Courage, mes amis. La victoire nous sourira aujourd'hui. Prenez les armes et, ensemble, nous nous débarrasserons de cette vermine normande !

Comme personne ne répondait à cet appel, Isabel vit sa chance.

— Non ! Ne l'écoutez pas ! Il m'aurait vendue à de Monfort ! Il n'est pas digne d'être votre chef !

Elle regarda Rohan qui s'était remis debout avec l'aide de ses hommes. La plaie à son côté saignait abondamment. Des larmes embuèrent ses yeux. Elle s'arracha à l'étreinte d'Arlys, mais un des gueux marqués d'une croix au front la saisit aussitôt. L'homme la tint contre lui. Quand Arlys fit mine de la récupérer, il leva un bâton hérissé de clous pour l'en empêcher.

Isabel se tourna vers son peuple.

— Guillaume n'est peut-être pas le roi légitime à nos yeux, mais il sera couronné, que nous le voulions ou non. Il possède une armée puissante et les richesses nécessaires pour mener une longue guerre. Il est inflexible et n'apportera que souffrance à ceux qui se dresseront contre lui.

Elle contempla les visages tournés vers elle et y lut peur et indécision. Elle désigna Rohan et ses compagnons qui étaient maintenant prêts à se battre.

— Ces chevaliers n'ont ni pillé ni saccagé vos maisons. Ils n'ont pas violé les femmes. Non, chaque jour, ils ont traqué les lâches qui ne cherchaient qu'à tuer et à détruire. Ils ont chassé et rempli nos garde-manger.

Elle marqua une pause.

— Messire Rohan est un homme juste. Ses hommes sont justes. Il est fort et il a l'oreille du duc.

Elle pointa un doigt accusateur vers son ancien fiancé.

— Arlys Dunsworth est un menteur.

Un sanglot lui déchira la gorge, car elle venait soudain de comprendre les derniers mots de son père. *Méfie-toi du renard en habit de mouton.*

— C'est lui qui a tué mon père ! accusa-t-elle en se libérant de l'homme qui la maintenait.

Le rictus d'Arlys lui révéla qu'elle avait raison.

— Avez-vous aussi tué Geoff ?

Il ne répondit pas, et encore une fois elle comprit qu'il était coupable.

— Était-ce vous, Arlys, qui commandiez ces maraudeurs dans la forêt ? Ceux qui ont dévasté nos villages et massacré nos gens ?

Il secoua la tête et recula lentement.

— Non, pas tous, dit-il avant de désigner le second d'Henri qui le fixait. C'était l'idée de de Monfort. Il voulait tuer le plus possible de serfs de Rohan afin qu'ils haïssent les Normands. Il espérait provoquer une révolte.

— Il a obtenu l'effet inverse, car Rohan les a ramenés ici et les a protégés, répliqua Isabel avant de cracher sur son ancien fiancé. Vous n'êtes pas un homme à mes yeux. Vous êtes un lâche et un traître à votre propre peuple, à votre pays, et à moi qui étais votre promise. Pensiez-vous faire main basse sur mes terres en tuant mon père et mon frère ?

Son silence confirma une fois de plus l'accusation. Tout à sa diatribe, elle ne remarquait pas comment les malheureux marqués d'une croix se rassemblaient autour des hommes d'Henri et d'Arlys. Celui qui l'avait saisie la poussa à l'écart.

— Milady, éloignez-vous. Nous avons quelques affaires à régler avec ces hommes.

Isabel rejoignit Rohan, soutenu par Thorin et Manhku. Horrifiée, elle regarda les manants portant la croix infâme sur le front, bientôt rejoints par tous les villageois, submerger les hommes d'Henri et d'Arlys et les tailler en pièces.

Pas un Mort n'esquissa le moindre geste pour les sauver. Ces malheureux avaient trop souffert, et nul n'avait le droit de les empêcher de se faire justice.

Thorin et Manhku portèrent Rohan dans la grande salle. Isabel les y précéda pour dégager la table.

— Allongez-le là. Enid, qu'on fasse bouillir de l'eau. Wulfson, allez chercher mon panier dans ma chambre. Manhku, aidez-moi à le déshabiller.

Rohan s'était évanoui d'avoir perdu tant de sang, mais dans sa main toujours serrée elle trouva les rubans de couleur qu'elle lui avait confiés. À nouveau, elle eut les larmes aux yeux. *Il ne mourra pas !*

Une fois qu'elle eut nettoyé la blessure et qu'elle put mieux l'examiner, son inquiétude grandit. Même si le coup n'avait apparemment pas touché les entrailles, la lame l'avait traversé de part en part. Elle n'était pas certaine de savoir comment traiter une telle plaie. Alors qu'elle réfléchissait, la porte de la salle s'ouvrit derrière elle et un murmure s'éleva parmi les villageois. Isabel se retourna pour découvrir Wilma. La vue de la vieille sorcière lui donna la chair de poule, mais elle était heureuse de sa venue. Elle vint au-devant d'elle.

— Ma dame, dit-elle, le coup l'a transpercé. Je ne sais si un organe vital a été touché. Mes talents se limitent aux plaies superficielles, j'ignore comment refermer une telle blessure. Je crains pour sa vie.

Wilma émit un caquètement. Elle lui prit la main.

— Il survivra, petite. J'y veillerai.

Isabel l'observa recoudre avec maîtrise. À aucun moment, elle ne mit en doute les méthodes de la voyante. Quand celle-ci eut terminé, plus une goutte de sang ne suintait de la plaie. La pâleur de Rohan se colorait légèrement. Elle posa une main sur son front. Il était frais.

— La guérison a commencé, déclara Wilma en affichant son sourire édenté, avant de prendre la main d'Isabel pour la tapoter. La prophétie vient de prendre racine. Il est encore trop tôt pour que l'un de vous deux périsse.

La sorcière porta ensuite son regard au-delà d'Isabel, vers les Épées rouges rassemblées. Elle gloussa.

— L'un d'entre vous ira en Mercie pour y rencontrer un guerrier qui sera votre égal !

Là-dessus, elle quitta la salle, les laissant tous interloqués.

Épilogue

15 février 1067, Rossmoor

— Des cavaliers ! cria la vigie depuis la tour.

Isabel quitta aussitôt son fauteuil près du feu en faisant signe à Manhku qui, désormais, utilisait rarement sa canne. Elle courut à la porte. Insensible au vent glacial de février, elle poussa un petit cri de bonheur et se précipita vers le chevalier qui sautait de sa selle. Il la souleva, la faisant tournoyer dans ses bras avant de la couvrir de baisers.

Quand il s'arrêta enfin, elle l'observa, haletante.

— Tu es revenu !

Il éclata de rire.

— Tu en doutais ?

— Cela fait deux mois, Rohan.

— Oui, admit-il, deux des plus longs mois de ma vie. Mais le roi avait besoin de moi.

— Nous avons appris la nouvelle de son couronnement le mois dernier. Je suis contente pour toi. Espérons maintenant que cette île retrouve la paix.

Rohan fit grise mine.

— C'est peu probable. Beaucoup complotent contre Guillaume. Les traîtres sont partout.

Isabel sentit un poids immense s'abattre sur elle.

— Tu vas rejoindre Guillaume ?

— Non, il retourne en Normandie avec Edgar et d'autres prisonniers de guerre. Il m'a offert le titre sur ces terres, ainsi que sur les domaines de Dunsworth et de Worster. Tu en auras bientôt assez de voir mon visage balafré.

Isabel noua les bras autour de son cou et l'embrassa. Puis elle l'inspecta pour s'assurer qu'aucune blessure ne saignait nulle part.

— Où sont tes Épées rouges ?

— Ils veillent sur les affaires du roi.

Isabel sursauta. Leur absence allait être regrettée par beaucoup à Alethorpe.

Manhku serra l'avant-bras de Rohan, qui lui rendit son salut fraternel.

— Manhku, tu seras mon bras droit maintenant que Thorin patrouille dans le Nord. Tu te sens prêt ?

Le géant sourit.

— Prêt et honoré.

Ils pénétrèrent dans la chaleur de la salle. Tous ceux qui s'y trouvaient levèrent leur coupe vers Rohan en guise de salut et, pour la première fois de sa vie, il eut l'impression de rentrer chez lui. Il baissa les yeux vers la femme à son côté. Il n'en revenait toujours pas. Comment pouvait-il avoir autant de chance ?

Elle tira le fauteuil du seigneur près du feu pour lui. Il la fixa, et elle acquiesça.

— Tu en es plus que digne, Rohan, assura-t-elle avant de lui prendre la main pour la poser sur son ventre. Comme, un jour, ton fils le sera.

La joie explosa dans la poitrine de Rohan. Serrant Isabel contre lui, il connut pour la première fois de sa vie la piqûre des larmes dans ses yeux.

— Je suis heureux d'avoir fait de toi une femme honnête avant mon départ. Il y a bien trop de bâtards en ce monde. Notre fils naîtra sans la moindre tache sur son nom.

Elle leva des yeux brillants vers lui et sourit.

La prophétie s'était réalisée : deux corps, deux cœurs et deux âmes ne faisaient plus qu'un. Et de cette union naîtrait une lignée qui allait survivre plus de mille ans.

Remerciements

Bien sûr, ce merveilleux récit n'aurait jamais été publié sans mon agent, Kimberly Whalen, qui est tombée amoureuse des cinquante premières pages de ce qui allait devenir l'histoire d'amour de Rohan et Isabel. Merci, Kim : ton affection et ton soutien ont été mon carburant.

Je voudrais aussi remercier toutes celles qui passent sur mon blog, *The Write Life*, et qui m'ont aidée avec des suggestions de titre. Même si aucune d'entre elles n'a finalement été retenue, je vous suis à toutes reconnaissante de vos efforts et du temps accordé. À Jack, Cele et à mon « petit mari » : merci pour les nombreux et mémorables moments quand vous vous êtes lancés vous aussi dans ce combat pour trouver un titre. Anna Lucia, merci d'avoir répondu à *toutes* mes questions !

La grande quête du titre n'a, cependant, pas été inutile. Grâce aux commentaires de ma très chère amie Lee Lopez, est née l'idée de la Saga des Épées rouges.

Bien sûr, je dois remercier mon époux, Gary, pour son inébranlable confiance en ce que je fais. À mon plus jeune fils, William : mon cœur, merci de ta compréhension pour ces nombreuses journées et nuits où maman est restée cloîtrée dans son bureau, s'acharnant désespérément à conclure une scène.

Je veux remercier toute ma famille d'avoir renoncé à nos traditionnelles vacances pour me permettre de continuer à écrire. La deuxième fois était la bonne, les enfants ! Merci d'avoir patienté.

AVENTURES
& PASSIONS

Le 4 septembre

Inédit *L'indiscrétion* ⌘ **Carolyn Jewel**

Après la mort de son frère, Edward, marquis de Foye, voit sa vie bouleversée. Célibataire endurci, il doit désormais penser à se marier. Lors d'un voyage en Turquie, il croise le chemin de Sabine Godard, jeune Anglaise instruite mais au passé scandaleux. Ensemble, ils découvriront la passion, la sensualité et guériront leurs vieilles blessures allant jusqu'à tout risquer pour leur amour…

Inédit *La robe écarlate* ⌘ **Anna Campbell**

Olivia Raines est la courtisane londonienne la plus prisée. Pourtant, elle a décidé de mettre fin à une carrière qu'elle n'a jamais aimée. Mais, lorsque le puissant Julian Southwood, comte d'Erith, de passage à Londres, lui propose de devenir sa maîtresse, elle finit par accepter. Rapidement, Olivia se rend compte que Julian n'est pas comme les autres hommes. Il ne désire pas seulement son corps mais aussi son cœur et son âme…

Le marié maudit ⌘ **Jacquie D'Allessandro**

Meredith comptait sur l'union du vicomte de Greybourne avec Sarah Markham pour asseoir sa notoriété de marieuse. Mais juste avant le mariage, la fiancée s'éclipse n'ayant nulle envie de succomber à la malédiction. En effet, lors de fouilles archéologiques, Greybourne a découvert une pierre sur laquelle était gravé un sortilège condamnant à mort l'épouse de celui qui le lirait. Pour sauver sa réputation Meredith, décide d'aider le vicomte à conjurer le sort.

Le 18 septembre

Le 18 septembre

CRÉPUSCULE

Durant bien longtemps, Julian Savage fut un être magnifique, puissant, tourmenté aussi. Tel un paria, il a vécu en solitaire, loin des siens, les Carpatiens. Jusqu'à faire une rencontre bouleversante. Auprès de Desari, Julian éprouve des sentiments qui lui étaient jusqu'alors inconnus. Comme le désir irascible de la faire sienne. Mais Desari ose le défier…

Romantic Suspense

Le 4 septembre

Inédit   **Black OPS - 3 - Poursuivie**

cx **Cindy Gerard**

Membre des Black OPS, Johnny Duane Reed est un véritable bourreau des cœurs. Mais s'il y a bien une femme qui occupe jours et nuits ses pensées, c'est la fougueuse Crystal Debrowski, manager dans un casino de Las Vegas. Harcelée par un criminel à la tête d'un puissant réseau de trafiquants d'armes, elle a imploré son aide. Johnny n'a donc plus qu'une idée en tête : la protéger. Et ce, au péril même de sa propre vie…

Le 18 septembre

Inédit   **Les anges gardiens - 2 - Sous les masques**

cx **Roxanne St Claire**

Marc Rossi renoue avec son ancien job d'agent du FBI et s'engage sur les traces d'une personnalité disparue. Sa mission : gagner l'Irlande et retrouver une certaine Devyn Sterling pour lui soutirer des informations. Bien entendu, il lui faudra dissimuler sa véritable identité. Or, face à la sublime Devyn, Marc comprend que ce petit jeu pourrait bien lui être fatal et qu'il faudra, tôt ou tard, faire tomber les masques…

𝒫assion intense
Des romans légers et coquins

Le 4 septembre

Une nuit avec les Sole Regret 1 & 2 - Approche-moi et Séduis-moi ❧ **Olivia Cunning**

Entraînée par sa groupie de meilleure amie à suivre la tournée des Sole Regret, Mélanie va, un soir de concert, faire la rencontre du très sexy Gabe, le célèbre batteur…

Une année durant, Maddison a entretenu une relation torride avec Adam, le chanteur des Sole Regret. Mais lasse de ses infidélités, elle s'apprête à rompre. Et à vivre une ultime nuit dans ses bras…

Le 18 septembre

Séquences privées - 1 - Troublante addiction ❧ **Beth Kery**

En quête de solitude après avoir vécu un drame, Rill Pierce part s'installer au cœur du Vulture Canyon. Si autrefois le beau réalisateur irlandais faisait tomber toutes les femmes à ses pieds, il est aujourd'hui méconnaissable. Bien décidée à tirer Rill de ce mauvais pas, Katie, la sœur de son meilleur ami, vient le retrouver. S'engage alors entre eux une relation torride, qui, peut-être, sauvera Rill de ses démons…

Et toujours la reine du roman sentimental :

Barbara Cartland

« Les romans de Barbara Cartland nous transportent dans un monde passé, mais si proche de nous en ce qui concerne les sentiments. L'amour y est un protagoniste à part entière : un amour parfois contrarié, qui souvent arrive de façon imprévue.
Grâce à son style, Barbara Cartland nous apprend que les rêves peuvent toujours se réaliser et qu'il ne faut jamais désespérer. »
Angela Fracchiolla, lectrice, Italie

Le 4 septembre
L'amour en automne